KB143199

노래
하는
배우

Singing and the Actor
by Gillyanne Kayes

This Korean edition published by arrangement with
A & C Black Publishers Limited.

SINGING and the ACTOR
노래하는 배우

질리안 키이즈 지음
류미(유미) · 명현진 옮김

도서출판 동인

감사의 말

이 책은 다양한 출처를 바탕으로 발성기법에 대해 종합적으로 연구하고자 하였다. 또한 이 책을 통해 다음 사람들에게 감사를 표하고자 한다: 1990년대 당시 뮤지컬 가수의 역할을 이해할 수 있도록 도와준 조 에스틸Jo Estill, '근본적 연결(원제: 'Primal Connection')' 작업을 진행한 제니스 채프만Janice Chapman, 글을 쓰는 과정과 근육 작용에 대한 실질적 조언을 준 메리베스 데임Meribeth Dayme, 후두의 오리엔티어링orienteering에 대한 정보를 알려준 제이콥 리베르만Jacob Lieberman, 음성학에 대해 관심을 갖게 해주고 '중설화medialising'에 대한 개념 정립을 도와준 리처드 립톤Richard Lipton에게 감사를 전한다.

또한 필자가 1998년 첫 저서를 집필할 수 있도록 자세하고 유용한 의견과 건설적인 비평을 아끼지 않은, 필자의 사업 및 교육 파트너인 남편 제레미 피셔Jeremy Fisher에게도 깊은 감사를 전한다. 아울러 뛰어난 통찰력을 바탕으로 편집 작업을 진행한 편집자 애나 샌더슨Ana Sanderson에게도 감사의 뜻을 전한다.

더불어 각 장을 읽은 뒤 자신들의 의견을 나누어준 톰 해리스Tom Harris, 사라 해리스Sarah Harris, 존 루빈John Rubin, 크리스 켈Chris Kell, 메리베스 데임Meribeth Dayme, 매튜 리브Matthew Reeve 등 여러 동료들에게도 감사를 표한다. 아울러 사진 모델이 되어준 멜로디 브리지스Melody Bridges와 스콧 브레이드Scott Braid, 사진을 촬영한 엘리자베스 스털링Elizabeth Stirling에게도 감사의 말을 전한다.

마지막으로 필자를 위해 협력을 아끼지 않은 학생 및 공동지도 교수들의 노고에 감사의 뜻을 알린다. 이들 모두의 협력은 필자의 이해도 향상에 많은 도움이 되었다.

또한 저작권 보호자료 수록을 허가한 이들에게도 감사의 뜻을 전한다.

| 지은이의 말 |

『노래하는 배우*Singing and the Actor*』의 내용을 준비하는 과정에서, 필자는 책을 읽는 개인의 문제가 무엇인지 고심하기 위하여 독자와 직접 이야기하고자 하였다. 이 책은 공연을 하는 음성 예술가vocal performer의 지식, 능력, 안전 및 궁극적으로 그들의 음성 건강에 관한 내용에 중점을 두고 있다. 이 책은 노래를 공부하는 학생들을 위한 안내서는 물론 가창 교사 및 보컬 코치를 위한 교육 자료로도 사용이 가능하다. 이 책은 세 가지—개념적(악기의 물리적, 음향적 특성), 실용적(기술skill 및 문제해결 방식 이해), 미적(음악 작품을 특정 분야에 적용하기)—측면에 대한 정보를 다루고 있다. 여기에 명시된 기술의 주요 원리는 음성의 물리적, 음향적 특성을 기반으로 한다. 이러한 점에서 이 책은 누구나 목소리가 표현되는 '방법how'과 '이유why'를 탐구하고자 하는 개인이 사용할 수 있다. 이러한 정보는 뮤지컬 분야와 관련하여, 실질적인 응용 및 선택을 하는 데 도움이 된다.

뮤지컬은 등장한지 100년이 채 되지 않아 상대적으로 역사가 짧은 형태의 예술 작품이다. 또한 뮤지컬 교수법은 아직 초급 단계에 불과하다. 뮤지컬 가수의 스타일 및 창법에 대한 요구는 성악가classical singer와 다른 방법으로 변화하고 있으며, 이 스타일과 창법은 각 장르에 맞추어 조정할 필요가 있다. 이 책에는 필자가 20여 년에 걸쳐 쌓은 실전 경험과 일부 유명 동료들의 작품이 종합적으로 소개되어 있다. 또한 재판으로 발행되면서 초판에서 소개된 내용에 새로운 관점을 추가하였다. 여기에는 정보처리 및 근육 기억 개발과 관련된 전략들이 포함된다. 이를 통해, 글로 표현된 실기 정보를 더욱 쉽게 이해할 수 있도록 하였다. 아울러 음역대, 성구 및 음성장치

변화gear change에 대해 더욱 자세히 소개되어 있다. 또한 배우의 의사결정 과정을 응용한 음질의 혼합 및 계발에 대한 내용을 추가 하였다. 더불어 여러 배우 및 강사들이 참여한 워크숍을 바탕으로 이들 요소를 심도 있게 연구하였다.

어느 동료는 『노래하는 배우』를 '어른들을 위한 책'으로 평가하였다. 이것은 이 책의 내용이 공연예술가performer는 자신만의 발성법을 개발할 수 있는 방법을 찾을 수 있도록 도와준다는 의미이다. 교사에게 의존하지 않고 스스로 느끼고to feel 상상하며to visualize 듣는to listen 방법이다. 교사는 피드백을 제공하고 무엇을 선택할 것인지 알려주는 등 발성법 개발을 위한 바탕만 제공할 수 있다. 나머지는 공연예술가performer 본인의 몫이다. 나는 이 책이 공연예술가performer, 교사teacher 및 코치coach에게 자신만의 발성 및 발성 교수법을 개발하는 데 도움이 되기를 바란다.

| 옮긴이의 말 |

2007년 호주에서 뮤지컬을 공부하던 시절, 목소리에 유독 관심을 보이던 유일한 동양 학생에게 호주 선생님께서는 메모지에 'Estill Workshop'을 적어 주셨다. 오랫동안 고민하던 목소리에 대한 궁금증이 해결되었고, 다양한 훈련들을 다른 사람들과 나누고 싶어졌다. 『노래하는 배우*Singing and the Actor*』는 에스틸Estill 훈련을 기반으로, 뮤지컬 트레이너로서 존경받는 질리안 키이즈Gillyanne Kayes의 경험이 녹아들어 있는 배우를 위한 '기초 가창 발성 교본'이라고 할 수 있다. 질리안 키이즈는 해부학 용어 및 생리적인 신체의 움직임을 비교적 쉽게 설명하였기에, 쉬운 언어를 선택하여 번역하려고 노력 하였다. 이 책을 번역하는 것은 훌륭한 배움의 경험이었고, 제가 그러했듯 독자들에게도 이 책이 가창 및 음성 능력 발전에 실질적인 도움이 되기를 바란다.

좋은 배우들에게 음성과 가창을 가르칠 기회를 주신 국립극단과 이병훈 교수님께 깊은 감사를 드리고, 힘들고 지친 훈련에도 최고의 에너지로 진심을 다해 함께한 '차세대 연극인 스튜디오'에 참여한 모든 배우들, 학생들을 가르칠 수 있도록 기회를 주신 윤광진 교수님과 김종석 교수님께 감사를 드린다. 다양한 수준의 배우와 학생을 지도하면서 이 책에 연습 과제가 효율적이라는 것을 체험할 수 있었다. 음성 치료라는 학문에 저의 경험이 적용될 수 있도록 항상 격려해주시는 심현섭 교수님, 미숙한 제자를 항상 응원해 주시는 신현숙 교수님, 지식 나눔의 소중한 가치를 저의 마음에 심어준 카트리나Katerina Moraitis 교수님께 진심으로 감사를 드린다.

이 책이 나오기까지 바쁜 와중에도 불구하고 긴 여정에 함께 해준 명현진 교수님께 감사를 드리고, 선뜻 번역본 출판에 동의해 주신 도서출판 동인의 이성모 사장님께도 깊은 감사를 드린다. 독자의 관점으로 내용과 문장 교정을 도와준 김난희 선생님, 김류화, 이재령에게 감사하고, 어려움에도 포기하지 않도록 항상 지지를 아끼지 않는 부모님과 사랑하는 가족에게 진심으로 감사를 드린다.

목소리를 공부하고 가르치는 것은 매순간 내가 살아 숨 쉬는 걸 감사하게 한다.

2015년 1월

류미(유미)

| 옮긴이의 말 |

우리나라의 경제발전이 불과 50년의 세월동안 이루어진 것처럼, 한국의 뮤지컬 산업은 실로 빠른 속도로 양적인 면과 질적인 면에서 발전을 이루었다. 우리는 원하는 것에 대한 공감대 형성이 빠르고, 그것을 뒷받침하기 위한 산업 내지 문화가 확산되는 과정이나 기간이 짧다. 하지만 그 이면에는 체계화되지 못한 시스템과 비다양성이 늘 자리 잡고 있는 듯하다. 뮤지컬 산업의 호황기를 맞이하여 뮤지컬 관련 서적들의 출판이 많아지고 있지만 대부분 뮤지컬의 역사나 작품에 대한 설명, 뮤지컬 악보의 발간에 그치고 있다. 뮤지컬의 역사가 오래된 영어권 국가에서는 과학적인 근거를 바탕으로 한 발성책이나 뮤지컬 가창에 관련된 다양한 책들이 보급된 지 오래고 그 연구는 지금도 활발히 진행되고 있으나 우리나라에서 가창법에 대한 연구는 미비한 상황이다. 음성과학이 발전하기 전, 느낌이나 이미지에만 의존하여 실제 발성, 공명, 조음기관에서 이루어지는 일과는 상관없는－오히려 잘못된－별개의 가창지도가 아직도 이루어지고 있다. 노래를 표현하기 위해 사용되는 음색이 여러 가지이듯이 그것을 가르치는 방식도 달라야 한다. 성악에서 사용하는 호흡과 후두의 모양을 가지고서 현대 뮤지컬 발성을 한다면 과다호흡과 낮은 후두로 인하여 성대에 무리가 오게 되고 결국은 질환으로 이어질 수 있다. 이 책은 가창지도자가 보다 올바른 방법을 사용하여 학생들을 지도할 수 있도록 해줄 것이며, 다양한 음색을 활용하여 캐릭터의 감정을 소리적으로 표현하고자 하는 뮤지컬 전공생, 뮤지컬 배우뿐만 아니라 여러 발성을 통해 인물의 음색적 표현을 연구하고자 하는 배우에게도 유용한 책이 될 것이라 생각한다. 소리의 기본원리와 호흡과 발성에 관한 전반부인 1장에서 7장은 Voice를 전공하신 류미(유미) 선생님께서 번역을 해주셨고, 8장부터 진행되는 보컬음색의 다양한 사용과 그에 따른 공명, 조음, 호흡기관의 운용에 대한 부분은 본인이 담당하였다. 독자들이 조금 더 쉽게 이해하고 접근하고자 역자들의 전공에 따라서 나누어 번역을 진행하게 되었으며 따라서 조금은 다를 수도 있는 언어의 사용과 해석에 독자들의 양해를 구한다.

마지막으로 실험대상이 되어 책에 나온 인지훈련과 연습의 글을 읽고 직접 시연해 주시며 비전공자로서 번역에 대한 자신의 이해도를 가감 없이 말씀해주시고 도움을 주신 황택하 선생님께 깊은 감사의 말씀을 전한다.

2015년 1월

명현진

TABLE • OF • CONTENTS

SECTION • I

목소리는 어떻게 작용하는가

How the Voice Works

이 책의 1~4장에서는 음성 '방법how'과 '원리why'에 대해 다루고 있다. 우리의 악기는 우리 안에 있다. 또한 이 악기는 흥미롭고 신비한 목소리를 만든다. 일부 트레이너들과 공연예술가들은 노래나 말을 할 때 일어나는 현상을 '지나치게' 생각하는 것은 남아 있는 두려움 때문이라고 설명하였다. 최근까지 보컬 트레이너들은 경험에 기반한 발성 지식에만 의존하였다. 일부 트레이너들과 공연예술가들은 노래나 말을 할 때 일어나는 현상을 예민하게 반응하는 것은 남아있는 두려움 때문이라고 설명하였다. 그러나 음성 과학voice science과 의학medical science은 지난 100년 간 괄목할만한 발전을 이루었으며, 노래나 말을 할 때 어떻게 음성과 관련된 근육이 움직이는지, 어떻게 가수들이 음성 기법을 사용하는지에 대해 점차 이해할 수 있게 되었다.

'노래하기singing'는 신체적 기술physical skill이다. 그러므로 이 책에서 다루는 대부분의 주제는 실용적인 훈련을 포함한다. 또한 1~4장에 소개된 인지 훈련awareness exercises은 이 책의 나머지 내용의 기초가 되기 때문에 매우 중요하다. 이들 인지 훈련을 통해 초보자들은 발성에 사용되는 근육이 무엇인지 파악할 수 있고, 숙련된 가수들singers은 더욱 세밀한 발성 조절 법을 배울 수 있다. 내 경험에 따르면 가수들은 발성법을 체계적으로 이해함으로써, 공연을 할 때 자신의 실력을 더욱 신뢰하게 되는 혜택을 받는다.

이 책 전반에 소개된 발성연습 과제에 사용된 모음은 영국 표준General British 모음을 바탕으로 한다. 이는 모음 배치를 이탈리아 모음을 바탕으로 한 공연과 혼동하지 않도록 설정한 것이다. 이는 단모음과 이중모음을 필요에 따라 첨가할 수 있다. 영어 이외의 언어를 사용하는 가수들은 해당 언어에 맞는 모음을 사용하면 된다. 그러나 원작 기반 언어로 뮤지컬 공연을 할 경우에는 표준 영국 및 미국General British and American 모음을 익히는 것이 필요할 것이다.

4장부터는 발음기호Phonetic symbols가 소개되어 있다. 각 훈련에서 사용되는 소리는 발음기호를 사용하여 정확하게 표현할 수 있도록 한다. 이 책에서 사용되는 모든 발음기호에는 해석철자interpretive spelling가 표기되어 있다. 5장의 77~79쪽에는 이러한 국제음성문자IPA 기호에 따른 철자를 소개하였다. 이후 텍스트에서 음성발음기호는 주기적으로 나타난다.

Chapter 1.

음정은 어떻게 맞추는가

How do I make the notes

필자는 최근 드라마 대학Drama College에서 3년간 훈련을 받은 유능하고 지적인 전문 여배우에게 첫 수업을 하였다. 그녀는 "저는 노래하는 법을 몰라요. 목소리는 괜찮고 시창을 할 수 있지만, 어떻게 음정notes을 맞추는지는 모르겠어요"라고 말하였다.

당신은 어떻게 음정note을 맞추는가? 이 장에서는 '발성 기관vocal instrument'의 본질nature에 대해 살펴볼 것이다. 물리적, 음향적 특성들과 발성 기관을 '연주play'하는 가수들에게 이러한 특성들이 미치는 영향을 포함한다. 이 장에서는 성도의 관tube of vocal tract, 후두, 성대에 대해 이야기할 것이다. 각 부위의 특징과 기능을 이해하고 직접 느낄 수 있도록, 음성 메커니즘에 따라 인지 훈련awareness exercises를 제시하였다.

음성 메커니즘THE VOVAL MECHANISM

성도The vocal tract

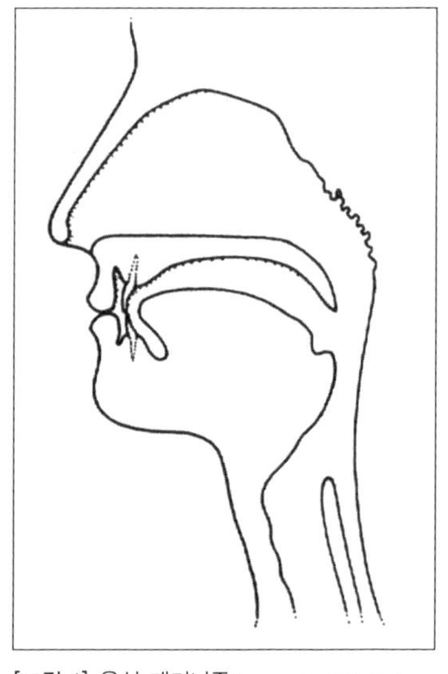

[그림 1] 음성 메커니즘the vocal mechanism

그림 1을 보라. 당신의 목소리, 혹은 성도는 관pipe과 같은 형태를 하고 있다. 아래로는 목 내부까지 이어져 있으며, 아래로 내려갈수록 좁아진다. 위로 올라 갈수록 넓어지며, 입과 비강까지 이어진다.

성도 전체는 공명기共鳴器, resonator의 역할을 한다. 당신은 숨을 참은 상태에서 후두 가까운 목 주위를 손가락으로 가볍게 쳐봄으로써, 이 역할을 확인할 수 있다. 빈 물체를 두드릴 때 나는 소리가 날 것이다. 그 다음, 소리를 내지 않고 다양한 모음을 발음해 보라. 발성voicing을 하지 않음에도 불구하고, 성도의 모양이 모음에 따라 변하는 것을 알 수 있다.

후두larynx와 진성대vocal folds

후두는 기관氣管, windpipe의 상단에 위치해 있으며, 진성대를 보호하는 역할을 한다. 여기가 소리가 시작되는 부분이다. 후두는 진동기振動機, vibrator이다. 공명기는 소리를 증폭시키고 형태를 만들기는 하나 직접 소리를 발생시킬 수는 없으므로 후두는 매우 중요한 역할을 한다.

관악기에 리드가 있어 소리는 발생시키는 것처럼, 인간에게도 두 개의 진성대가 진동함으로써 소리를 발생시킨다. 소리를 내기 위해서는 이들 진성대가 서로 가까이 움직여야 한다. 진성대가 신속하게 닫힘과 열림을 반복할 때마다 '소리 신호sound signal'가 발생된다. 아래 연습은 당신에게 진성대 진동이 무엇을 의미하는지를 느낄 수 있도록 도와줄 것이다.

인지 훈련 1 • 진동 메커니즘THE VIBRATING MECHANISM

1. 가볍게 다문 상태의 입술 사이로 호흡을 내뿜는다. 이때 높낮이가 없는 바람소리가 날 것이다.
2. 숨을 좀 더 세게 내쉬기 시작하자. 그리고 압력을 조절하면서 상승시켜 '입술 털기lip trill'가 될 정도의 강도로 숨을 내쉰다. 이는 공명기에 의해 소리의 형태가 완성되기 전에 후두 단계에서 진성대 주름이 생성하는 '음향신호'와 비슷하다. 이때 아래 사항을 유의하도록 한다.

(1) 숨을 쉴 때 입술의 진동을 자극할 수 있도록 한다.

(2) 입술의 효율적 진동을 위해서는 공기의 압력을 조절하여야 한다. 노래 또는 말을 할 때 발생하는 이 압력은 '성문하 압력聲門下壓力; sub-glottic pressure'이라고 한다.

(3) 입술 또는 진성대의 떨림을 느낄 수 있어야 한다.

이제 발성기관을 음성 조절장치로 활용하여 진동을 유도할 때 발생하는 현상을 연구하도록 한다.

3. '입술 털기'를 다시 한다. 이번에는 입술 진동을 하면서 '허밍' 소리를 내도록 한다. 후두에 손가락을 댄 후 '허밍'을 시작하면 진동을 느낄 수 있다.

이 과제에서는 입술과 진성대 모두에 진동이 발생하며, 발성기관에서는 음성이 형성됨을 알 수 있다.

음정 형성하기MAKING THE NOTES

노래를 잘 부르기 위해서는 공기의 흐름, 진성대 닫힘이 원활하고 공명기가 효과적으로 사용되어야 한다.

발성 기관의 기능	파워Power	음원Source	필터Filter
발생 위치	폐Lungs	후두Larynx	성도Vocal track
발성 용어	호흡Breath	톤Tone	공명Resonance

그림 2는 성도에 발성 기능의 위치를 나타내고 있다. 차후에 성도의 구조와 발성에 참여하는 근육들을 살펴볼 것이다.

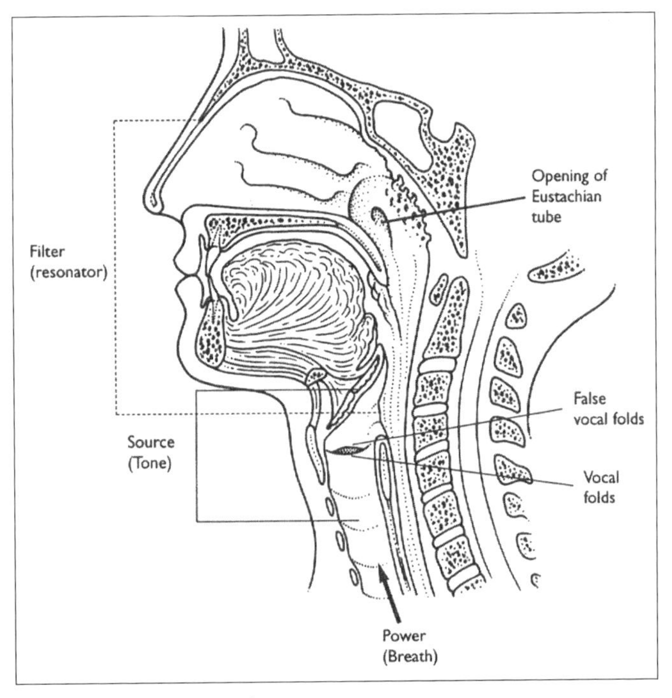

[그림 2] 성도: 호흡, 음조, 공명the vocal tract; breath, tone and resonator

'가온 다middle C'에 해당하는 음을 낼 때, 진성대 주름은 초당 약 262회의 닫힘과 열림을 반복한다. 음이 발생하기 위해서 공기력, 근력 및 탄력 등 다양한 힘이 복합적으로 작용한다. 발성phonation(음성 산출) 과정에서 진성대는 '수동적 passive'이지 않다. 진성대는 호흡의 흐름을 작은 공기의 진동으로 만든다. 기차와 같이 연결된 공기압의 작은 공기들은 음원sound source을 발생시킨다. 그런 다음 음원은 성도의 관tube을 지나면서 더 강해지고, 성도의 크기와 모양에 따라 소리가 형성된다. 성도의 형태는 다양한 음질을 만들어 내는데, 이것이 음성의 독특한 성질을 결정해준다. 어떤 악기도 자유자재로 이런 역할을 할 수가 없다. 모든 보컬리스트는 각자의 그래픽 이퀄라이저graphic equalizer를 가지고 태어나는 것이다.

소리의 발생Sound production: 기초

음높이pitch; 당신이 노래하는 음정는 1초당 진성대가 닫힘 열림을 반복하는 횟수에 따라 결정된다. 이를 '기본 주파수fundamental frequency'라고 한다. 우리가 음정을 노래할 때 진성대는 기본 주파수 위에 또 다른 다양한 주파수를 만들어낸다. 이들 주파수는 '배음倍音, overtones' 또는 '화음harmonics'이라고 한다. '가온 다, middle C(C4)'보다 두 옥타브 낮은 도, C2(65Hz 또는 초당 진동횟수)을 낼 때 발생하는 배음을 보면 다음 그림과 같이 여러 화음을 확인할 수 있다.

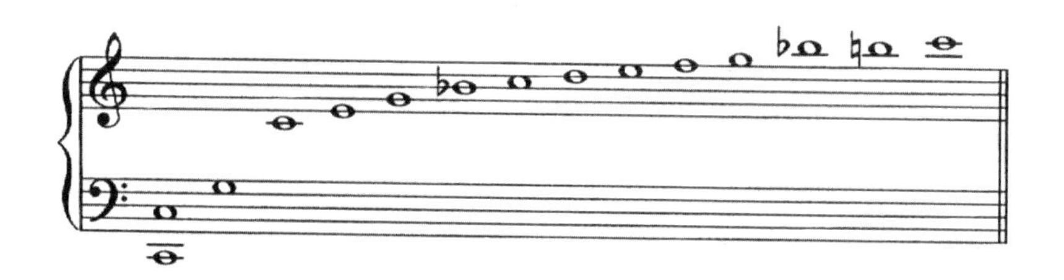

각 음이 만들어질 때 들을 수 있는 여러 화음들은 음질sound quality 형성에

기여한다. 모든 악기들은 그들의 형태에 맞게 만들어지는 이러한 화음들 때문에 음색sound quality이 구별된다(바이올린, 플루트, 클라리넷, 트럼펫으로 같은 음을 연주해도 이들 악기의 소리는 서로 다르다). 우리의 음성도 악기와 같이 서로 다르게 작용한다는 것을 아는 것은 가수에게 긍정적인 도움이 된다. 당신은 배우로써 이미 음향에 익숙하다. 왜냐하면 각기 다른 음향 공간에서 연기를 하면서 당신은 발성법voice production을 바꿔서 사용해왔기 때문이다. 공명과 전달projection에 대해 생각하는 것에도 익숙하다. 우리는 연주자로서 음성에 대하여 항상 깊게 생각하지 않는다.

발성하는데 필요한 기본 요소를 요약하면 다음과 같다.

1. 충분히 강한 기본 주파수를 만들기 위해서는 효과적인 진성대 닫힘이 이루어져야 한다. 이것은 발성을 편안하게 해준다.

2. 배음에 있어 균형을 이룬 에너지를 사용해야 한다. 그러면 소리 깊이가 좋아지고 전달력이 향상된다.

3. 진성대가 진동을 유지하기 위해서 일정한 호흡 압력이 필요하다.

개개인의 목소리는 동일한 요소로 구성되어 있어서, 모든 사람들이 노래를 부르는 것이 가능하다. 그러나 성도vocal track의 형태와 크기는 우리의 몸이 다르듯이 다양하기 때문에 우리는 각자 독특한 목소리를 가지는 것이다.

'두성head'과 '흉성chest': 미신인가? 사실인가?

파워-음원-필터power-source-filter 그림 2를 보면, '두성'과 '흉성'에 대해 궁금할 것이다. 필자는 '두성'과 '흉성'이라는 용어를 학생들이 이전에 받았던 훈련에 대해 이야기할 때만 사용한다. 이들 용어는 신체 감각과 관련된 구식 용어로, 경험 없는 가수들은 두 가지 다른 목소리가 있다고 오인할 수 있다. 머리와 가슴에서 만들어지는 소리의 신체 감각은 골전도bone conduction 또는 근육의 작용으로 인한 교감交感 공명sympathetic vibrations으로 생성된다.

따라서 '두성'과 '흉성'이라는 표현은 '두성구'와 '흉성구'라고 하는 것이 더 정확하다. 전자 키보드의 패치와 마찬가지로 사람의 목소리는 한정된 음역대를 가지고 있다. 다른 음역대에 따라서 음질은 달라진다. 따라서 이후 장에서 성구 전환register changes과 성구 '브레이크breaks'가 어떻게 발생하는지와 원인 및 해결 방안을 다룰 것이다. 우선은 '두성'과 '흉성'이라는 개념을 배제할 것을 제안한다. 지금부터 당신의 목소리에서 나타나는 성구전환 현상에 도움이 되는 방법과 음색 변화를 살펴볼 것이다.

실제 훈련

이제 당신의 악기를 느끼고 소리는 내는 방법을 알아보고 몸 안에서 움직이는 악기의 부분을 마음속에 그려보는 방법을 여러 훈련을 통해서 알아보자. 필자는 이 책에 많은 연습과제들을 통해서 당신의 학습에 도움이 될 단서들을 제공하고자 한다. 그림과 이미지는 시각적 단서다. '~처럼 들리다'와 같은 말은 청각적 단서다. '느낌이 어떤지 인지하자' 또는 '마치 이런 느낌이다'와 같은 말은 근운동감각적kinaesthetic[1] 단서이다. 자신에게 가장 적합한 학습 단서를 사용하는 것이 좋다.

인지 훈련 2 • 진성대 닫기

1. '어-오!'('uh-oh')와 같이 친근한 말투로 경고를 한다. 맑고 명확하고 힘을 주지 않고 자연스럽게 소리를 내도록 하자. 모음을 발음하기 직전에는 항상 성문

[1] 'Kinaesthetic'이란, 신체의 움직임이나 위치에 관한 감각, 근육과 관절의 상태에 대한 감각 정보를 말한다. 학습을 할 때 일반적으로 3가지 감각－시각적, 청각적, 근운동감각적－을 사용한다. ■옮긴이 주

glottis[2]이 닫히도록 한다. 양손을 마주쳐서 짧은 손뼉을 침으로서 성문이 닫히는 것을 시각화한다.

2. 말할 때 목소리로 여러 번 반복한다. 많은 언어에서 평상시에 사용되는 소리처럼 단순하게 한다.
3. 다시 소리를 내려다가, 시작하기 전 잠시 멈춘다. 이때 호흡이 멈추는 것을 알 수 있을 것이다(만일 양손을 사용하였다면 두 손은 마주친 상태에서 멈추었을 것이다).

   후두에 어떤 감각이 느껴지는지 집중한다. 정지된 상태를 느낄 수 있는가? 정지된 상태를 풀었을 때 어떤 소리가 나는지를 귀 기울여 들어보자. 아마도 공기가 가볍게 터지는 소리가 들릴 것이다. 이것은 성문(성대 사이의 공간)이 열리고 공기를 내보내는 소리다.
4. 이제 이 경고 메시지를 다시 시작하되, 시작하기 전 잠시 멈춘 뒤 숨을 참는다(손을 사용할 경우에는 손을 모은다).

   후두에 무엇이 느껴지는지 집중한다. 숨을 참고 있는 것이 느껴지는가? 몸을 다시 움직이고 숨을 쉬기 시작하면, 공기가 가볍게 터지는 소리가 들릴 것이다. 이것은 성문(진성대 사이의 공간)이 열리고 공기를 내보내는 소리다.

이 훈련의 목적은 후두 안에 진성대에서 소리가 시작한다는 것을 느낄 수 있도록 하는 데 있다. 소리를 내지 않고도 진성대가 호흡을 멈추게 함으로서 호흡 조절을 할 수 있었다. 이 현상은 19쪽에 언급한 진성대 닫힘－'음원'－에 해당한다.

열린 진성대가 다시 닫히기 위해서는 호흡이 필요하다. 이와 같이 진성대와

2 성문(glottis)은 진성대 사이의 빈 공간을 말한다.

호흡의 관계는 좋은 발성의 필수 요소이다. 후두를 통해 공기를 내보내면서 진성대를 닫지 않을 수도 있다. 이것은 성도에서 공기 소음만을 일으킨다. 진성대 닫힘이 소리를 만들어내는 것이다.

'사이레닝sirening'과 연구개

우리가 인지해야 하는 또 다른 중요한 발성기관은 연구개이다. 연구개는 필터로서, 소리가 비강이나 구강 또는 두 곳으로 동시에 나가도록 한다. 연구개는 공명을 위한 주요한 역할을 하고 있다.

인지 훈련 3 • 연구개의 위치

1. 코로 조용히 들숨과 날숨을 반복한다. 입을 벌린 상태에서 계속 코로 숨을 쉰다. 혓바닥에 주의를 집중하고 입 안 어디에서 호흡이 느껴지는지를 인지한다.
2. '싱'('sing')' 소리를 낸다. 받침 '응'('ng')을 모음 '이'보다 길게 소리를 낸다. 이 소리를 낼 때, 코로 호흡을 반복할 때처럼, 입 안 뒷부분에서 혀가 어딘가에 닿는 것을 느낄 수 있을 것이다. 이 부분이 바로 '연구개soft palate or velum'이다.
3. 이제 입과 혀를 거의 움직이지 않고 '잉-잉-잉-잉-잉'('ing-ing-ing-ing-ing') 소리를 낸다. 입과 혀가 움직이지 않도록 거울을 보면서 하는 것도 좋다.
   무엇인가 움직이는 것을 느껴지는가? 어떤 부분이 움직이는지 알 수 없다면, 다음 방법을 시도해 보자.
4. 중간 강도로 자음 'ㅋ'('k')를 발음한다. 이 자음은 폐쇄음이라 처음에 호흡이 정지되었다가 풀릴 것이다. 'ㅋ'('k')를 발음하면서 이완될 때 움직임에 주의를 집중한다. 연구개는 성도의 뒤 벽에 기대어 있고, 혀는 다시 아래로 내려갈 것이다.
5. 연구개의 위치에 집중하면서, 위의 1~3단계를 반복한다.

지금부터 사이레닝을 통해 발성 메커니즘에 대해 더 자세히 알아보자. 이 훈련에서 '근육을 통해서 듣는' 연습이며, 당신은 음역대가 변화함에 따라 신체적 노력의 정도가 어떻게 달라지는지를 인지하게 될 것이다.

인지 훈련 4 • 사이렌

이 제목은 음도를 빠르게 오르내리는 구급차의 사이렌 소리에서 따온 것이다. 실제 사이렌 소리와 달리, 이 훈련은 조용히 연습한다.

1. 앞에 훈련처럼, '응'('ng') 소리로 시작한다('싱'('sing')을 연상한다). 혀가 뒤쪽으로 올라가고 옆쪽으로 펴지면서 혀의 옆 부분이 위 어금니에 닿도록 한다.
2. 작은 강아지가 낑낑거리며 우는 소리를 상상한다. '응'('ng') 소리로 강아지 소리를 흉내 낸다. 아주 작은 호흡을 사용하여 가능한 조용하게 소리 낸다.
3. 이제 커다란 진폭의 사이렌 소리를 낸다. 아래 고리처럼 점차 소리의 높낮이가 더 차이가 나도록 소리를 낸다.

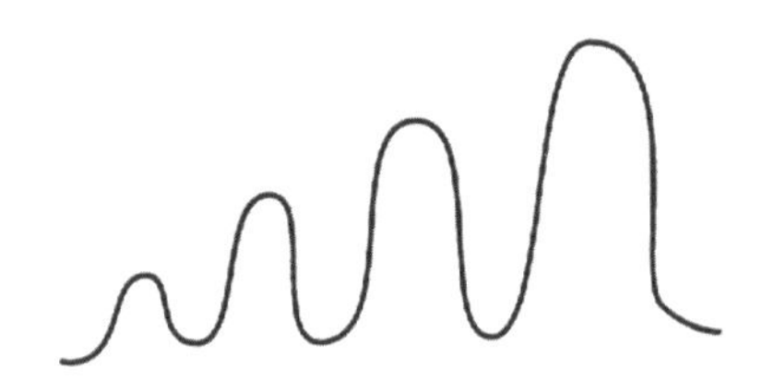

4. 마지막으로 당신의 음역대의 가장 낮은 음부터 높은 음까지 사이레닝을 한다. 느끼고 들리는 것들 것 변화에 주의를 집중한다.

(1) 사이렌 소리를 낼 때, 낮은 음에서 고음까지 균등하게 쉽게 느껴지지 않는다. 이러한 현상을 '노력 단계의 변화'라고 한다.

(2) 자신의 음역대의 특정 지점에서 목소리가 갈라지거나 나지 않을 수 있다. 이 지점은 통상 성구 '브레이크break'로 불린다. 이러한 현상은 일반적이며, 정상

적인 것이다.

고음을 낼 때 진성대는 빠른 속도로 진동하기 위해 긴장도가 높아지고 늘어나기도 한다. 이 현상은 모두 후두 안에 작업이 증가됨을 의미한다. 반면, 낮은 음을 낼 때는 진성대는 이완되고 진동 속도가 느려진다. 어떤 사람들은 이러한 변화를 조절하지 못하기 때문에, 목소리가 고르지 못하게 된다. 목소리가 갈라지거나 브레이크가 일어나는 경우는 쉽게 개선될 수 있다. 한편, 음높이의 변화에 따른 진성대의 공황 상태 반응은 후두의 긴장을 유발할 수 있다. 이 경우 목소리가 완전히 쉬어 버리기도 한다. 만약에 당신이 이런 경험이 있다면 걱정하지 말라. 이 문제에 대한 해결방법은 이 책의 5장과 7장에 소개되어 있다.

이제 위에 언급한 '사이레닝'의 점검을 다음과 같이 살펴보자.

1. 호흡 사용

우는 소리를 흉내 낼 때 얼마만큼의 호흡이 필요할까? 최고조의 사이렌 소리를 낼 때 호흡의 양과 연결해서 생각해 보자. 이 소리를 내기 위해서 얼마나 많은 양의 호흡을 들이 마시는가가 아니라 얼마나 많은 양의 호흡을 사용하는가가 중요하다. 소리에 맞는 호흡의 양을 조절할 수 있는지를 알아보자(사이렌 소리는 조용히 내도록 한다).

2. 머리, 목, 턱의 자세

(1) 최고조의 사이렌 소리를 낼 때 목 뒤에서 어떤 현상이 일어나는지 주목한다. 고음에서는 턱이 위로 올라가고, 저음에서는 턱이 아래로 내려가는 것을 알 수 있다. 사이렌 소리를 내면서 가장 어려운 지점에서 목의 뒷부분을 길고 곧게 편다.

(2) 사이렌 소리를 낼 때, 거울을 보면서 자신의 턱의 움직임을 확인한다. 가장

높거나 낮은 음을 낼 때 턱을 매우 크게 벌리고 있다면 주의하자. 가장 작은 턱의 움직임에서 사이렌 소리를 내보자.

3. 성도

사이렌 소리를 내는 동안 입 안에 혀와 연구개의 움직임을 주목하자. 혀의 위치는 어디인가? 혀가 연구개와 위 어금니에 닿는 것을 느낄 수 있는가? 고음으로 올라갈 때, 혀가 연구개로부터 멀어지려고 하는가? 사이렌 소리를 내는 동안, 울거나 낑낑거리는 소리를 흉내를 낼 때와 같이 혀와 연구개가 항상 붙어 있는 상태를 유지한다.

많은 가수와 선생들이 소리에 집중하게 되는 것은 흔한 현상이다. 그것은 원인을 조절하는 것이 아니라 결과만을 목표로 하는 것이라고 말할 수 있다. 위와 같은 훈련을 통해 당신은 소리를 낼 때나 내기 전에 발성을 위한 근육들에 대한 감각을 개발하게 될 것 이다. 이것은 발성 근육 조절 능력과 자신감을 기를 수 있게 될 것이다. 계속해서 '들어라'.[3]

[3] 근육의 움직임에 주의를 기울이도록 한다. ■옮긴이 주

Chapter 2.

오디션에서는 내 목소리가 제대로 나오지 않는다

My Voice won't come out at auditions

중요한 오디션이 있는 날 아침. 당신은 리허설도 충분히 했고 좋은 공연을 할 준비도 되어 있다. 그러나 오디션 상황은 당신을 초조하고 불안하게 만든다. 아드레날린이 온 몸에 퍼지고, 맥박은 높아지고, 위 속은 파리가 들끓는 것처럼 느껴질 것이다. 노래를 하기 위해서 입을 벌리지만 모든 것이 멈춰 버린다! 계속 노래를 해보지만 어떤 이유인지 목소리가 예전 같지 않다. 사실상 목소리가 목 안에 갇혀버린 것 같은 느낌이고, 당신 같지 않은 목소리가 나온다. 무슨 일이 일어난 건지 의구심에 쌓여 오디션 장을 나올 것이다. 이러한 현상은 보편적인 경험으로, 노래를 하는 배우나 가수 모두에게 일어날 수 있다.

이 장에서는 우리는 왜 후두의 긴장이 일어나며, 그에 대처하는 방법은 무엇이며 어떻게 하면 호흡과 소리의 톤을 어떻게 조절할 수 있는지 알아볼 것이다. 이런 테크닉을 정복하는 것은 이 책의 상급 기교를 익힐 수 있도록 하며, 오디션에서 당신의 목소리에 확신을 갖게 할 것이다.

후두larynx와 주요 기능primary function

우리가 생존하기 위해서, 우리 몸은 주요 기능의 프로그램을 갖추고 있다. 후두의 주요 기능은 침이나 음식물 덩어리가 폐로 들어가는 것을 막아줌으로써 기도를 보호한다. 본래 후두는 괄약근 메커니즘sphincter mechanism이다. 후두는 압력밸브pressure valve로써 작용하는 부차적인 기능을 한다. 기도를 막음으로써 후두는 우리의 근육을 최대한 긴장시키고 출산과 구토를 가능하게 한다. 이 압력밸브는 우리가 기침함으로써 이물질을 배출하여 폐를 청소할 수 있도록 한다.

말하고 노래하는 것은 인간의 진화과정을 통해 얻어진 학습된 행동으로 후천적인 기능이다. 그러므로 후두를 닫으려는 경향은 보호 프로그램의 일부분이며 완전히 자연스러운 기능이다. 그리고 후두의 수축constriction은 도피나 투쟁 메커니즘에서 발생하는 심리적인 요소들에 의해 유발되기도 한다. 단순하게 들릴지 모르겠지만, 우리의 후두는 오디션 상황과 실제 신체적 위협의 차이를 구분하지 못한다. 우리 몸의 화학작용도 마찬가지다.

공연 중에 발생하는 긴장을 어떻게 극복할 수 있을까?

후두 수축LARYNGEAL CONSTRICTION과 이완RELEASE

아래 그림은 위에서 본 성대를 보여준다. 다른 위치에 있는 두 쌍의 성대를 주목하자.

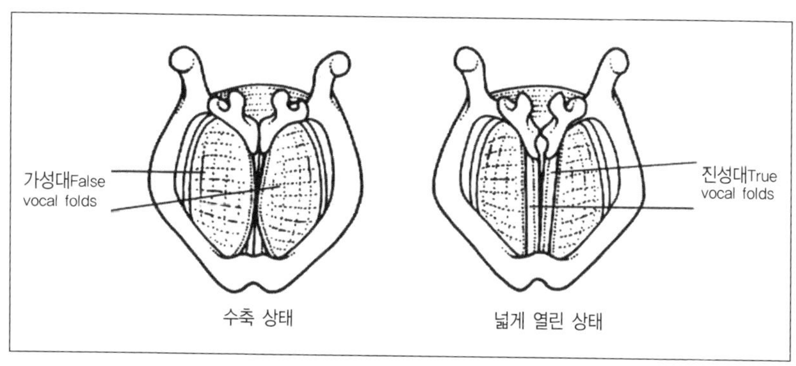

가성대 [그림 1] 가성대 수축 상태 [그림 2] 가성대 연축 상태

위 그림에서 빗금 친 부분이 가성대이다. 가성대는 노래하거나 말을 할 때 진성대 위에 공기층을 막아버림으로써 문제를 일으킨다. 이러한 방해는 진성대 진동을 혼란스럽게 만들고, 발성에 악영향을 미치거나 발성 차체를 어렵게 만들 수 있다. 이것이 우리가 말하는 '가성대 수축constriction'인 것이다.

왼쪽 그림을 보면, 가성대가 진성대를 완전히 덮어버린 것을 알 수 있다. 오른쪽 그림에서, 가성대가 옆으로 벌려짐으로써 진성대를 뚜렷이 볼 수 있다. 20쪽에 그림 2를 참고하면, 가성대가 성도에 어디에 위치하는지 볼 수 있다. 성도에 가성대는 진성대 위에 있으면서 매우 가까이 있다는 것을 볼 수 있다.

이제 발성에 가성대의 영향을 인지하는 훈련과 가성대 인지 능력을 높이는 훈련을 해보자.

인지 훈련 1 • 가성대 수축 상태

가성대는 안간힘을 쓰거나 끙끙거릴 때 자연적으로 수축된다.

1. 앉은 자세에서 두 발이 체중의 무게가 실리지 않도록 들어올린다.
2. 두 손으로 의자 밑을 잡고 의자를 들어 올리려고 노력한다. 후두에 어떤 현상이 일어나는지 주목하자. 더 힘껏 의자를 들어 올리려고 할수록 가성대가 수

축할 것이다.

느낌이 어떤가? 목구멍 안쪽에서 무언가가 밑으로 누르고 복부에서는 공기가 밀려 올라오는 것을 느끼는가? 이것이 가성대 수축constriction의 느낌이다.

인지 훈련 2 • 가성대 연축 상태RETRACTION

1. 미소가 지어지는 재미있는 일을 상상한다. 입 안의 미소inner smile를 계속 유지한다.
2. 입 안의 미소가 성도 쪽으로 확장되도록 한다. 입 안의 미소가 후두가 있는 목 안쪽으로 내려 보낸다.
3. 입 안의 미소에 소리를 더해 낄낄거리거나 킥킥거리며 웃는다.
4. 그 느낌을 점점 키워 크게 웃는다. '히히', '하하', '호호' 등 자신이 가장 잘할 수 있는 것으로 크게 웃는다.
5. 무성영화에 주인공이 되었다고 상상해 보자. 소리만 내지 않고 이전처럼 강하게 웃는다.
6. 소리는 내지 않고 크게 웃으면서 신체적으로 어떤 움직임이 일어나는지를 살펴본다. 어디에 느낌이 오는가? 노력의 감각을 측정하기 위해서 노력의 점수를 매긴다. 1~10까지 중에 선택한다. 조용히 웃을 때 노력의 점수는 몇 점인가?

당신의 노력 점검하기

소리 없는 웃음silent laughing의 느낌을 지속시키기 위해서는 노력이 필요할지도 모른다. 다음 체크리스트를 이용하여 소리 없는 웃음의 노력점수를 유지하면서, 우리 몸에 쓸데없는 긴장을 이완하도록 한다.

(1) 부드럽고 자유롭게, 복부에 어떠한 반동 없이, 숨을 들이쉬고 내쉰다.
(2) 게으르게 턱을 움직여 씹고 입 안에서 혀를 돌린다.
(3) 바깥으로 웃음이 보이지 않을 때까지 얼굴을 마사지한다.
(4) 방을 자유롭게 걸어 돌아다니면서, 당신의 평소 자세를 살펴본다.

소리 없는 웃음의 노력 점수를 기억함으로써 당신이 가성대 연축 상태에 대한 근육 기억을 새기도록 도와줄 것이다. 위에 순서대로 긴장을 이완하면서도 노력 점수는 계속 유지하도록 한다.

후두에 새로운 공간이 느껴지는가? 그것이 가성대 연축 상태의 느낌이다. 당신이 얼마나 열심히 훈련을 했는지를 인지한다. 가성대 연축 상태는 이완relaxed과는 다른 것이다. 다른 근육들이 활성화될 때, 계속 가성대 연축 상태를 유지하는 것이 더욱 어렵다는 것을 인지한다. 필요하다면 앞 인지 훈련의 4에서 6번 단계를 반복해서 한다. 그리고 부드럽게 모음 '이EE'를 편안한 음정으로 노래한다. 어떻게 느껴지는지 어떤 소리가 나는지를 주목한다.

필자의 학생들은 종종 이 훈련 후에 그들에 내는 소리에 놀라곤 하는데, 특히 가수가 아닌 학생들이 그렇다. 잘 훈련된 보컬리스트들은 일반적으로 후두 가성대 연축 상태를 이미 하고 있으며 그 감각이 어떤지 알고 있다. 가창 경험이 적은 사람들은 한 음을 길게 유지하는 것에 익숙하지 않기 때문에 가성대 연축 상태를 유지하는 훈련이 더 필요하다.

모두가 소리 없는 웃음silent laugh의 개념을 처음부터 이해하는 것은 어렵다. 웃음laughter과 연관된 수많은 다양한 감각들이 있어 서로 혼동되기 쉽고 가성대 연축 상태를 못할 수도 있다. 여기에 다른 방법을 소개한다. 만약 당신에게 적용이 된다면, 도움이 될 것이다.

인지 훈련 3 • 소리 없는 호흡을 이용한 청각 모니터링AUDITORY MONITORING USING SILENT BREATHING

1. 편안한 자세로 앉는다. 잠을 잘 때처럼 입으로 숨을 들이마시고 내쉰다.
2. 귀를 손가락으로 막고 머리 안의 소리를 듣는데 집중한다(날숨이 더 잘 들리는 사람도 있고, 들숨이 더 잘 들리는 사람도 있을 것이다).
3. 귀를 손가락으로 막은 상태를 유지하면서, 계속 숨을 들이마시고 내쉬고 점섬 숨소리를 줄인다. 한 손으로 배 위에 손을 올려놓거나 입 앞에 날숨을 인지함으로써, 계속 숨을 쉬는지를 확인한다.
4. 머리 안에서 아무런 숨소리가 들리지 않을 때까지 계속한다. 부드럽게 호흡을 하고 있는지 반드시 확인하자. 이것이 가성대 연축 상태이다.
5. 당신의 노력 점수(1~10)는 몇 점인가?

위 1에서 4단계를 반복하고 음정으로 노래하자.

우리는 가성대 연축 상태를 항상 사용해야 하는가? 대개의 경우 그렇다. 일상적인 대화나 이완된 목소리를 사용에선 가성대 수축 상태를 피하는 것이면 충분하고, 가성대 연축 상태 까지는 필요가 없다. 오페라나 벨팅belting같은 높은 에너지가 필요하고 노래가 길게 뻗어나가기 위해서 가성대 연축 상태는 필수적이다. 이것은 발성하는 동안 진성대가 폭 넓고 자유롭게 움직일 수 있도록 해준다. 가성대 수축과 이완의 위치를 명확하게 인지할 때까지 위에 훈련들을 여러 번 연습하자. 가성대 연축 상태 훈련에 대해서는 5장에서 더 소개할 것이다.

노력EFFORT과 인지AWARENESS

후두부 수축laryngeal constriction을 해결하기 위해서 공연예술가로서 항상 생각하는 중요한 문제를 다룰 것이다. 그것은 공연에서 나타나는 긴장 상태의 양상을 여과 없이 진짜처럼 보이게 하는 방법이다. 노래한다는 것은 음의 높낮이를 조절하고, 후두를 움직이고, 공기역학적 조절하여야 하며 신체적 에너지까지 필요한 복잡한 발성 작업vocal tasks이다. 다음은 노력을 인지하는 훈련들이다.

인지 훈련 4 • 개인적 노력 점검하기

다음 훈련을 위하여 소프트볼이나 비슷한 것을 사용한다.

1. 한 손에 공을 쥐고 팔을 크게 돌린다. 공의 무게와 크기를 인지하면서 공을 쥔 게 편해 질 때까지 계속해서 팔을 돌린다.
2. 그 느낌에 노력 점수 1~10 중에 한 점수를 매긴다.
3. 이제 공을 세게 쥐면서 그 느낌에 노력 점수를 매긴다.
4. 계속해서 공을 쥐고 있는 노력점수는 유지하고, 공을 쥐지 않은 팔을 흔든다.
5. 계속해서 공을 쥐면서, 공을 쥐지 않은 팔을 흔들면서 크게 말을 한다.
6. 계속해서 공을 쥐면서 다른 팔은 흔들면서 사이렌을 내본다. 소리는 조용하고 작게 낸다.

훈련 내내 같은 노력 정도, 즉 똑 같은 힘으로 공을 쥐고 있는 것이 중요하다.

이 훈련 동안 어떤 변화가 일어났는지 기록한다. 팔을 흔들거나 복잡한 행위를 하는 동안에 우리 몸의 다른 부분에 힘이 빠져서 공을 쥐고 있는 손에 힘이 빠지는 것은 흔한 일이다. 이제 노래를 부르거나 호흡연습과 같은 복잡한 발성 과제vocal tasks를 하면서 노력의 정도를 '쥐고 있는 정도squeeze factor'로 실험해 보자.

개인적 노력을 점검하기 위해서 당신이 어디를 얼마나 강하게 사용하고 있는지 알아야 한다. 어떤 작업에 사용되는 근육들을 분리하고 무엇이 적절한 근육의 쓰임인지를 알아야 한다. 노력의 정도를 확인하기 위해 분리 체크리스트를 사용하자. 이것은 뒤에 나올 훈련을 위해 당신이 신체적 노력을 조절할 수 있도록 한다.

분리 체크리스트ISOLATION CHECKLIST

1. 'ㅂ'(/v/)나 'ㅈ'(/z/)와 같은 유성마찰음을 내거나 걸어 다님으로써, 복부abdominal wall를 이완시켜 호흡을 편안하게 한다.
2. 가성대 연축상태로 만들기 위해서 소리 없이 웃는다.
3. 턱으로 자유롭게 씹는 동작을 한다.
4. 입 안에서 혀를 돌린다.
5. 모음을 이용하여 부드럽게 말을 한다. 그리고/혹은 더 큰 근육을 사용하여 소리를 내는 것으로부터 분리하기 위해서 사이레닝을 음역대로 조용하게 소리 내본다.

이제 우리는 호흡과 톤의 관계를 탐험함으로써 이 장에의 작업을 마무리 할 것이다.

톤의 온셋[4]ONSET 조절하기

경험이 부족한 가수가 첫 소리를 제대로 시작하는 것은 쉽지 않다. 소리가 산출되기 위해서 성문glottis; 진성대 사이의 공간은 닫혀야 하고, 온셋의 톤을 제어하기 위해서는 성문 닫힘과 호흡이 잘 조절되어야 한다. 다음 훈련을 하면서 각 온셋의 톤이 다른 곳에서 나는 것 같은 느낌을 받을지도 모른다. 호흡에 어떤 변화가 일어나는지 인지하고 음색tonal quality의 변화를 잘 들어보자.

[4] 온셋(onset)은 진성대가 닫히면서 산출되는 시작되는 소리를 의미한다. ■옮긴이 주

인지 훈련 5 • 성문 온셋GLOTTAL ONSET

성문 온셋의 청각적 단서는 1장(23쪽)의 인지 훈련 2의 '어-오'('uh-oh')와 깨달았을 때 나는 소리 '아'('ah')이다. 이와 같은 소리를 낼 때, 가성대 수축으로 인한 위험이 없도록 가성대가 연축 상태인지 확인한다.

1. 둘 중 하나를 선택하고 진짜 소리를 내기 전에 멈춘다. 호흡은 진성대에 의해서 멈추어진다.
2. 진성대는 붙도록 두고 멈추었던 호흡을 이완하며 '이'('EE') 발성을 한다. 발성을 함과 동시에 호흡도 나가도록 한다.
3. 위와 같은 방법으로 여러 번 '이'('EE') 발성을 한 후, 당신의 편안한 음높이에 맞추어 발성한다.
4. 위 훈련단계를 다른 모음 발성으로 반복한다.

성문 온셋은 음성이 시작되기 전에 성문은 닫히고, 발성 시작과 함께 호흡이 이완된다. 여기서 사용되는 성문 온셋과 심한 진성대 접촉hard glottal attack과는 같지 않다. 각 음정에서 명백하게 '가장자리edge'에서 시작해야 하고 발성을 하기 전에 매번 호흡이 멈춰야 하는 것을 주목한다.

인지 훈련 6 • 기식 온셋ASPIRATE ONSET

기식 온셋의 청각적 단서는 부엉이가 우는 소리와 단어 '헤이'('Hey!') 발성이다.

1. 'ㅎ'('h')를 모음 앞에 넣어서 '후'('h-OO') 소리를 내면서, 호흡과 함께 발성이 시작되는 것을 목표로 한다.
2. 발성이 시작되기 전에 손을 입 앞에 가까이 두고 공기가 나가는 것을 확인한다.
3. 'ㅎ'('h')를 다른 모음 발성 앞에 넣어서 1에서 2단계를 훈련을 반복한다.

기식 온셋은 호흡이 발성이 되기 전에 성문을 통과하면서 진성대가 닫히도록 한다. 이번에는 멈춤이 없고, 호흡에서 소리가 이루어진다는 것을 명심한다. 각각의 모음 발성 앞에 'ㅎ'('h')를 또한 듣게 된다.

인지 훈련 7 • 동시 온셋SIMULTANEOUS ONSET

동시 온셋의 청각적 단서는 아이가 칭얼대며 조용히 우는 소리('엄마, 제발요Oh please mummy')나 어른이 신음소리 같은 소리('오, 저런Oh, dear')를 내는 것이다.

1. 작은 호흡을 들이마시고 진성대를 열어놓는다(소리 없이 호흡이 내쉬어지는 것으로 이것을 확인한다).
2. '오'('oh')나 '예스'('yes')를 작은 소리로 신음하듯이 낸다(필요하다면, 먼저 숨을 들이마신다).
3. '오'('oh')소리를 몇 번 반복해서 소리 내본다. 각 소리가 시작되는 사이에 호흡이 멈추고 진성대가 열려 있도록 한다. '여'('y')를 빼고 '이'('EE')만으로 동시 온셋이 가능해질 때까지, '예스'('yes') 소리를 반복해서 낸다. 위와 같이 발성이 개시되는 사이에 진성대는 열리고 호흡은 멈춘 상태를 목표로 한다.
4. 모든 모음을 사용하여 1에서 3단계를 반복한다.

동시 온셋은 호흡이 나오는 순간 성문이 함께 닫히면서 발성이 '동시에simultaneously' 일어나는 것이다. 발성을 시작할 때 마치 호흡이 정지되는 것처럼 호흡에 대한 조절력이 더 필요로 한다는 것을 명심하자. 당신의 목소리는 마치 다른 곳에서 나오는 것 같이 느껴질 것이다.

발성을 시작하는 방법은 한 가지 이상이 있다. 위의 방법들은 진성대가 호흡에 대조를 이루어 소리를 만들어내지만 결과는 제각기 달랐다. 위의 방법 모두 옳고, 우리는 이 세 방법 모두를 사용하여 노래를 한다. 많은 사람들은 노래하거나 말을 할 때 습관적인 온셋 발성을 하며 그것이 발성 효율성에 어떤 영향을 미치는지 깨닫지 못한다. 다른 온셋들을 연습함으로써 각각의 차이점을 분간 할 수 있게 될 것이다. 이것은 또한 공연예술가에게 더 넓은 선택의 여지를 줄 것이다.

Chapter 3.

나는 아무런 느낌이 없어야 한다고 생각했다

But I thought I wasn't supposed to feel anything

이 장에서는 후두의 미묘하고 정교한 움직임을 살펴보고자 한다. 당신이 후두를 움직이는 방법을 알게 된다면 습관적으로 노래해왔던 것에서 탈피하여 보다 더 발전할 수 있는 계기를 마련할 수 있을 것이다. 당신은 배우 신체 훈련을 통해 체력과 유연성과 표현력을 기를 수 있다. 소리 훈련이 그와 다를 이유가 있는가? 후두의 움직임을 갈고 닦는 훈련을 거듭한다는 것은 당신의 목소리를 유연한 악기처럼 발전시켜 줄 것이며 풍부한 정서와 음색의 미묘함nuance을 표현하는데 도움을 줄 것이다.

전통적으로 소리 훈련(가창이든 화술이든지 간에)을 할 때 후두의 움직임에 초점을 두지 않도록 하였다. 이것은 선생으로부터의 독립을 의미했고, 배우에게 불안감을 주기 때문이다. 음성과학이 큰 진보를 이루었음에도 불구하고, 후두에 대한 잘못된 빅토리아 시대의 견해가 교수법이 아직도 지속되고 있다. 그들은 가창의 과학적인 메커니즘 측면이 예술적인 표현력을 억제할지도 모른다는 두려움을 가지고 있었다. 그러나 창의적인 예술가performer가 되려면 예술적인 표현력과 기술적인 측면을 개발하도록 노력하여야 한다.

당신은 자신의 악기를 알아야 한다. 많은 가수들이 그들의 가창을 점검하는 방법으로 청각적인 것에만 의지한다. 우리의 악기는 몸 안에 있기 때문에 자신의 귀로는 정확히 들을 수 없다. 이 신비의 악기를 정확하게 듣기 위해서 여러 가지의 감각적인 피드백을 개발해야 한다. 목소리에 문제가 많은 한 학생이 필자를 찾아왔다. 그는 이미 여러 선생들과 그 문제를 고치려고 노력했으나 문제는 해결되지 않았다. 그는 분명히 훌륭한 악기를 가지고 있었으나 진성대를 혹사하였기 때문에 발성에 어려움이 지속되었다. 어느 날, 그가 레슨을 기다리면서 우리 집 문 밖에서 노래를 흥얼거리는 것을 들었다. 사실 나는 멀리서부터 그의 노래 소리를 들을 수 있었다. 나는 몇 번의 레슨을 통해서 '스스로 노래 부르기singing to himself'를 분석하였다. 그는 그가 노래를 크게 부를 때만 청각적 피드백(자신의 소리를 귀로 듣고 평가하기)을 통해서 자신이 노래를 잘한다고 생각하고 있었다. 그는 작게 노래를 부르면 노래를 잘 한다고 믿지 않았다. 소리로부터 느낌을 분리시킴으로써 그는 더욱 확실한 테크닉을 개발할 수 있었다.

후두 오리엔티어링LARYNGEAL ORIENTEERING: 짧은 코스

노래하는 동안 후두에서 무슨 일이 일어나는지를 감지monitoring하는 것은 결코 쉽지 않다. 이러한 이유 때문에 감각적 피드백sensory feedback을 개발하기 위한 후두 인식 훈련을 할 때 소리나 잡음을 사용하지 않는다. 이제 어떻게 후두에 대한 인식awareness을 어떻게 발전시키는지 생각하는 데서부터 시작해 보자.

인지 훈련 1 • 후두 인식

엄지발가락 같은 몸의 한 부분을 생각해 보자. 그것이 거기에 있는지 어떻게 알 수 있을까? 거기에 주의를 집중하면 알 수 있을까? 아니면 내려다 봐야 알 수 있나? 아니면 움직여 봐야 알 수 있나? 아마도 당신은 양말이나 구두 안의 발가락을 꿈틀거렸을 것이다. 만일 양말이나 구두가 없고 움직일 수조차 없었다면 어떻게 알 수 있었을까?

어떻게 후두를 느낄 수 있을까? 우리는 언제 후두를 인식할까? 후두를 느끼는 세 가지 방법이 있다.

1. 침을 삼킨다(후두가 움직인다).
2. 소리를 낸다(후두가 진동하는 것을 느낄 수 있다).
3. 외부에서 손으로 만져본다.

마지막 방법에 대하여 조금 더 탐구해 보자.

손으로 후두를 느끼기

사람들은 후두를 만지는 것을 조심스러워 한다. 언어치료사speech therapist나 접골사osteopath, 이비인후과 의사와 같이 전문가의 손이 아니라면 다른 사람이 후두를 만지는 것이 조심스러운 것은 당연한 일이다. 그래서 스스로의 손으로 후두를 느낄 것을 제안한다. 우리가 목소리를 느낌으로 전달하는 부위가 가장 취약한 것은 자연스러운 것이다. 하지만 당신이 직접 후두를 점검하는 것이 좋다. 많은 사람들이 스스로 후두를 점검하는 것이 얼마나 유용한지를 깨닫게 된다. 그리고 후두에 손상을 입은 사람은 없다.

인지 훈련 2 • 후두 느끼기

먼저 아래 사진과 44쪽에 그림 1을 보자. 후두를 분리해 놓은 그림 1에서 해부학적 용어를 볼 수 있다. 사진은 외부에서 후두를 점검할 때 당신의 손을 놓아야 할 부분이 어디인지를 보여준다.

1. 후두는 목의 양쪽에 큰 두 개의 근육 사이에 있다. 하나 혹은 두 개의 손가락을 귀 뒤에 올려놓고 근육을 따라 'V'자 형태로 내려온다. 턱 밑에서 안쪽으로 'V'자를 그리면서 내려가다 보면 근육보다 약간 딱딱한 것이 만져진다. 이것에 설골hyoid bone이다.

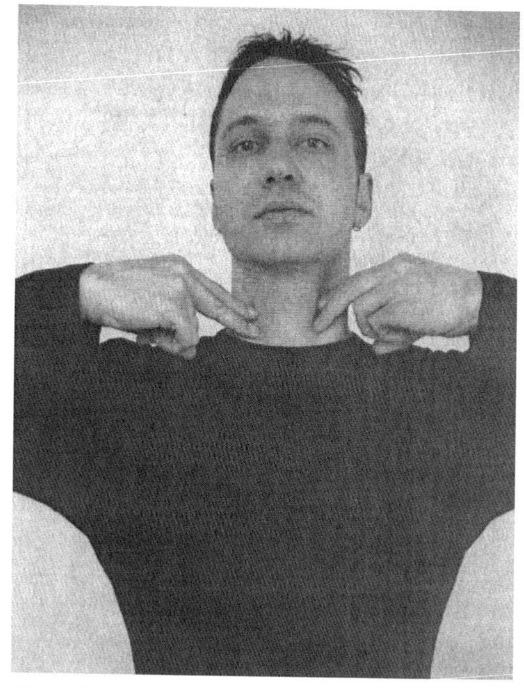

후두 느끼기Feeling the larynx

2. 이 뼈가 자유롭게 떠있는 듯하고 말발굽과 비슷한 형태를 하고 있다. 촘촘한 근육들이 설골을 보호하고 있다. 이 근육들이 구강의 바닥을 형성하고 있다.
3. 침을 삼키며 무슨 일이 일어나는지를 주목하자. 침을 삼킬 때 설골이 위 앞쪽으로 이동하고, 주변 근육들이 강하게 '걷어차는kicking' 움직임을 느낄 수 있다.

4. 양쪽손가락으로 부드럽게 만지면서 아래로 계속 내려가면, 부드러운 부분을 지나서 딱딱한 부분이 나온다. 이것이 갑상연골thyroid cartilage이다.

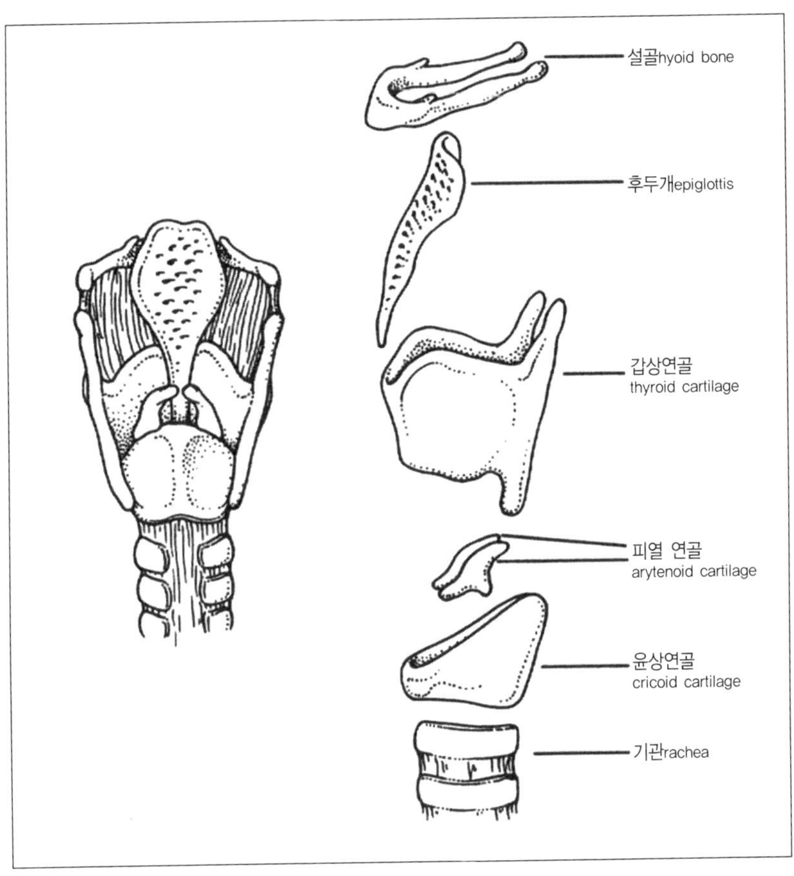

[그림 1] 후두의 연골－손버그에 따른 분리된 그림Cartilage of the larynx－explored view; after Sundberg

5. 갑상연골의 주위를 만져보면 연골의 폭을 느껴보자. 해부도를 보면 갑상연골이 방패 모양을 하고 뒤쪽이 열려 있다는 것을 볼 수 있다.

6. 약간 아래쪽으로 좁히면서 내려가면, 윤상연골cricoid cartilage이 있다. 윤상연골

과 갑상연골 사이에 아주 작은 움푹 팬 부분이 느껴질 것이다. 윤상연골은 작은 연골의 덩어리처럼 느껴질 것이며 기관windpipe 위에 자리 잡고 있다. 침을 삼키면 윤상연골과 함께 후두 전체가 위로 움직인다. 윤상연골과 갑상연골이 진성대의 집이라고 할 수 있다. 그림 2에서 볼 수 있듯이 설골과 후두개, 연골들이 후두를 구성하고 있다.

성도 전체가 그려진 그림 2에서 우리의 악기가 어떻게 위치하고 있는지 알 수 있다.

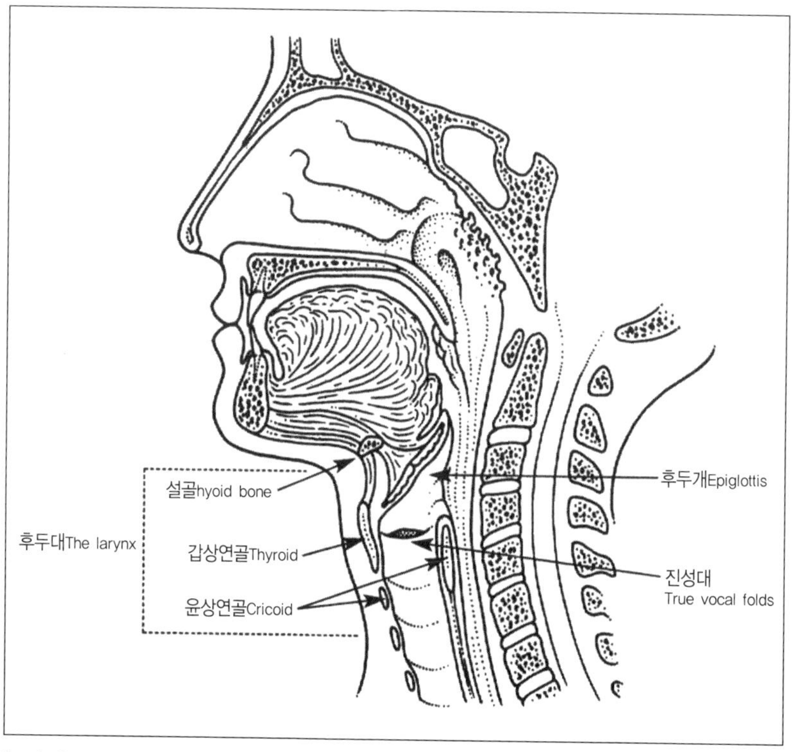

[그림 2] 성도The vocal tract

후두 움직이기

다음 훈련들은 후두를 외부에서 관찰 없이 먼저 해야 한다. 이 훈련들을 통해서 건강한 후두가 움직일 수 있는 범위를 깨달을 수 있다.

인지 훈련 3 • 후두를 올리고 내리기

1. 높은 음으로 찍찍거리는 소리를 내거나 사이렌siren 소리를 내면서 후두를 올린다. 후두는 높은 음에서 자연스럽게 올라간다.
2. '하품-한숨yawn-sigh'을 하면서 후두를 내린다. 하품으로 시작해서 한숨으로 끝낸다. 많은 사람들의 경우 하품을 하면서 깊게 호흡을 들이마시고 한숨은 후두를 내리는 경향이 있다.

인지 훈련 4 • 후두를 앞뒤로 움직이기

1. 흐느껴 우는 소리를 내는 상태로 만든다. 후두의 갑상연골이 앞으로 움직일 것이다.
2. 이제 침을 삼키기 시작한다. 삼키려고 하다가 목에 무엇이 걸린 것처럼 삼키는 것을 멈춰보자. 후두가 약간 뒤로 움직일 것이다.

인지 훈련 3과 4를 점검하기

아래 방법으로 점검하는 것은 위에서 나온 움직임들의 근육 기억에 도움이 될 것이다.

(1) 43쪽 사진에 나와 있듯이 외부에서 후두를 느끼면서 후두를 움직인다. 움직임이 작다고 걱정할 필요 없다; 움직임은 미묘하다. 이제 외부 점검을 통해서 후두에 대한 근운동감각적 인지능력을 개발하도록 돕는다.

(2) 만약 당신이 시각적 학습 스타일이라면, 거울을 보거나 파트너와 함께 훈련하는 것이 도움이 될 것이다. 모두는 아니지만 어떤 움직임들은 외부에서 보이

기도 한다.

(3) 만약 당신이 청각적 학습 스타일이라면, 한가지 자세를 취하고 그 상태에서 크게 말하는 것을 선호할 것이다. 이 자세에서 다양한 음높이로 말하면서 관찰한다. 소리의 차이점을 듣기보다 그 '느낌feeling'을 기억하는 것에 도움이 될 것이다.

(4) 후두를 다양한 위치로 움직이면서, 노력 정도의 변화를 기록한다.

경험이 적은 가수는 최고 혹은 최저 음역대를 정복하기 위해 목 자세를 자주 바꿀 것이다. 높은 음과 낮은 음을 느끼는 것은 어렵기 때문에 우리는 몸의 자세를 바꾸면서 시도한다. 저음을 낼 때 턱을 아래로, 고음을 낼 때 턱을 위로 들어 올리는 습관을 가진 배우들도 있다. 음높이pitch는 후두 안에서 만들어지고 목과 머리는 바른 자세를 유지해야 한다는 것을 명심해야 한다.

건강한 후두는 상하 운동의 폭이 넓다. 후두의 위치를 바꿈으로써 당신은 음질을 바꿀 수 있다. 짧은 성도(높은 후두)는 높은 화음과 밝은 소리를 만들어내고; 긴 성도(낮은 후두)는 낮은 화음과 어두운 소리를 만든다. 이 후두의 다양한 위치는 한곳에 고정되어 있지 않는 이상 정상이다.

후두의 다양한 자세

노래 발성은 특히 후두 상하 움직임에 더해서 다양한 자세들이 관련이 있다. 갑상연골과 윤상연골의 그림 3~5(48쪽)을 보면 후두의 3가지 다양한 위치를 알 수 있다.

1. 중립 혹은 휴식 자세Neutral or rest position

후두가 일상 대화나 극장에서 말하는 발성을 할 때 가장 적합한 위치이다. 이 후두의 위치는 낮은 음역대에서 강하고 직접적인 소리를 낼 수 있게 해준다.

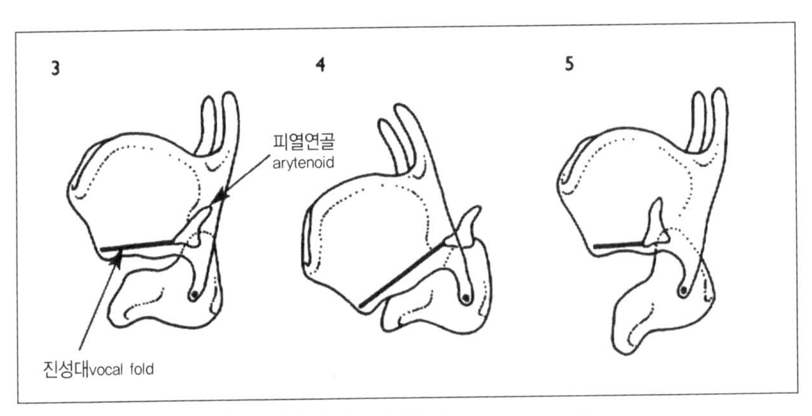

갑상연골과 윤상연골 [그림 3] 중립 혹은 휴식 자세Neutral or rest position
[그림 4] 갑상연골이 앞으로 기울어진 자세Forward tilt of the thyroid cartilage
[그림 5] 윤상연골이 앞으로 기울어지는 자세Forward tilt of the cricoid cartilage

2. 갑상연골이 앞으로 기울어진 자세Forward tilt of the thyroid cartilage

이 자세는 높음 음을 위해 진성대가 길어지거나 팽팽해지게 해준다. 갑상연골이 앞으로 기울어지지 않으면 높은 음역대 발성에서 어려움을 겪을 것이다. 또한 이 기울어진 자세는 비브라토vibrato를 만드는 데 도움을 줄 것이다.[5] 이 자세는 진성대를 긴장되고 늘어나게 함으로 일상에서 말하는 발성을 위해서는 이완하는 것이 중요하다.

3. 윤상연골이 앞으로 기울어지는 자세Forward tilt of the cricoid cartilage

안전하게 벨팅belting을 하기 위해서 필요한 자세이다. 그림에서 보는 바와 같이 윤상연골이 갑상연골 앞으로 움직여서 진성대를 짧게 만든다.[6]

5 비브라토를 만드는 데는 다른 방법들이 있지만, 갑상연골 기울기는 내 학생들과 가장 많이 사용하는 방법이다.
6 또는 갑상연골이 윤상연골의 뒤쪽에서 위쪽으로 움직인다; 연구자들 사이에서 동의가 이루어지지 않았다.

인지 훈련 5 • 갑상연골 기울이기TILTING THE THYROID

1. 아기가 칭얼대는 소리나 작은 강아지가 낑낑대는 소리를 상상한다. 아니면 신음소리 같은 우는 소리를 낸다. 고음 혹은 고음역대의 소리가 날 것이다. 노래하려고 하지 말고 소리만 낸다. 조금만 연습하면 누구나 이 정도는 할 수 있다.
2. 앞장에서 우리가 성문 온셋과 소리 없는 웃음을 훈련했던 것처럼 소리 없이 움직이기만 한다. 이 자세는 익숙해지기 전까지는 상당한 노력이 필요하다. 긴장constriction된 상태가 아니라 가성대 연축 상태를 유지해야 한다. 이것이 갑상연골을 앞으로 기울이는 것이다.

이것은 후두의 좀 더 미묘한 움직임이다. 수업 중에 가끔 필자는 학생들에게 나의 후두 갑상연골 기울어진 상태를 느껴보라고 한다.

학생들은 움직임이 얼마나 작은지에 대해서 이야기한다. 중립 - 수직 - 상태와 기울어진 상태를 비교하면 쉽게 판단할 수 있다.

인지 훈련 6 • 중립 자세에서 갑상연골 기울이기

1. 'ㅂ'('v')나 'ㅈ'('z')같은 유성마찰음voiced fricatives을 내면서 숨을 내쉰다. 저음으로 내고, 후두에 손을 대면 진동이 느껴질 것이다.
2. 저음을 유지하면서 성문 온셋으로 '어-오'('uh-oh') 소리를 낸다. 그리고 전처럼 후두에 손을 대거나 이전에 설명했던 것처럼 시각적으로 점검한다.
3. 이제 낑낑거리거나 신음하듯 우는 소리를 낸다.
4. 소리 없이 반복해서 갑상연골을 움직인다.
5. 유성마찰음에서 성문 온셋으로, 소리 없는 신음하듯 우는 소리를 반복해서 낸다. 결국 당신은 갑상연골의 위치 변화를 느끼게 될 것이다.

당신은 흉식 호흡을 할 것이다.

1. 손을 가슴에 대고 놀라서 숨이 멎을 때처럼 가슴으로 호흡을 느낀다(이것은 후두를 높이는 것에 도움을 줄 것이다).
2. 소리 없는 웃음을 유지하면서, 찍찍거리는 듯이 모음 '이'('EE')를 낸다. 청각적 단서는 아주 작은 쥐가 내는 소리 같을 것이다. 결코 소리가 커서는 안 된다.

위에 훈련을 통해서 윤상연골을 기울일 수 있었을 것이다. 이러한 기울임을 분리isolation해서 자유자재로 조절하는 것이 어렵지만 이런 움직임이 존재하고 안전한 벨팅belting을 위한 필수적인 과정임을 알아야 한다. 12장에서 윤상연골 기울기에 대해 더 자세히 알아볼 것이다.

노래 발성에 있어서 잘못된 테크닉으로 알려진 흉식 호흡과 찍찍거리는 듯한 소리를 내도록 하는 것에 걱정 하지 않아도 된다. 우리의 목소리는 많은 것을 할 수 있다. 가성대 연축 상태가 가능하고 인지할 수 있다면 안전하게 발성하는데 문제가 없을 것이다.

응용Application

후두를 올리고 내리는 움직임은 성도관의 길이를 변화시킬 것이다. 이러한 변화는 공명의 질에 영향을 미친다. 후두의 낮은 위치는 깊은 음색이 나며 오페라 발성 교육을 할 때 선호하고 몇몇 학교에서도 선호하는 후두 위치이다. 그러나 이것은 예술적인 선택이지 목소리의 건강과는 관련이 없다. 낮은 후두 위치가 건강한 목소리에 절대적인 요소가 아니다. 높은 후두 위치는 최근 뮤지컬에서 사용되는 트웽twang과 벨팅belting 창법을 위해서는 필수적이다. 높은 후두 위치는 고음역대를 소화하기에 적합하다.

후두를 기울이는 것은 여러모로 쓸모가 많다. 갑상연골 기울임은 발성을 변화시키는 기어 변경gear change에 큰 기여를 하고 가장 쉽게 사용할 수 있다는 것을 알게 될 것이다. 이 상태는 성악과 '레지트legit' 가창 발성에도 사용된다. 반면에 기울어진 갑상연골을 이완시켜 진성대를 더 짧고 굵게 만들어 저음역대의 소리를 낼 수 있다; 이러한 자세는 현대 뮤지컬이나 팝 보컬에 필요하다. 윤상연골을 기울이는 것은 갑상연골 기울이는 것 대신에 기어를 바꿀 수 있도록 도와줄 것이다. 또한 '벨팅belting' 음정을 찾는데 유용하다.

진성대 자세들

우리는 이 전 장에서 가성대의 세 가지 다른 자세를 알아보았다. 여기서는 진성대에 가능한 두 가지 자세를 알아보겠다.

갑상 연골과 윤상연골 안쪽에 피열 연골과 진성대를 그림 6에서 확인할 수 있다. 연골 안에 뒤쪽으로부터 앞쪽까지 진성대의 두 가지 위치를 주목하자; 검은색 라인은 수평으로 놓여 있는 것을 보여주고, 점선은 뒤쪽이 올라간 상태를 보여준다. 피열 연골(작은 피라미드 모양)이 뒤쪽으로 움직이며, 진성대가 뒤쪽으로 당겨진다.[7] 피열 연골이 이 방향으로 움직이기 때문에 진성대는 뒤쪽이 당겨져 올라간 상태가 되는 것뿐만 아니라 뒤쪽이 열리게 된다. 갑상연골이 기울어질 때처럼 진성대가 약간 늘어난 것을 볼 수 있다.

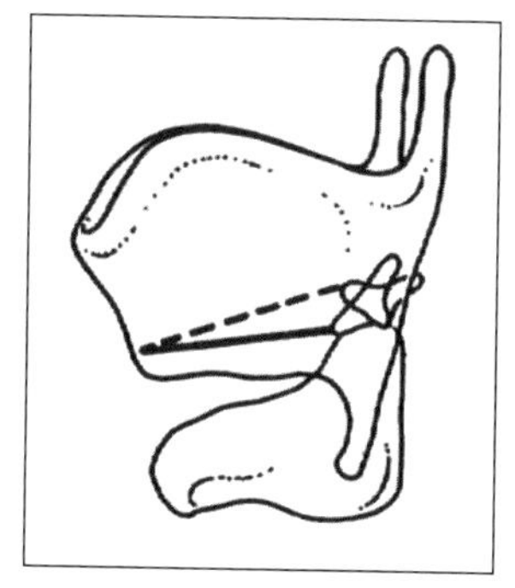

[그림 6] 갑상 연골과 윤상연골: 진성대의 수평이거나 뒤쪽이 올라간 단면 상태The thyroid and cricoid cartilages: horizontal and raised plane positions of the vocal fold

[7] 피열연골의 움직임은 설명한 내용보다 더 복잡하지만 그것은 이 책의 범위를 벗어난다.

'뒤쪽이 올라간 단면raised plane'은 가성falsetto 발성의 원인인 듯하다. 경험이 적은 가수들은 고음역대로 올라갈 때, 진성대 조절의 부족으로 뒤쪽이 올라간 단면상태raised plane가 나타나기도 한다.

인지 훈련 8 • 진성대 접촉면의 변화

다음의 훈련은 뒤쪽이 올라가거나 수평 접촉면 상태를 찾는데 도움을 준다.

1. 저음역대와 가깝게 시작해서 고음역대까지 피치-글라이드pitch glide하면서 '헤이'('Hey') 발성을 한다. 고음으로 올라가면서 소리를 좋게 바꾸려고 하거나 변화를 주는 것을 피한다.
2. 아마도 당신은 불편을 느낄 정도로 높게 올라가게 될 것이고 무엇인가 변화를 주고 싶을 것이다. 이때 진성대의 단면이 올라가게 될 것이고 '뒤집어진flips' 소리로 변할 것이다.
3. 진성대의 단면이 바뀌면 아마도 호흡의 변화를 느끼고 소리의 질의 변화를 듣게 될 것이다. 이것이 위쪽이 올라간 단면 상태이다.
4. 이제 반대로 꽤 높은 음에서 시작해 보자. 노래하거나 하품하듯이 소리 내면서 호흡을 불면서 시작한다.
5. 미끄러지듯이glide 저음역대까지 발성한다.
6. 위와 비슷하게, 낮은 음으로 갈수록 무언가 상태를 변화시킬 필요가 있음을 느낄 것이다. 아래쪽으로 누르는 것 같은 느낌이 들것이다. 호흡과 소리의 변화가 일어난다.
   이것이 수평 진동면의 상태이다.

이 훈련을 할 때 우리는 의도적으로 목소리가 '갈라지게crack' 하는 것에 주목하자. 이것은 가성대 수축상태와는 다르다. 갈라지는crack 소리와 함께 어떤 감각을 느끼게 된다. 당신의 목소리에 무언가가 있는 것 같은 느낌이 들 것이다.

때때로 음정의 변화도 들릴 것이다. 이 소리를 주의 깊게 들어보자.

응용Application

많은 가창자들이 뒤집어지거나flip 갈라지는crack 발성을 피하도록 훈련 받았을 것이다. 그러나 위와 같은 훈련은 해롭지 않다. 잘못된 발성은 유용한 도구가 될 수 있다. 만약 당신이 갈라지거나 브레이크 때문에 고민이라면 이것이 언제, 어떻게 이 현상이 일어나는지 무엇이 문제인지 알아내는 것은 최고의 훈련 방법이 될 것이다. 비슷한 방법으로 갑상연골을 기울임으로써 뒤쪽이 올라간 단면 상태는 길고 얇은 진성대를 만든다. 그래서 고음역대 발성을 가능하게 한다(7장에서 기어 변경gear change 및 진성대 접촉면과 성구register와의 관계에 대해서 논하며 이 문제를 더 깊게 다룰 것이다). 필자의 스튜디오에서는 진성대의 접촉면이 빠르게 변화하는 것을 '뒤집힌 단면flipping plane'이라고 부른다. '뒤집어진flip' 상태는 요들송, 컨츄리 혹은 블루 그라스 뮤직, 몇몇 월드 뮤직의 특유의 발성 특징이다. 근래에는 몇몇 팝 보컬리스트가 사용하기도 한다.

후두의 부분들을 움직이는 것을 배우는 것은 인내심과 적용이 필요하다. 우리는 이러한 근육들에 대한 직접적이고 의식적인 조절을 하지 않으면서도 근육기억muscle memory을 개발시킬 수 있다. 여기 3장까지가 이 책에서 가장 중요한 작업을 하기 위한 기반을 다지는 내용이다; 목소리의 설정set-up을 바꿀 수 있는 능력을 개발하는 것이다. 진성대와 후두의 다른 배치들로 인하여 우리는 다양한 음질(발성)vocal quality을 구사할 수 있다. 목소리를 표현하는 데 있어서 가치를 매길 수 없을 정도의 중요한 수단이며, 당신의 목소리가 진실로 연기할 수 있도록 한다.

Chapter 4.

지지란 정확히 무엇인가
What exactly is support?

'목소리에 힘이 없어Your voice needs more support'는 가수들이 흔히 듣는 평가 중에 하나이다. 하지만 이 말은 무슨 의미일까? '지지support'는 막연하게 사용되어 왔기 때문에 여러 가지 역할들을 묘사하고 있다; 공기흐름의 조절을 의미할 수도 있고, 성도에서 발성을 도와주는 몸의 근육들의 작용을 의미할 수도 있고, 혹은 둘 다를 의미하기도 한다. 이 장의 목적은 호흡 사용과 진성대 진동을 유지하기 위한 지지력에 관한 몇 가지 혼란스러운 부분을 설명하여 풀어내는 데 있다. 7장에서는 우리 몸이 어떻게 작용함으로써 후두와 진성대가 하는 일에 도움을 주는지를 배울 것이다.

수동적인 호흡PASSIVE REAPIRATION

수동적 호흡을 살펴봄으로써 우리 몸이 어떻게 매일 호흡하도록 프로그램 되었는지를 알 수 있다. 우리는 뇌에서 보내는 신호의 반응으로 숨을 쉰다. 산소가 필요하면 뇌가 작동하여 신호를 보낸다. 신호를 받고 횡격막은 수축되어 아래로 하강하면, 가슴에 기압을 낮추며 공기가 폐로 들어와 가득 채우게 된다. 다른 근육들도 가슴 공간 확장에 도움을 준다; 흉곽의 깊이와 넓이를 증가시키고 갈비뼈를 들어 올리는 근육들이 있다. 하지만 횡격막이 들숨(흡기) 작용에 60~80%를 담당한다.

우리가 숨을 내쉴 때, 횡격막은 이완되어 평소 돔 모양dome-like으로 돌아온다. 이때 가슴의 공간은 줄어들고 공기는 몸 밖으로 빠져나간다. 조용한 숨쉬기에서 이러한 현상이 자동적으로 일어난다. 횡격막은 호흡이 나갈 때 활동하지 않기 때문에 우리는 횡격막으로부터 지지를 받을 수 없다. 횡격막은 느낄 수도 없다. 횡격막이 수축하여 폐로 공기가 들어올 때만 우리는 횡격막을 느낄 수 있다.

우리가 숨을 들이마실 때, 횡격막이 수축하여 하강하기 때문에 우리는 복부의 아래쪽에 바깥으로 나오는 것을 느낄 수 있다. 또한 5번에서 12번 갈비뼈가 올라가고 흉곽이 끝나는 부분이 있는 등이 팽창하는 것을 느낄 수 있다. 이것은 횡격막이 아래 갈비뼈에서 척추로 이어져 위치하고 있기 때문이다. 당신이 횡격막의 기능에 훼방을 놓는 행동을 하지 않는 한 이 모든 과정은 자동으로 일어난다. 폐로 공기를 들이마시기 위해서 의식적으로 갈비뼈를 올리려고 노력하지 않아도 된다.

호흡을 내쉴 때, 가슴의 공간이 줄어들어 복부와 갈비뼈가 평소의 위치로 돌아갈 것이다.

많은 배우들에게 있어서 몸과 호흡을 인지하기 위한 일환으로 이완훈련을 하는 것은 일반적인 일이다. 이 자연스러운 호흡을 잘못된 방법으로 하는 사람들에게 있어서 바닥에 누워서 의식적으로 호흡 훈련을 하는 것은 좋은 출발점이 될 것이다. 하지만 노래를 부를 때나 극장에서 발성을 할 때는 '이완된relaxed' 상태를 느끼는 것과는 다른 인지 능력과 활성화된 근육들의 사용이 요구된다.

발성phonation은 공기의 흐름을 방해하는 것에 의해 결정된다. 수동적 호흡에서 들숨과 날숨의 주기는 거의 비슷한 시간 간격을 가진다. 하지만 일상 대화에서조차 들숨은 훨씬 빨라지고 날숨은 느려진다. 가창에서는 들숨과 날숨의 시간 간격이 더 벌어지는데, 날숨은 더욱 길게 연장된다.

능동적 호흡ACTIVE EXPIRATION

가창은 날숨을 할 때는 근육들을 능동적으로 사용해야 한다. 몇몇 가창 스타일은 다른 스타일에 비해서 한 음을 덜 길게 유지하지만, 어떤 노래 형태나 발성 방법에 상관없이 한 음pitch을 길게 부르는 것이 요구된다. 이것은 공기의 흐름과 기압의 균형을 필요로 한다. 능동적인 날숨을 위해서 우리는 다양한 근육군을 사용할 수 있다. 가슴이나 복부 벽과 등의 근육군이 여기에 포함된다. 이 장에서 우리는 이 중 몇몇 근육들을 살펴볼 것이다.

가창을 할 때 호흡의 사용에 영향을 받는 세 가지 요인은 다음과 같다.

1. 성문하 압력sub-glottal pressure의 변화

이것은 진성대의 저항resistance과 아래로부터 나오는 호흡의 관계이다. 진성대는 생리적으로 밸브장치valve mechanism 같은 역할을 한다. 밖으로 나오는 공기의 흐름에 진성대가 영향을 미치도록 되어 있다. 진성대도 근육이기 때문에 호흡에 저항하는데 있어 더 강하거나 약하게 조절할 수 있다. 밖으로 나가는 공기의 흐름에 영향을 주어 공기를 진성대 아래로 가둔다. 공기흐름과 진성대 아래의 공기 압력의 관계를 성문하 압력이라고 한다.

2. 음색voice quality의 변화

성도의 배열 형태에 변화 또한 호흡의 흐름과 압력에 영향을 준다. 배열 형태를 달리함으로써 음질이 변하게 된다. 다양한 음질에 관해서는 책의 뒷부분에서 살펴볼 것이다. 진동주기에서 진성대 닫힘의 길이가 길 때나(벨팅belting과 같이), 진성대 위쪽에 후두 관이 좁아질 때(트웽twang과 같이), 공기압력은 변하고 호흡의 사용 또한 결과적으로 달라진다. 혀의 위치는 자유롭게 공기가 바깥으로 흘러가게 하거나 다시 진성대 위쪽으로 공기를 보냄으로써 호흡 사용에 영향을 준다.

3. 음악적 스타일이나 텍스트의 요구에 따른 변화

공기흐름의 조절은 부르는 노래가 원하는 스타일과 맞아야 한다. 성악 발성에서 올바르다고 여겨지는 연속된 보컬 라인vocal line이 다른 스타일에서도 필요한 것은 아니다; 예를 들어, 재즈나 팝 가수들은 일부러 노래 소절에 강조하거나 정교하게 표현하기 위해서 라인을 나눈다. 자음도 공기의 흐름을 방해하거나 변화시킨다. 'ㅍ'('p')나 'ㅂ'('b')와 같은 무성 혹은 유성 폐쇄음은 호흡을 멈추게 할 것이고, 'ㅍ'('f')나 'ㅂ'('v')와 같은 무성 혹은 유성마찰음은 높은 호흡 압력이 필요하여 더 많은 공기를 사용하게 된다.

필자는 위에 세 가지 특성적 역할을 잘 이해하는 것이 좋은 호흡 관리의 중요한 열쇠가 될 것이라고 생각하다.

호흡 훈련은 왜 하는가?

몇몇 가수들은 충분히 숨을 내쉬지 않고 '조절'하여 호흡이 유연하지 못하다. 어떤 가수들은 신체적 혹은 정신적인 긴장으로 인하여 호흡이 '들어오도록drop-in' 내버려두지 않는다. 이런 문제들은 우리가 겪을 수 있는 기계적인 호흡 문제의 부분일 뿐이다. 필자의 경험으로는, 많은 문제들은 우리가 어떻게 숨을 쉬는지에 대한 잘못된 이해와 가창 호흡에서 무엇이 일어나야 하는지에 대한 잘못된 인식으로부터 일어난다. 근육 사용과 노력의 방법에 대한 설명은 노래를 할 때 어떻게 호흡을 운용하는지를 당신이 명확하게 이해하도록 도와줄 것이다. 위에 1에서 3번까지를 반대로 생각해보면, 호흡 사용에 대한 오해를 풀 수 있을 것이다.

다음 훈련들은 각각 특별한 목표가 있으며 당신의 호흡 운용에 도움이 되도록 설계되었다. 당신은 이 훈련들을 준비운동warm-up과 노래연습을 연결하여 사용할 수 있다. 이 장의 마지막에서, 상급 수준의 훈련을 통하여 다양한 상황에서 호흡이 어떻게 작용하는지 알아볼 것이다.

들숨: 탄력 반동elastic recoil

필자의 현명한 노래 스승은 들숨의 비밀은 날숨에 있다고 말했다. 다음 훈련은 이런 원리에 입각하여 스벤 스미스Svend Smith[8]가 개발한 악센트 메쏘드Accent Method를 기반으로 하였다. 마찰 자음은 능동적 날숨의 근육들을 움직이게 할 것이고, 복부 벽을 이완시킴으로써 효과적이고 빠르게 들숨을 할 수 있도록 도와줄 것이다. 첫 번째 훈련은 선 자세나 앉은 자세에서 할 수 있다. 하지만 복부 벽의 적극적인 사용이 필요함으로 누워서 연습하는 것은 피한다.

연습 1 • 호흡 반동THE ELASTIC RECOIL

1. 한 손을 배에 올려놓는다. 엄지손가락은 배꼽 근처에 놓고 나머지 손은 배꼽 아래쪽에 올려놓는다.
2. '프쉬-'('PShhh') 소리를 내면서 날카롭게 숨을 내쉰다. 복부가 척추에 달라붙

[8] Smith S, Thyme, K (1981), Die Akzentmethod, Vedback, Denmark, The Danish Voice Institute.
Kotby MN, (1995) The Accent Method in Voice Therapy, SanDiego, CA, Singular Pubs, Group Inc

는 것 같이 복부를 손으로 민다. 우리의 폐에는 항상 공기가 남아 있기 때문에 들숨을 신경 쓰지 마라. 힘 있게 숨을 내쉬는 것에 집중하자.

3. 이 소리가 끝날 때쯤 하복부가 이완될 때까지 기다린다면 복부 벽이 다시 튕겨져 나오고 숨을 들이마시게 될 것이다(어떤 사람들은 '복부가 튕겨져 나오는 것bounce back'이 처음에는 느릴 것이다. 하지만 훈련을 통해서 점차 빨라지게 된다). 호흡반동recoil breath이 일어나지 않았다고 걱정하지 않아도 된다. 이 훈련을 지속하면 호흡반동은 일어날 것이다.
4. 소리를 내면서 안쪽으로 움직임이 생겨나고, 들숨이 일어나면서 복부 바깥쪽에 움직임이 있을 때까지, 위의 2와 3단계를 몇 번 반복한다.

우리의 몸은 균형이 잡혀 있고, 움직임이 잘 맞물려 돌아갈 때, 우리는 어떤 리듬rhythm이 일어나는 것을 인지하게 된다. 호흡도 마찬가지다. 이제 다음 훈련을 해보자.

연습 2 • 리듬 있는 반동

1. 무성마찰음—'ㅍ'('f'), '쉬'('sh' /ʃ/), 'ㅅ'('s')—중에 하나 혹은 전부를 가지고 훈련한다. 이 마찰음들의 순서를 구성하고 들숨과 날숨을 반복하면서 편안한 리듬을 만들어보자.

   다음은 '쉬'('sh' /ʃ/)를 이용한 순서의 예시이다.

(1) '쉬 / 쉬 / 쉬'('Sh / Sh / Sh') 각 소리의 사이에서 숨을 들이마신다.

(2) '쉬-쉬 / 쉬-쉬 / 쉬-쉬'('sh-Sh / sh-Sh / sh-Sh') 소문자는 약한 박자를 나타내며 이것은 업비트upbeats가 된다. 두 글자 사이에서 숨을 들이마신다.

(3) '쉬-쉬-쉬-쉬 / 쉬-쉬-쉬-쉬'('sh-Sh-Sh-Sh / sh-Sh-Sh-Sh') 네 번의 소리를 내고, 숨을 들이마신다. 소리를 낼 때 숨을 내쉬면서 복부가 안쪽으로 움직이고, 호흡을 들이마실 때 복부 벽을 이완하여 들숨이 자유롭게 한다.

2. 이런 소리들을 업비트upbeat나 다른 비트를 사용하여 다른 리듬을 만들어 다양한 방법으로 훈련할 수 있다(업비트upbeat는 마치 약강 오보격iambic pentameter[9]에서 비강세 음절과 같이, 주된 리듬 소리 전에 작은 비트가 있는 것이다). 날숨에서 많은 반복된 소리를 낼 때, 사이에서 숨을 들이쉴 때 호흡반동이 완전하게 이루어지지 않는다고 하더라도 걱정하지 말라. 중요한 것은 숨을 내쉴 때 복부 벽이 안쪽으로 움직여 이 부분에 유연성과 근력을 개발하는 것이다.

무성마찰음은 공기흐름에 저항하는 압력을 키우는데 도움을 준다. 턱이나 입술을 잡지 않도록 한다. 이것은 쓸데없는 노력과 가성대 수축constriction을 일으킬 수 있기 때문이다.

3. 유성마찰음―'ㅂ'('v'), '쥐'('ge' /ʒ/), 'ㅈ'('z')―을 이용하여 위의 1과 2단계를 반복한다.

다음 사항에 주목하자.

(1) 마찰음은 호흡으로 만들어진다. 그러므로 방해가 되는 지점(입술과 혀)에서 노력effort을 느낀다.

(2) 무성음―'ㅍ'('f'), '쉬'('sh' /ʃ/), 'ㅅ'('s')―은 진성대 진동이 없는 소리이므로 당신은 후두에서 아무것도 느끼지 못한다.

(3) 유성음은 진동이 느껴진다; 무성음과 같은 방법으로 자음을 발음하고 진성대 진동을 더한다. 진동은 'ㅂ'('v') 소리는 입술에서, '쥐'('ge' /ʒ/), 'ㅈ'('z') 소리는 혀에서 진동이 느껴질 것이다.

(4) 위와 같은 유성음 발성에서는 목에서도 진동이 느껴질 것이다(거울을 보면 진동하는 것이 보이기도 한다). 밖으로 나오려는 공기를 진성대가 저항함으로

9 약강 5보격(Iambic pentameter)은 영시의 운율(meter)의 종류 중에 하나이다. 노래의 강약(2/4), 강약약(3/4) 등의 리듬처럼 약강 5보격은 약강(weak-strong) 연쇄가 다섯 번 반복되는 형태로 행의 리듬이 이루어진 운율 형태이다. ■옮긴이 주

써 후두에서 진동이 생성되는 것이다.

4. 복부 벽의 움직임의 방향을 인지하기 위해 신체적 움직임을 이 훈련에 더할 수 있다. 세 번째 훈련을 하면서 소리를 낼 때 복부를 뒤쪽으로 움직이고, 호흡반동으로 숨을 들이마실 때는 복부를 앞쪽으로 흔들어준다.

이 순서는 짧게—약 5분 정도면 좋다—규칙적인 웜업warm-up 순서 앞부분에 넣어 시작할 때마다 할 수 있다. 복잡한 복부 벽의 움직임이 필요한 높은 수준의 훈련을 하기 전에 호흡 반동recoil을 완전히 습득하도록 한다.

공기 흐름 운용하기: 다이아몬드 지지력the diamond of support

다음 훈련 시리즈는 능동적인 날숨을 위한 근육들을 훈련시키는 데 유용한 것이다. 복부 벽과 허리둘레의 근육들이 포함되면 적은 공기의 흐름을 능숙하게 다룰 수 있도록 해준다. 이 훈련과 '다이아몬드'의 이미지는 제니스 채프만Janice Chapman의 이론을 기반으로 한다. 필자 및 많은 교육자들과 예술가들은 이 분야에 그녀가 이룬 일들과 너그럽게 넘겨준 것에 감사하게 생각한다. 메리베스 데임Meribeth Dayme의 훈련 기법에 관한 그녀의 통찰력에 존경을 표한다.

인지 훈련 1 • 허리둘레의 인지THE WAISTBAND

1. 두 손을 허리 양쪽에 둔다. 엄지손가락은 등 쪽을 향하게 잡는다. 갈비뼈나 골반 뼈pelvic crest를 피해서 살이 느껴지는 부분을 잡아야 한다.
2. 살짝 기침을 한다. 복부 벽의 근육이 수축되는 것을 느낄 것이다. 이 동작으로 인해 허리둘레의 근육이 바깥쪽으로 나오거나 움찔하고 움직이는 것을 경험할 것이다. 등 쪽에 근육은 수축되고 사타구니 아래쪽 비스듬한 부분까지 영향을 줄 것이다.

3. 같은 부분－허리둘레와 사타구니의 근육들－을 인지하고 'ㅂ'('v') 소리를 힘차게 낸다. 기침할 때와 같이 근육이 수축하면서 바깥쪽으로 나오거나 튀어나오려고 할 것이다. 앞에서 우리가 공기의 흐름을 만드는 훈련에서 복부 벽이 안쪽으로 움직일 때도 이와 같은 현상이 일어날 것이다. 복부 벽이 안쪽으로 움직이는 느낌이 이전같이 강하지 않을 것이다. 왜냐하면 복부의 양 옆으로 당겨지는 것을 동시에 느끼기 때문이다. 당신이 공기흐름이 지속되고 있다는 것을 인지하고 있는 이상 아무런 문제가 되지 않는다.
4. 이제 한 호흡에 오토바이 시동을 걸기 위해 가속시키는 것처럼 'ㅂ'('v') 를 여러 번 반복해서 낸다. 한 번의 날숨 동안 복부 벽을 여러 번 움직일 수 있음을 주목하자.
5. 유성마찰음 대신 '헤이-헤이'('hey-hey') 소리를 내면서 위의 4단계 훈련을 한다.

복부 벽의 감각은 복잡하기 때문에 많은 학생들을 혼란스럽게 한다. 몇몇은 복부 벽을 딱딱하게 만들면 횡격막을 사용하기 힘들다고 생각한다. 반면 어떤 사람들은 복부의 중앙을 밀어내야 '지지support'가 생긴다고 한다. 우리가 발성할 때 다음 두 부분의 느낌을 인지한다.

1. 배꼽은 안으로 움직인다.
2. 허리둘레는 양 옆으로 움직인다.

그러나 숨을 들이마실 때는 복부 벽을 양 옆으로 팽창 시킬 필요가 없다. 이 근육들은 발성을 할 때만 활성화된다. 만약 숨을 들이미실 때 이 근육을 사용한다면 숨을 제대로 쉴 수 없을 것이다. 복부 벽을 항상 이완하자. 특히 한 호흡을 다 쓰고 새롭게 숨을 들이쉴 때, 배꼽 주변을 항상 이완한다. 그림 1과 그림 2는 인지 훈련 2와 3을 연습할 때 복부 벽의 근육들을 시각화하는데 도움을 줄 것이다.

인지 훈련 2 • 복부 벽(윗부분과 아래쪽)

능동적인 날숨을 할 때 복부의 피드백을 느낄 수 있는 곳이 두 군데가 더 있다. 하나는 명치 부근(검상돌기xyphoid process는 가슴뼈 아래 있으며 갈비뼈가 갈라지기 시작하는 지점)과 치골pubic arch의 윗부분이다.

1. 손가락으로 이 두 부분을 누른다. 이 부분은 복부 벽에 배곧은근abdominis rectus의 위부터 아래까지이다(보디빌더는 흔히 '식스팩six pack'이라고 불린다).

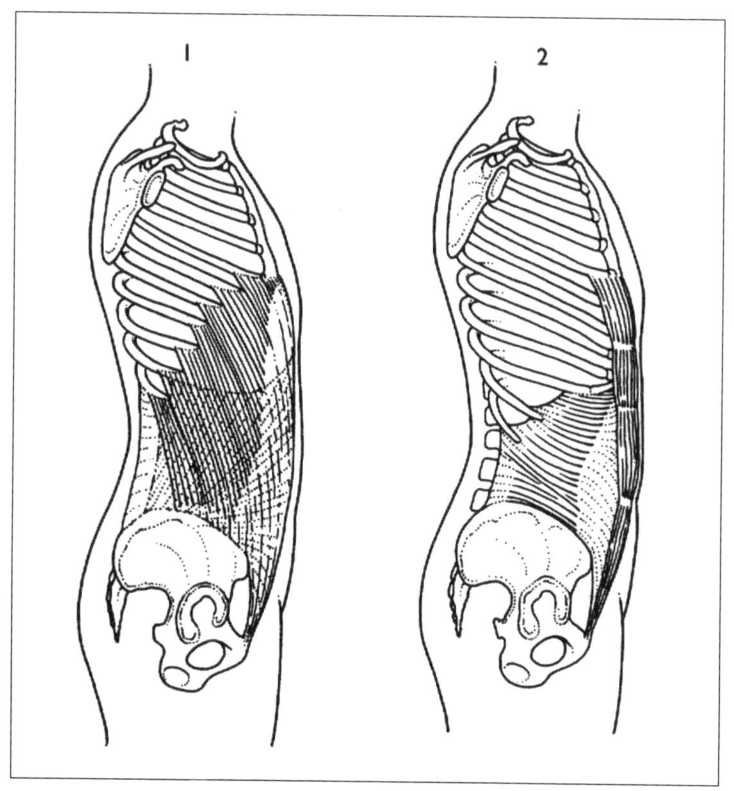

복부 벽의 근육 The muscles of the abdominal wall
[그림 1] 배속빗근과 배바깥빗근the internal and external oblique
[그림 2] 배가로근과 배곧은근transverse abdominis and rectus abdominis

2. 힘차게 혀 트릴 'ㄹ'('R') 소리를 낸다. 만약 혀 트릴을 할 수 없다면 입술 털기를 한다. 복부 근육이 수축하면서 명치 부분과 치골 부분의 손가락이 밀리는 것을 느낄 것이다(공기 흐름을 만들기 위해 배꼽 부분을 등 쪽으로 움직이고 있을 것이다).
3. 혀 트릴 'ㄹ'('R') 소리를 내기 또는 입술 털기를 하면서 음역대를 오르내린다. 노래를 부르는 것이 아니라 고음에서 저음으로 소리를 낸다. 발성을 하면서 두 부분에서 어떤 피드백이 오는지를 주목하자.

인지 훈련 3 • 다이아몬드THE DIAMOND

이 훈련의 제목−다이아몬드−은 지지support 역할을 하는 복부 벽의 근육들의 네 지점을 연결한 형태에서 붙여진 이름이다. 각 지점들은 근육들이 서로 연결되는 지점을 나타낸다.

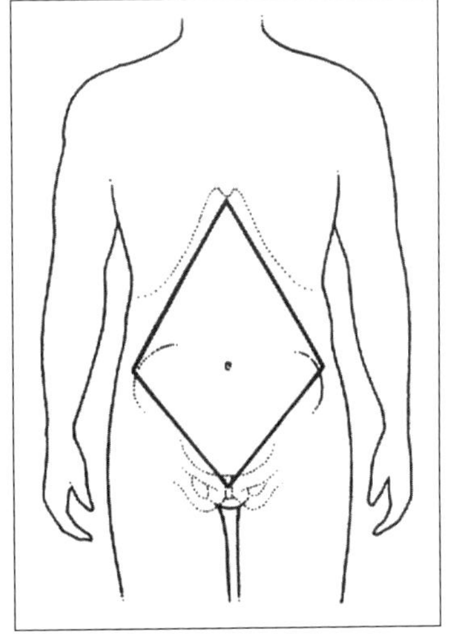

[그림 3] 지지의 다이아몬드The diamond of support, after Chapman

1. 앞서 훈련에서 우리는 허리둘레의 양옆과 명치부분과 치골에 대해서 연습을 했다. 네 지점을 연결하여 연습해 보자. 두 손으로 네 지점을 한 번에 느낄 수 없기 때문에 두 지점씩 번갈아가며 느껴본다.
2. 다시 혀 트릴 'ㄹ'('R') 소리를 내기 또는 입술 털기로 당신의 음역대를 오르내리며 발성하는 것을 반복한다.

다이아몬드의 중앙 부분은 유연한 반면 코너의 네 지점은 강하게 움직이는 것에 주목하자.

복부의 압력Intra-abdominal pressure이 어떻게 작용하는가?

복부 벽은 진성대로부터 멀리 떨어져 있다. 어떻게 복부 벽의 작용이 성문하 압력을 유지하거나 만들어내는지 시각화하기란 매우 힘들다. 우리의 몸은 많은 압력 시스템을 가지고 있다. 복부 내부에서 일어나는 압력은 그 중의 하나다.

1. 우리는 종종 풍선을 폐의 이미지로 이용한다. 두 개의 큰 풍선을 떠올린다. 하나는 가슴 공간(위쪽)에 다른 하나는 복부 공간(아래쪽)에 있다고 상상한다.

2. 복부 공간(복강)은 밀폐되어 있고 횡격막에 의해서 가슴 공간(흉강)과 분리되어 있다. 횡격막은 유연하고 탄력이 있기 때문에 복부에 압력을 가해서 횡격막을 가슴 쪽으로 밀어 올릴 수가 있다.

3. 반면 가슴 공간(흉강)은 밀폐되어 있지 않다. 가슴 공간의 꼭대기에 진성대가 있어 밸브로서 개폐작용을 한다. 진동하는 진성대는 복부에서 만들어진 압력에 대항해서 '반대 압력back pressure'을 만드는데, 이것이 흉강 압력을 만들어낸다. '반대 압력'은 노래에 필요한 성문하 압력이다.

복부 내에 압력을 만들어내기 위해서 '다이아몬드' 부분을 움직이는 근육들이 배속빗근, 배바깥빗근, 배가로근이다. 이 근육들은 몸의 좌우에 쌍을 이루고 있고, 넓고 평평하며 갈비뼈와 골반 뼈의 일부분에 붙어 있다. 배가로근과 배속빗근(더 깊은 층)은 힘줄과 연결조직으로 척추에 연결되어 몸 주위를 둘러 관tube을 형성한다.

이 세 쌍의 근육들은 배곧은근과 함께 복부 안의 내용물을 위한 강한 집을 형성하고 있다.

자세와 다이아몬드 지지력

복부 벽의 근육은 안정적인 자세를 유지하기 위해 능동적으로 사용된다. 우리는 이 근육을 앉고 일어설 때 또는 앞과 옆으로 구부릴 때 사용한다. 우리의 몸은 다양한 움직임을 효과적으로 수행할 수도 있도록 만들어져 있고 우리의 자세는 어떤 일을 수행하느냐에 따라 변화한다. 만일 자세가 올바르지 않으면 복부벽도 효과적으로 사용할 수 없다. 만약 당신이 복부 벽에 지지 근육들이 어디에 있는지 인지할 수 없다면, 신체 훈련을 하든가 헬스장에 트레이너에게 이 부위를 인지하기 위한 프로그램을 부탁하는 것이 도움이 될 것이다. 이 부위의 근육을 단련하는 신체 훈련들—옆으로 구부리기lateral bend, 트위스트twists, 컬업curl-ups—은 지지 근육들을 강화하고 활용할 수 있도록 도와준다. 필라테스 시스템은 중요한 복부 부위의 근육이 강화되고 유연성이 향상되어 배우나 가수에게 아주 좋다. 우리가 필요로 하는 지지력을 증진시키기 위한 훈련들은 많은 수업을 통해서 전문적인 트레이너들에게 받을 수 있다. 여기에 효과적인 서 있는 자세를 위한 몇 가지 일반적인 가이드라인을 제공한다.

1. 두 발을 편하게 벌리고 선다. 많은 사람들이 엉덩이 넓이 정도 벌리는 것을 편안하게 느낀다. 당신에게 안정적인 기반을 줄 것이다.

2. 무릎은 부드럽게 한다. 힘이 들어가 쫙 펴진 무릎은 척추가 균형을 잡지 못하고, 호흡 반동recoil breath도 힘들어진다.

3. 골반 뼈의 기울기를 인지하자. 등이 구부러져 골반이 뒤로 빠지면, 숨을 들이쉴 때 횡격막이 충분히 움직일 수 없다. 반대로 골반이 앞으로 내밀어져 온몸을 구부정하게 만들어서는 안 된다. 구부정한 몸으로는 복부근육을 제대로 쓸 수가 없다.

4. 머리를 어깨와 같은 선상에 놓고, 척추가 정열alignment 되어 있도록 한다. 척추를 일자로 피려고 노력할 필요는 없지만, 척추 전체 길이를 인지한다.

5. 어깨는 이완되어 있고, 팔은 어깨에 달려 있는 느낌을 유지하며 쉽게 움직일 수 있도록 한다.

6. 몸의 앞쪽에 배곧은근이 무너지지 않도록 한다. 특히 흉골 아래쪽이 서있게 한다. 몸의 앞부분을 조직화시켜야 다이아몬드의 위에서 아래까지 효과적으

로 사용할 수 있다.

다음 훈련은 성악이나 발라드와 같이 한 호흡으로 길게 발성해야 할 때 유용하다.

연습 3 • 길게 유지하며 발성WORKING TO SUSTAIN

1. 5음계 스케일을 혀 트릴 'ㄹ'('R') 소리를 내기 또는 입술 털기로 발성한다. 저음에서 고음까지 한 호흡으로 올라갔다가 내려오며 발성한다.

2. 5음계 스케일을 반복하고, 반음씩 올라간다. 각 스케일마다 호흡 반동을 시도하고 느껴야 한다. 처음에는 각 스케일 사이에 박자 수는 호흡 반동을 하기 위해 당신이 필요한 만큼으로 한다. 스케일 사이의 박자 수는 점차 경험이 쌓일수록 언제든지 줄일 수 있다.

3. 9음계 스케일로 확장하여 연습한다.

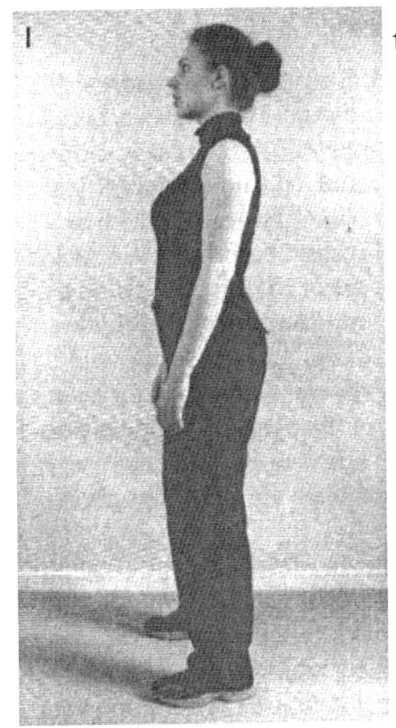

1 올바른 자세

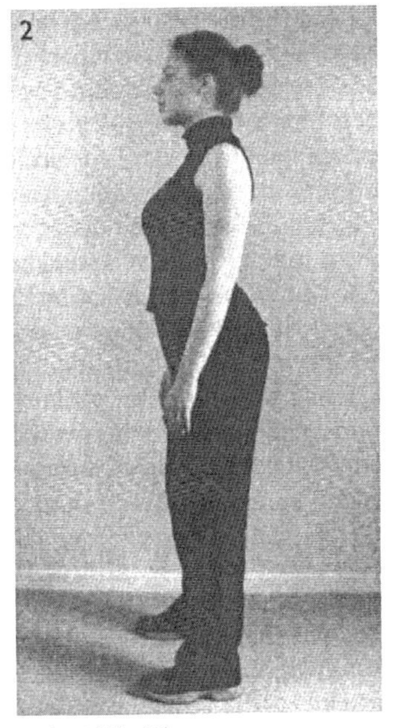

2 뒤로 젖힌 자세

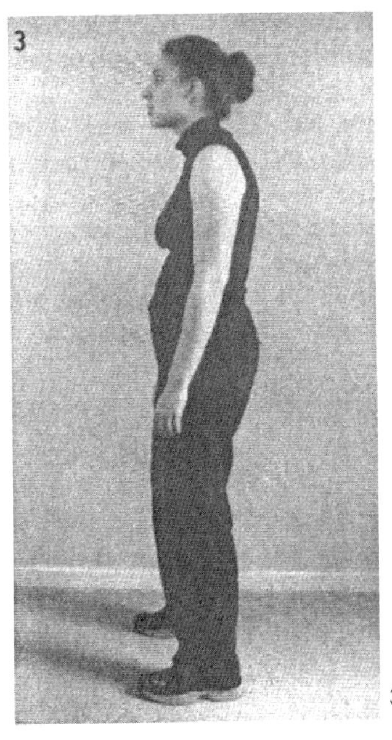

3 구부정한 자세

위에 훈련을 하면서 허리둘레 근육에 조금 더 많은 집중이 필요하다는 것을 깨닫게 될 것이다. 놀랍게도 5음계 스케일에서 숨을 들이쉬었던 것과 9음계 스케일에 사용되는 들숨의 크기는 별다른 차이가 없을 것이다. 만약 둘의 차이가 별로 없는 것을 경험했다면, 당신은 호흡을 보다 효과적으로 사용할 수 있게 된 것이다. 몇몇 학생들은 호흡 패턴을 고정하여 호흡을 끝까지 사용하는 것을 허용하지 않는다. 하지만 호흡이 끝나서 숨이 찬 것은 당연한 것이다.

생각해볼 것들Food for thought

아래 호흡 사용의 인지를 위한 더 많은 훈련들이 있다. 이 훈련들은 호흡 조절을 유연하게 생각하도록 도움으로서 가사를 노래하는 것으로부터 호흡이 분리되지 않게 한다.

인지 훈련 4 • 톤의 온셋 복습

톤의 온셋을 제어하기 위해서 2장(37~38쪽)에서 우리가 한 훈련을 복습한다. 호흡이 어떻게 변화하는지 인지될 때까지 각각의 온셋을 반복해서 소리 낸다.

1. 성문 온셋glottal onset을 했을 때 무슨 일이 일어나는가? 소리가 나기 전에 호흡이 멈춰진다. 호흡을 멈추는 것은 복부인가 진성대인가? 진성대가 닫힌 후에 어떻게 해야 날숨이 이루어질 수 있을 수 있을지 찾아보자.
2. 기식 온셋aspirate onset 소리는 호흡 위에 만들어진다. 기식 온셋을 멈추고 시작하기 위해서 무엇이 필요한지 찾아보자.
3. 동시 온셋simultaneous onset 소리를 낸다. 동시 온셋의 준비 자세는 진성대를 열려 있고 호흡은 멈추고 있어야 함을 주목하자. 진성대가 열려 있을 때 숨을 멈출 수 있는 방법을 찾아보자.

각각 온셋마다 진성대를 다르게 사용하기 때문에 호흡 또한 다르게 조절해야 한다. 이러한 진성대 수준의 변화는 목소리의 질을 생성하기 위한 중요한 구성요소이다.

인지 훈련 5 • 자음들

1. 무성마찰음—'ㅍ'('f'), '쉬'('sh' /ʃ/), 'ㅅ'('s')—을 발음하여 소리 낸다. 호흡이 어떻게 변하는지를 인지하자. 이 자음들이 발음되기 위해서는 많은 공기를 필요로 한다.
2. 무성마찰음을 음절의 처음소리에 두고 모음이 그 뒤를 따라오도록 노래한다. (예를 들어, 'ㅅ+ㅏ') 무엇을 알 수 있는가? 많은 공기를 필요로 하는 마찰음 발음이 끝나기 전에는 진성대가 진동하는 유성소리를 낼 수 없다. 실제로 당신은 각 소리마다 호흡해야 한다.
3. 폐쇄음—'ㅌ'('t'), 'ㅍ('p'), 'ㅋ'('k')—으로 1에서 2단계 훈련을 반복한다. 호흡이 얼마나 사용되는지를 관찰하자. 무성마찰음과 마찬가지로 발음이 끝나기 전에는 진성대가 진동하는 유성 소리를 낼 수 없다는 것을 관찰하게 될 것이다. 폐쇄음의 경우, 소리가 만들어지기 전에 호흡이 멈춘다는 것을 관찰할 수 있다. 자음과 함께 공기가 터져 나오는 것을 알 수 있고, 호흡 '흐름'을 방해한다.

노래 과제 • 자유곡

이미 알고 있는 연습할 만한 간단한 노래를 선택한다.

1. 혀 트릴 'ㄹ'('R') 소리를 내기 또는 입술 털기, 혹은 유성마찰음—'ㅂ'('v'), '쥐'('ge' /ʒ/), 'ㅈ'('z')—발성을 하면서 멜로디를 끝까지 노래한다.
2. 노래할 때 복부 벽을 관찰하면서 호흡 반동이 있는지를 살펴본다. 그리고 다이아몬드 지지를 받고 있는지 확인한다.

3. 이번에는 가사를 이용해서 노래한다. 이전과 같이 지지를 받고 있는지 복부벽을 관찰한다.
4. 다시 노래한다. 다양한 온셋을 사용하면서, 언제 호흡이 멈추는지 언제 공기흐름이 증가하는지 확인한다.
5. 노래를 다시 부른다. 언제 호흡이 멈추어지는지 또 언제 공기흐름이 증가하는지 그리고 당신이 어떤 시작 방식을 쓰고 있는지 감지한다.

마지막 인지 훈련 4, 5와 노래 과제를 통해서 어떠한 결론을 얻을 수 있는가? 단순히 말하면 우리가 사용하는 호흡이 항상 똑같이 느껴지지 않는다. 노래할 때 호흡이 효율적으로 사용되기 위해서는 어떤 발성을 하는가에 따라서 최선의 호흡을 만들어주는 유연하고 조직화된 호흡 근육이 필요한 것이다.

필자가 가수로 훈련 받을 때는 '호흡'이라는 성배holy grail를 탐구하는 과정에 있다는 생각이 들었다. 그 어디에도 완벽한 호흡 체계는 없고, 배우와 교육자들이 실제로 가르치고 배우면서 몸으로 알게 되는 것이다. 내가 주로 하는 호흡 훈련은 잘못된 습관을 고치고(교정) 부적절한 노력을 없애는 것(개선)이다. 만약 당신이 호흡에 어려움이 있다면 아래 체크리스트를 사용하여 문제를 원인부터 분석하자.

1. 나는 들숨을 깊이 들어오도록 숨을 쉬고 있는가?(만약 아니라면, 호흡반동recoil 훈련을 한다)

2. 후두를 수축함으로써 호흡을 방해하는가? 만일 숨을 들이마실 때 소음이 많이 나거나 노래의 구절 마지막에 후두 안을 갑자기 닫아버리는지를 잘 살펴본다(이 현상을 고치기 위해 소리 없는 웃음을 통한 가성대 수축을 피하고, 호흡반동과 길게 발성을 유지하는 훈련을 한다).

3. 충분한 공기흐름이 일어나는가?(만약 아니라면, 유성마찰음, 혀 트릴 'ㄹ'('R') 소리를 내기 또는 입술 털기 훈련을 한다)

4. 노래하면서 숨을 너무 많이 들이마시거나 내쉴 때 과도한 호흡을 하지 않는가?(만약 그렇다면, 공기의 흐름을 관찰하고 톤의 온셋을 점검한다)

호흡을 너무 복잡하게 생각하지 말고 근육을 사용하여 호흡한다. 만약 몸이 균형을 이루고, 후두의 수축에서 자유로우며, 진성대를 효과적으로 사용하고 있다면, 호흡은 저절로 해결될 것이다.

SECTION • II

목소리 훈련하기

Training your Voice

5장에서 9장까지의 내용은 많은 가수들과 교육자들이 고민하는 보컬 트레이닝의 중요한 측면을 다룬다; 긴장tension의 조절, 음역대range 개발, 공명 개발, 기어 변경gear change 해결, 모음 배치, 다이나믹 조절. 훈련된 공연예술가에게 이러한 측면들은 필수적인 기술이며, 당신은 이러한 기술들을 숙달하는데 시간을 투자할 필요가 있다. 이러한 훈련은 열성적인 아마추어 가수들과 전문적 음성 사용자들에게도 유용할 것이다. 대부분 훈련은 음악적으로 단순하며 복잡한 스케일이나 아르페지오arpeggio보다 바람직하다. 음악적으로 복잡한 악기 연주를 하기 전에 우리는 적합한 순서를 따라 훈련을 하는 것이 중요하다. 훈련이 꾸준히 이루어지면 복잡한 악기 연주 능력은 시간이 지나면 자연스럽게 습득될 것이다. 많은 경우에 노래를 기반으로 하는 연습들도 연주 능력 습득과 같이 이루어진다.

이 훈련들은 당신의 음성 웜업warm-up에서 선호하는 연습이 될 것이다. 본문에서 몇몇 훈련들은 정기적으로 연습하도록 제안하였다. 건강한 목소리는 긴 시간의 웜업이 필요하지 않다. 일반적으로 10분에서 20분 사이 웜업이면 충분하다. 당신이 기꺼이 훈련을 하도록 깨어있는지 정신-신체적 자세가 준비되어 있는지 확인하는 것은 실제 웜업만큼 중요하다. 오디션이나 공연을 준비할 때, 이러한 요인들이 준비될 수 있도록 한다.

한국어 표준 모음표

표준발음법 제2장 자음과 모음

제3항 표준어의 모음은 다음 21개로 한다.

ㅏ ㅐ ㅑ ㅒ ㅓ ㅔ ㅕ ㅖ ㅗ ㅘ ㅙ ㅚ ㅛ ㅜ ㅝ ㅞ ㅟ ㅠ ㅡ ㅢ ㅣ

제4항 'ㅏ ㅐ ㅓ ㅔ ㅗ ㅚ ㅜ ㅟ ㅡ ㅣ'는 단모음으로 발음한다.

[붙임] ㅚ, ㅟ는 이중모음으로도 발음된다.

제5항 'ㅑ ㅒ ㅕ ㅖ ㅘ ㅙ ㅛ ㅝ ㅞ ㅠ ㅢ'는 이중모음으로 발음한다.

발음기호	모음 음소	단어 예시
/ɑ/	ㅏ	아이, 사람
/ɛ/	ㅐ	해, 애국심
/ʌ/	ㅓ	어디, 성격
/e/	ㅔ	누에, 세상
/o/	ㅗ	오이, 돕다
/u/	ㅜ	우리, 눈
/ɯ/	ㅡ	그, 은행
/i/	ㅣ	이마, 임금
/ø/, /we/	ㅚ	쇠, 외가
/y/, /wi/	ㅟ	위, 위기
/jɑ/	ㅑ	야인
/jɛ/	ㅒ	얘기
/jʌ/	ㅕ	여인
/je/	ㅖ	예기
/jo/	ㅛ	요인
/ju/	ㅠ	유인
/wɑ/	ㅘ	왕
/wɛ/	ㅙ	왜가리
/wʌ/	ㅝ	워낙
/we/	ㅞ	웩
/ɯi/	ㅢ	의리

한국어 표준 자음표

표준발음법 제2장 자음과 모음

제2항 표준어의 자음은 다음 19개로 한다.

ㄱ ㄲ ㄴ ㄷ ㄸ ㄹ ㅁ ㅂ ㅃ ㅅ ㅆ ㅇ ㅈ ㅉ ㅊ ㅋ ㅌ ㅍ ㅎ

발음기호	모음 음소	단어 예시
/b̥/	ㅂ	베다
/p*/	ㅃ	뻐꾸기
/pʰ/	ㅍ	파도
/m/	ㅁ	만남
/d̥/	ㄷ	다리
/t*/	ㄸ	때
/tʰ/	ㅌ	테두리
/s/	ㅅ	세상
/s*/	ㅆ	싸움
/n/	ㄴ	네모
/l/	ㄹ	빨래
/dz̥/	ㅈ	자랑
/tɕ*/	ㅉ	째다
/tɕʰ/	ㅊ	책임
/g̊/	ㄱ	게
/k*/	ㄲ	깡통
/kʰ/	ㅋ	수캐
/ŋ/	ㅇ	장애
/h/	ㅎ	허파

* 한국어 표준 모음 · 자음표는 이호영(2010)과 신지영 · 차재은(2011)을 참고하여 구성하였다. ■옮긴이

표준 영국 영어 모음표

주의 단일 알파벳 'r'이 모음 리스펠링respelling의 일부분일 때에는 발음되지 않는다. 대문자는 어휘 집합lexical set의 단어를 표시하고, 굵은 글씨는 모음의 위치를 나타낸다.

Phonetics	'Respelling'	Representative Words
/ɑː/	'AH'	PALM, BATH, m**ar**k
/ɜː/	'ER'	NURSE, b**ir**d, conf**er**
/ɔː/	'AW'	THOUGHT, w**al**ker, l**aw**
/iː/	'EE'	FLEECE, m**ea**n, f**ee**
/uː/	'OO'	GOOSE, cr**u**de, b**oo**ts
/ɪ/	'ih'	KIT, st**i**ll, w**i**cked
/æ/	'ae'	TRAP, b**a**nned, spl**a**shed
/e/	'eh'	DRESS, t**e**nth, s**e**ction
/ʌ/	'UH'	STRUT, w**o**rried, w**o**nders
/ɒ/	'aw'	LOT, s**o**ft, c**o**stly
/ʊ/	'ou'	FOOT, c**ou**ld, p**u**t
/ə/	'uh'	COMMA, LETTER, tak**e**n, **a**lone
/ɪə/	'ir'	NEAR, **wei**rd, r**ea**r
/eə/	'air'	SQUARE, d**are**, f**air**
/ʊə/	'oor'	CURE, p**oor**, l**ure**
/eɪ/	'ey'	FACE, s**ay**, aw**ay**
/aɪ/	'ay'	PRICE, t**i**me, compl**y**
/ɔɪ/	'oy'	CHOICE, andr**oi**d, pl**oy**
/əʊ/	'oh'	GOAT, s**ew**, ag**o**
/aʊ/	'ow'	MOUTH, l**ou**d, v**ow**
/eɪə/	'eyor'	pl**ayer**, conv**eyor**, sl**ayer**
/aɪə/	'ire'	sc**ie**nce, v**io**let, f**ire**
/ɔɪə/	'oyer'	**lawyer**, r**oyal**, t**oi**l
/əʊə/	'oer'	l**ower**, m**ower**, bl**ower**
/aʊə/	'ower'	p**ower**, s**our**, fl**ower**

표준 미국 영어 모음표

주의 단일 알파벳 'rr'이 모음 리스펠링respelling의 일부분일 때에 발음된다.
대문자는 어휘 집합lexical set의 단어를 표시하고, 굵은 글씨는 모음의 위치를 나타낸다.

Phonetics	'Respelling'	Representative Words
/ɑː/	'AH'	P**A**LM, s**o**vereign, marath**o**n
/ɝː/	'URR'	N**UR**SE, pref**er**, ref**er**
/ɔː/	'aww'	TH**OUGH**T, wr**o**ng, s**aw**
/iː/	'EE'	FL**EE**CE, m**ea**n, f**ee**
/uː/	'OO'	G**OO**SE, cr**u**de, b**oo**ts
/ɪ/	'ih'	K**I**T, st**i**ll, wick**e**d
/æ/	'ae'	TR**A**P, B**A**TH, spl**a**shed
/ɛ/	'eh'	DR**E**SS, t**e**nth, s**e**ction
/ʌ/	'UH'	STR**U**T, w**a**s, wh**a**t, **u**nder
/ʊ/	'ou'	F**OO**T, c**ou**ld, p**u**t
/ə/	'uh'	COMM**A**, th**e**, **a**lone, tak**e**n
/ɚ/	'urr'	LETT**ER**, int**er**national, sug**ar**
/ɪɚ/	'irr'	N**EAR**, **weir**d, app**ear**
/ɛɚ/	'err'	SQU**ARE**, d**are**, f**air**
/ɑɚ/	'arr'	ST**AR**T, s**ar**dine, t**ar**
/ɔɚ/	'orr'	F**OR**CE, **Or**pheus, p**ore**
/ʊɚ/	'oorr'	C**URE**, end**ure**, cont**our**
/eɪ/	'ey'	F**A**CE, s**a**y, aw**ay**
/aɪ/	'ay'	PR**I**CE, t**i**me, compl**y**
/ɔɪ/	'oy'	CH**OI**CE, andr**oi**d, pl**oy**
/oʊ/	'oh'	G**OA**T, v**o**gue, fell**ow**
/aʊ/	'ow'	M**OU**TH, l**ou**d, v**ow**
/eɪɚ/	'eyurr'	pl**ayer**, conv**eyor**, sl**ayer**
/aɪɚ/	'ayurr'	d**ire**, adm**ire**, f**ire**
/ɔɪɚ/	'oyurr'	l**awyer**, r**oya**l, toil
/oʊɚ/	'ohurr'	l**ower**, m**ower**, bl**ower**
/aʊɚ/	'owurr'	p**ower**, s**our**, fl**ower**

표준 영어 자음표

주의: 굵은 글씨는 자음 예시를 나타낸다.

Phonetics	'Respelling'	Representative Words
/p/	'p'	**p**eel, ap**p**roach, stoo**p**
/b/	'b'	**b**ell, tri**b**ute, tu**b**e
/m/	'm'	**m**arry, ca**m**paign, handso**m**e
/f/	'f'	**f**ellow, a**f**ter, stu**ff**
/v/	'v'	**v**ery, a**v**erage, gi**v**e
/w/	'w'	**w**estern, stal**w**art, a**w**ay
/θ/	'th'	**th**ink, a**th**lete, tru**th**
/ð/	'~~th~~'	**th**is, ra**th**er, bli**th**e
/t/	't'	**t**ime, fu**t**ile, ha**t**
/d/	'd'	**d**eep, a**dd**ition, be**d**
/s/	's'	**s**ip, a**ss**ume bli**ss**
/z/	'z'	**z**est, pre**s**ume, head**s**
/l/	'l'	**l**ast, simi**l**ar, pu**ll**
/n/	'n'	**n**either, a**n**tique, fu**n**
/ʃ/	'sh'	**sh**ift, vi**c**ious, po**sh**
/ʒ/	'ge'	mea**s**ure, fu**s**ion, vi**s**ion
/ʧ/	'ch'	**ch**est, a**ch**ieve, lur**ch**
/ʤ/	'j'	**j**ump, a**dj**acent, ba**dge**
/r/	'r'	**r**ed, a**rr**ow, **r**u**r**al
/j/	'y'	**y**esterday, can**y**on, vine**y**ard
/k/	'k'	**k**ept, sil**k**en, sha**ck**
/g/	'g'	**g**uest, be**g**otten, bi**g**
/ŋ/	'ng'	si**ng**, li**n**k, Li**n**coln
/h/	'h'	**h**ave, a**h**ead, **h**uge

Chapter 5.

3옥타브 사이렌 개발하기

Developing the three octave siren

3옥타브 사이렌이 매우 어려운 도전처럼 생각되지만, 불가능한 것은 아니다. 필자의 많은 클라이언트들은 자신의 사이렌을 통해 2옥타브 반에서 3옥타브 음역대를 개발하였다. 정확한 접근 방식을 이용한다면 당신도 3옥타브 음역대를 개발할 수 있다. 사이렌은 믿을 수 없을 정도로 유용성이 높은 발성 훈련으로, 빠르게 목소리를 웜업할 수 있고, 목소리 기관들을 재배열(기어 변경)함으로써 음역대를 개발하고, 음감sense of pitch을 향상시키고, 노래 멜로디를 발성 기관의 근육 기억에 입력시키는데 유용하다. 근육의 긴장을 다루고 음역대를 확장시키는 것은 가창 훈련에 두 가지 주요 과제들이다. 이어지는 훈련들은 당신의 음성 훈련에서 빠른 시간 내에 이러한 과제들을 목표로 해결할 수 있도록 한다.

음성훈련 중에 긴장 점검하기

인지능력을 개발을 돕기 위해서 잘못된 연습negative practice이 유용하기도 하다. 2장에서 우리는 후두 내에 두 가지 상반된 감각인 가성대 수축 상태와 가성대 연축 상태를 알아보았다. 다음 연습을 통해 가성대 수축 상태의 소리를 인지하고, 후두의 안과 밖에 느낌, 후두 내 공간 이미지에 대해 인지할 수 있다. 연습의 목적은 진성대와 가성대의 움직임을 분리할 수 있도록 하는 것이다. 소리 없는 웃음의 감각을 인지할 때 진성대와 가성대의 움직임을 구별할 수 있다. 가성대의 세 가지 상태—중립neutral(이완relaxed), 가성대 수축 상태constricted, 가성대 연축 상태retracted—를 알아보자.

연습 1 • 가성대의 세 가지 상태

가성대의 이미지를 만들어내기 위해 엄지손가락을 사용한다.

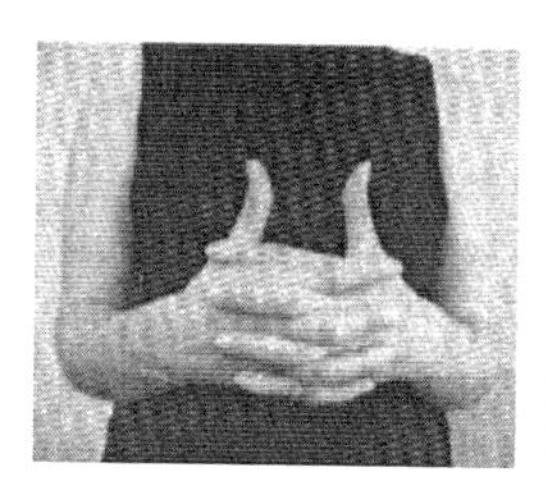
엄지손가락이 약간 벌려진 상태 = 중립

엄지손가락이 붙은 상태 = 가성대 수축 상태

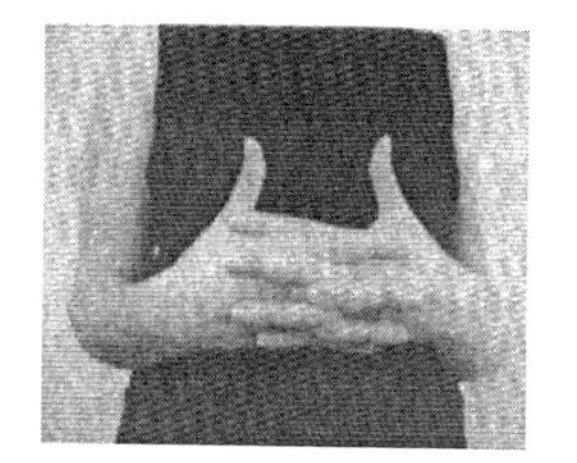
엄지손가락이 넓게 벌려진 상태 = 가성대 연축 상태

1. 가볍게 한숨을 쉬듯이 입으로 숨을 내쉰다. 소리는 내지 말고 힘을 뺀 상태에서 가벼운 호흡 소리만 내본다.
   이완된 감각과 가볍고 숨소리가 섞인 소리를 인지하자.
   공기가 후두를 통해서 지나가는 것을 그려본다. 텅 빈 튜브 사이로 지나가는 공기의 이미지를 상상한다. 이것이 중립 상태neutral position이다.

2. 모음 '이'('EE' /i : /)를 소리 내지 않고 다시 숨을 내쉰다. 숨을 내쉴 때는 후두가 조이는 느낌이 날 것이다. 후두 안쪽에 신경을 집중하자.
 마치 억지로 내는 속삭임 같을 것이다(영화 <대부*The Godfather*>의 말론 브란도 목소리를 연상해 보자).

(1) 좁아진 후두의 튜브 이미지가 연상될 것이다.

(2) 후두 안쪽은 갑갑하게 긴장되고, 바깥쪽 복부의 근육을 밀어서 숨을 내쉰다.

(3) 후두의 공간이 닫히는 것을 연상하기 위해서 적거나 중간 정도 노력을 하면서 엄지손가락을 사용한다. 이것이 가성대 수축 상태constricted position이다.

성도에는 긴장constrict될 수 있는 많은 부분이 있다. 예를 들어 무성마찰음을 발음은 호흡소리를 만들어내기 위해서 가성대 수축 상태를 필요로 한다. 이것은 우리가 원하는 것이 아니다. 입 안의 혀나 연구개의 가성대 수축 상태로 인한 소리를 피하도록 한다. 성도의 깊은 아래에 후두 안쪽을 집중하자.

3. 1과 2번 단계를 반복하다가 갑자기 낄낄거리거나 킥킥 웃는 느낌을 이용하여 소리 없이 웃는다. 달라진 것이 무엇인지 집중하자.

(1) 소리가 바뀔 것이다. 가성대 수축 상태 동안 불규칙한 공기의 흐름으로 인한 소음이 조용히 웃었을 때는 소음이 없어질 것이다.

(2) 후두의 관이 넓혀진 이미지를 연상하자.

(3) 후두 안에 무언가 옆으로 벌어진 느낌이 들고 넓은 공간을 느껴본다. 몸 바깥에서는 복부 벽이 밀어내는 것을 멈추고 웃음으로 인해 움직이기 시작한다. 이때 엄지손가락을 넓게 벌려 후두 안의 공간을 연상한다. 이것이 가성대 연축 상태retracted position이다.

1에서 3단계를 반복한 후,

4. 가성대 연축 상태를 유지하면서 숨을 내쉰다. 아무것도 공기의 흐름을 막고 있는 것이 없기 때문에 공기가 한 번에 빠르게 빠져 나오는 것을 느끼게 될 것이다. 복부 벽을 이완하여 공기가 나오도록 조절할 수도 있지만 여기에서는 복부 벽의 조절은 중요하지 않다. 중요한 것은 숨을 나오고 들어가는 것이 가능하도록 웃음 상태laugh posture를 유지하는 것이다.
5. 웃는 상태를 유지하기 위해서 노력이 필요하다. 이 느낌은 1번의 '중립' 상태와 다르다. 이 시점에서 노력의 정도에 따른 감각을 숫자로 매기는 것이 유용하다. 노력의 정도에 따라 1에서 10까지 숫자를 매긴다. 1은 가장 적은 노력이고, 10은 가장 많은 노력을 들이는 것이다. 후두에서 가성대 연축 상태를 유지하기 위해 얼마의 노력이 필요한가? 그 노력의 점수를 머릿속에 기억해두면, 미래에 근육 기억을 저장할 때 유용하게 사용될 것이다.
6. 위 1부터 5번까지 단계를 반복하고, 음정으로 노래하자.

연습 2 • 외부에서 점검하기

'점검'을 돕기 위해서 3장의 '후두 오리엔티어링larynx orienteering'을 참고한다. 가성대 수축 상태와 가성대 연축 상태간의 차이만큼 현저하진 않지만, 중립 상태와 가성대 연축 상태 간에 분명한 차이를 느낄 것이다. 아래 연습에 81쪽에 사진을 참고로 이용하자.

1. 연습 1을 다시 실시하자. 각 단계를 하면서, 엄지손가락과 한 개 내지 두 개의 손가락을 이용하여 갑상연골의 양쪽 측면을 점검하자.
2. 손가락 아래 느껴지는 변화들을 적어보자.

(1) 후두 안쪽부터 긴장이 되는 경우, 위쪽과 안쪽으로 미는 느낌을 손가락으로 느낄 수 있다.

(2) 가성대 연축 상태를 찾았을 때, 갑상연골의 양쪽이 열린 것처럼 넓어지는 것

을 느낄 수 있다.

(3) 다르게 표현하자면, 위는 '딱딱한' 느낌이라면, 아래는 '부드러운' 감각이 느껴질 것이다.

(4) 연습 1의 1에서 5번까지 단계를 반복하고, 음정으로 노래하자.

사람마다 이러한 후두 변화를 다르게 경험한다. 가장 안정적이고 효과적으로 점검할 수 있는 방법을 찾아보자. 어떤 사람들은 엄지손가락 주위에 고무밴드(먼저 양손을 마주잡는다)를 감아서 가성대 이완 상태와 가성대 연축 상태 간의 차이를 인지하고 형상화하는데 도움을 받는다.

추가적인 점검

(1) 웃음을 유지하는데 필요한 노력의 정도에 주목한다. 다양한 음역대에서 소리 없이 웃음을 유지하는 것과 소리를 내면서 유지하는 것을 시도한다.

(2) 연습을 하면서 신체 자세 변화되는 것을 인지하자. 아래와 같은 기타 노력을 이완시키면서 오로지 후두 내에 가성대 수축 상태와 가성대 연축 상태의 감각을 구분한다.

① 미소 짓기나 씩 웃기

② 복부 벽을 빠르게 안팎으로 움직이기(웃을 때 일반적으로 하는 행동)

③ 혀 긴장하기

④ 턱 긴장하기

⑤ 어깨를 위 아래로 움직이기

마지막으로 가성대 연축 상태로 노래할 때, 호흡 사용이 달라지는 것을 인지하게 될 것이다. 이러한 현상은 후두 내의 공간이 더 넓게 벌어져서 진성대가 자유롭게 진동될 수 있기 때문이다. 가성대 연축 상태를 숙달하여 보다 큰 발성의 자유를 즐기도록 하라!

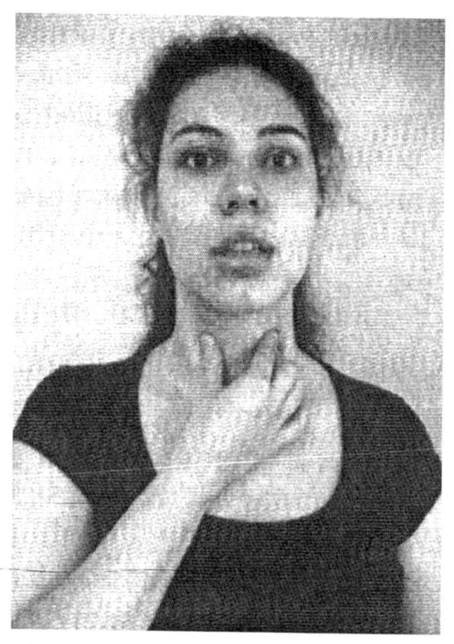
가성대 연축 상태 상태 점검Monitoring retraction

훈련이란 인지능력 개발과 근육 단련을 하는 것이다. 훈련과 연습을 통해 기술적인 기능은 잊고 노래하는 것에만 집중하는 것이 이상적이다. 배우로서 공연하면서 당신은 좋은 목소리 건강을 유지하고 싶을 것이다. 따라서 우리는 훈련이나 공연연습을 할 때, 스스로 발성의 변화와 가성대 수축이 발생할 수 있는 신체적 노력 정도를 인지할 필요가 있다. 특히 격렬한 감정에 치닫는 공연에서 이러한 인지감각은 필수 요소이다.

음역대 개발하기

1장의 연습 4에서 우리는 노력의 정도와 발성 음역대 인지를 개발하는 연습으로 사이레닝을 살펴보았다. 여기서는 3옥타브 음역대 달성을 목표로 사이렌을 통한 세부적인 연습을 알아보고자 한다.

연습 3 • 랜덤RANDOM 사이레닝

1. 가성대 연축 상태 훈련인 연습 1의 5단계에서 사용한 노력 정도를 사용하여, 작게 우는소리 같은 '응'('ng' /ŋ/, 단어 sing 발음과 같다) 소리는 가성대 연축 상태 작용을 하게 한다.
2. 사이렌 소리를 조금씩 움직이면서 아래 그림과 같이 점차 고음에서 저음으로 소리를 낸다.

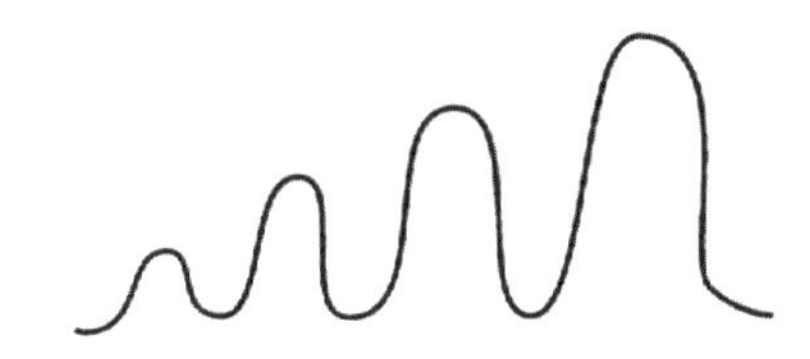

만약 편안한 음역대에서 고음에서 저음으로 사이레닝 소리를 내는데 결코 많은 호흡이 필요하지 않고, 아주 적은 노력을 필요로 한다. '느낌'을 인지해야 하기 위해서 소리는 작고 조용하게 내도록 한다. 소리 없는 웃음 자세를 유지한다면 언제든지 연습을 멈추고 다시 시작해도 좋다. 필요하면 숨을 쉬어도 되지만 이 연습에서는 되도록 숨을 적게 쉬는 것이 좋다.

3. 사이렌을 더 높거나 낮게 소리 낸다. 명확한 어떤 변화가 일어나는지 관찰하면서 최저음에서 최고음까지 소리 낸다. 3장에서 했던 것처럼 거울을 앞에 두고 살피거나 손가락을 후두 위에 살짝 올려놓아 점검해도 좋다.

   이 과정에서 관찰하고 느낀 것들은 다음과 같다.

(1) 후두는 음높이에 따라 위아래로 움직이는 경향이 있다.
(2) 혀는 음이 높아지면 질수록 연구개 쪽으로 위로 달라붙는 경향이 있다.
(3) 목의 양 측면과 뒷부분에 근육에 노력이 들어가는 것이 느껴질 것이다. 이는 음역대의 특정 부분에서 증가할 것이다.
(4) 구강 뒤쪽은 음높이가 올라가면서 점점 작아진다.

4. 가성대 연축 상태, 사이렌의 볼륨, 호흡의 사용량을 점검하면서, 1에서 3단계를 반복하자.
5. 쓸데없이 몸에 긴장이 생기는지 살펴라. 싸이렌을 하면서 아래 행동을 해보자.

(1) 턱의 긴장을 완화하기 위해 씹는 행동을 한다. 턱을 크게 넓게 벌리면 그것은 턱을 긴장시키는 것이다. 턱은 항상 유연하게 유지하라.
(2) 어깨를 아래로 떨어뜨리고, 목을 늘려 척추 전체를 길게 늘인다.
(3) 연습실을 걸어 다니면, 몸의 불필요한 긴장이 해소될 것이다.

이제 당신은 특정한 근육의 기능을 독자적으로 인식하고 분리할 수 있게 되었다. 2장에 인지 훈련 4의 연습을 이용하여 노력의 정도를 점검하자. 이 책에 새로운 주제에 대해서 연습할 때마다 36쪽에 분리 체크리스트를 이용하자.

사이렌을 하는 동안 목소리가 갈라지는 소리가 발생해도 정상적인 것이니 걱정할 필요는 없다. 다른 파이프 악기와 마찬가지로 우리 목소리는 불완전한 악기다. 일반적으로 성구 전환change of registration이라고 불리는 음질(음색)의 변화에 기여하는 여러 가지 요인들이 존재하는데, 이와 관련해서는 나중에 다루게 될 것이다. 이제부터 사이렌을 완성을 도와줄 두 가지 기술적인 변화들에 집중하자.

연습 4 • 브레이크breaks[10] 개발

이 연습의 목적은 목소리가 갈라지거나 브레이크, 음색 변화를 경험하면서 어디에서 음성 기어gear를 바꿔야 할지 스스로 깨닫게 하는 것이다. 두 개의 큰 변경 지점이 있다는 것을 발견할 것이다.

1. 당신의 사이렌 소리가 불안하고 끊기는 지점까지 음높이를 올려서 소리 낸다(혹은 낮춘다). 음역대에 어디쯤에서 이러한 현상이 나타나는지 기록한다. 아마 여자는 음역대의 약 3분의 1 지점이고 남자는 약 3분의 2 지점 정도 될 것이다.
2. 사이렌을 지나칠 정도로 크게 낸다. 그러면 변화하는 부분이 과장되게 들릴 것이다. 어떤 현상이 발생하는가? 여자는 대체적으로 음역대의 약 3분의 1 지점에서 두드러지는 음색의 변화를 경험할 것이고, 남자는 약 3분의 2 지점에서 소리의 변화를 경험할 것이다.
3. 계속해서 음역대를 오르내리면서 사이레닝을 한다. 두 번째 기어gear가 변하는

[10] 브레이크 현상은 음도의 높낮이를 조절하기 위해서 진성대의 길이와 두께 및 호흡의 압력의 조절이 원활하게 이루어지지 않아서 생긴다. 특히 성구(register)가 변화하는 지점에서 발생하고 갈라지거나, 소리가 꺾이는 등 소리가 변하는 것을 말한다. ■옮긴이 주

부분이 나타나는가? 아마도 당신의 사이렌 소리가 천정을 때리는 느낌을 받을 수도 있고, 아니면 잠시 멈추었다가 다시 계속 고음으로 올라가는 경우도 있을 것이다. 어느 음높이에서 이 두 번째 기어 변경이 일어나는지, 어떤 감각인지를 기록하자.

대부분의 목소리는 이 두 번째 기어 변경gear change이 일어나지 않고는 음역대의 최고점까지 도달하기가 어렵다.

원활한 기어 변경gear change

여기에 기어 변경을 원활히 하기 위해 해결해야 할 문제들이 있다.

1. 가성대 수축 상태 기어를 바꿀 때, 가성대 수축을 점검할 필요가 있다. 당신의 목소리가 거칠어지거나 목 안쪽이 조이는 감각이나 목소리가 멈추는 상태를 조심해야 한다.

2. 음량 사이렌 소리는 크게 낼수록 어렵게 느껴질 것이다. 그 이유는 소리가 커질수록 더 높은 호흡 압력으로 인해 진성대가 더 노력을 해야 하기 때문이다.

3. 노력 정도 기어를 바꿀 때, 호흡에 힘을 주어 밀어내는 것을 피하자. 여기에서 호흡은 그리 관여하지 않는다.

4. 노력 정도 성도의 후두 바깥 쪽 근육을 활성화 시켜 후두를 지지함으로써 기어 변경에 도움을 받는다.

5. 진성대 두께의 변화 첫 번째 기어 변경을 할 때 얇고 길어지는 진성대의 움직임이 필요하다.

6. 후두의 높이 변화 두 번째 기어 변경을 할 때 후두의 위치가 올라오는 것을 허용해야 한다.

점검 장치

(1) 가성대 수축 상태를 점검하기 위해서 '엄지손가락 벌리기'를 이용하여 후두 안의 공간을 연상해 보자. 엄지손가락에 고무줄을 감고 소리 없는 웃음을 연상하면서 고무줄을 벌려본다.

(2) 사이렌을 하기 전에 호흡 연습을 하자. 이 연습은 사이렌 소리를 내기 위해서 얼마나 작은 호흡이 필요한지 알게 도와준다.

(3) 음량에 불필요한 변화에 귀를 기울이자. 소리는 작게 유지한다.

(4) 목의 뒤와 양쪽 옆의 근육을 이용해서 후두를 지지해 주어야 한다. 두개골 아래 목 뒷부분 오목한 곳에 손을 대고 목을 손바닥 쪽으로 밀면서 위로 들어올린다. 그러면 경추cervical spine가 곧게 펴지는 효과가 날 것이다. 얼마 동안 이 자세를 유지하면서 사이렌 소리를 낸 후, 기어 변경의 문제가 해결될 것이다. 다른 방법은 손바닥을 머리 위에 얹어 놓고 손바닥으로 머리를 눌렀다가 머리를 위로 밀어 올리는 것이다. 앞에 시도한 것과 같은 효과를 볼 수 있다.

(5) 갑상연골을 기울인다. 갑상연골을 기울이는 근육들은 진성대 근육을 긴장시키고 진성대의 길이를 재조절하는 역할을 한다. 3장(49쪽)의 아기가 칭얼대는 소리나 강아지가 낑낑대는 소리를 내는 '기울기tilting'의 감각은 첫 번째 기어 변경을 향해 음이 올라가는 지점에서 진성대를 '얇게thin' 만들어주는 역할을 한다. 기어를 변화할 때 음을 내려오면서 천천히 '기울기'를 이완해야 한다. 능숙한 운전사가 수동 기어 변환을 사용하는 것처럼, 기울기 이완을 미리 계획해야 한다.

(6) 우리가 3장(41쪽)에서 연습했던 것처럼 후두 위에 손가락을 올려놓고, 두 번째 기어 변경을 할 때, 후두가 올라가는 것을 점검하자. 당신이 사이렌이 최고조에 달했을 때 혀와 후두를 내려 누르려고 하는지 주목하자. '앙'('UHng' /ʌŋ/)보다는 '잉'('EEng' /iːŋ/)을 생각하면서 입 안에 혀를 높게 유지하자. 이런 변화는 목소리의 질이 미묘한 차이를 준다. 전통적인 방식의 승강기와 같이 후두가 위로 딸려 올라가는 것을 머릿속에 그려보자.

위에 열거한 연습이 지나치게 복잡하다고 생각하는 사람도 있을 것이다. 그러나 이것보다 더 어려워지지 않는다고 필자는 자신 있게 말할 수 있다. 수세기 동안 노래선생들은 목소리 기어 변경을 정복하기 위해서 연구를 거듭해 왔고, 학생들은 그 방법을 찾기 위해서 고통스러워했다. 만일 당신이 위의 방법을 숙달한다면, 소리가 갈라지거나 브레이크, 목소리의 질의 변화 없이 사이렌의 최고점까지 소리를 낼 수 있을 것이다. 당신은 여전히 기어 변경을 느끼겠지만, 원활하게 소리가 변할 것이고 다른 사람들이 들었을 때 거의 눈치 채지 못할 정도가 될 것이다.

기어 변경과 성구vocal register

가수들과 노래선생들은 음역대를 넓히기 위한 여러 가지 변화들을 묘사하기 위해서 다양한 용어들을 사용해왔다. 용어들 중에 일부는 혼란을 가중시키고 노래선생들은 용어에 대한 의견이 분분하다. 1장에서 우리는 두성구head register와 흉성구chest register에 대한 개념의 일부분을 알아보았다. 이 용어는 목소리 음역대의 특정 부분에서 발생하는 목소리 질의 변화를 나타낸다. 목소리 질은 음색vocal colour이나 목소리의 특성timbre으로 설명할 수 있다. 가수들은 넓은 음역대에 걸쳐서 피치를 유지할 수 있어야 하기 때문에 목소리 질의 변화에 대해서 매우 잘 인지하고 있다.

전통적인 '벨칸토belcanto' 발성법의 목표는 이러한 목소리 질의 변화를 최소화하는 것이기 때문에, 많은 연습들이 성구를 혼합한다. 뮤지컬 작업에서는 이러한 혼합blending은 그리 중요하지 않다. 우리에게 필요한 부분은 저음역대에서 고음역대까지 발성 하면서 목소리를 기술적으로 성공적으로 변화시키는 방법을 배우는 것이다. 당신의 목소리 질이 무엇이든 관계없이 이러한 방법이 도움이 될 것이다. 이 책의 뒷부분에서 자유의지로 다른 목소리 질을 창조하는 방법을 배우게 될 것이다.

노래와 음악에 응용

이제까지 당신은 사이렌을 소리로서 연습하였다. 사이렌 소리를 특정 음높이로 내는 것도 다르지 않다. 사이렌으로 옥타브연습을 하는 것은 음정의 도약을 도와주고 소리의 민첩함을 살려준다. 당신의 사이렌의 범위는 당신의 음역대의 범위에 따라 달라진다. 세상에 모든 목소리는 다르다. 사이렌으로 낼 수 있는 음역대가 2옥타브 반이나 3옥타브에 걸쳐 있다는 사실에 당신은 놀랄지도 모른다. 자신의 음역대가 확실하지 않다면 다음 연습들을 선생이나 피아노를 칠 줄 아는 친구들과 함께 연주하고 변화하는 부분을 포함하여 '기록chart'해 보자. 악보를 읽지 못해도 상관없다. 사이렌 연습을 통해서 음높이에 대한 감각을 개선할 수 있고, 반주 없이도 당신은 어느 음정을 소리 내고 있는지 인지하기 시작할 것이다.

연습 5 • 옥타브 사이렌

1. 이전과 같은 노력으로 사이렌 소리를 내면서 한 옥타브를 올라갔다가 내려온다.

2. 옥타브로 음역 도약을 한 후, 소리 없는 웃음 자세를 유지하면서, 작게 숨을 들이쉰다.
3. 한 음씩 올리면서 반복한다.
4. 음역대의 최고점에 도달할 때까지 반음씩 계속해서 올라간다.

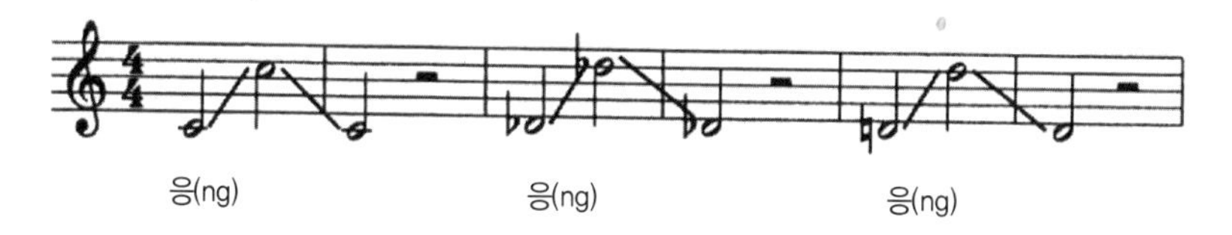

5. 올라갈 때와 마찬가지로 옥타브음역 도약을 유지하면서, 반음씩 내려온다. 사이렌을 음에 맞추어 발성하기 시작하면 소리가 흐트러지기도 한다. 이전에 사이렌 연습과 같은 과정이라는 것을 기억하고, 아래 사항을 유의하자.

(1) 날숨을 밀어내지 말자.

(2) 혀와 경구개가 항상 가까이 있게 하자. 고음을 낼 때도 그 자세를 유지한다.

(3) 두 음 사이의 끊임이 없도록 부드럽게 사이렌 소리를 낸다(결국 당신은 두 음 사이의 모든 음들을 매우 빠르게 부르고 있는 것이다).

(4) 연구개가 들어올려지고 후두가 올라가는 시점이 언제인지 확인하자. 이 지점에서 혀와 연구개를 같이 위로 밀어 올린다.

(5) 소리가 바뀌는 지점에서 두개골의 아래 부분을 뒤로 밀고, 경추를 길게 늘이자.

사이레닝에서 모음으로 이동

지금까지 앞선 네 가지 연습을 하면서 당신의 혀 뒷부분과 연구개가 계속 닿은 상태로 '응'('ng' /ŋ/) 소리를 냈다. 이제 한 단계 높게 응용하여 '응'('ng' /ŋ/) 소리에서 모음으로 이동하는 방법을 알아보자.

아래는 연습 6의 1과 2단계를 설명한 악보 예시이다.

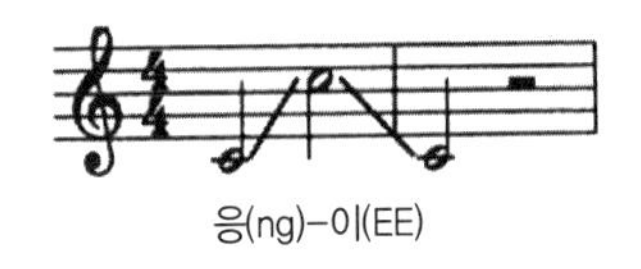

2단계 연습에서 최고음을 낼 때 '응'('ng' /ŋ/) 소리에서 모음으로 '이'('EE')로 바꾸어 소리 낸다. 이렇게 바꾸기 위해서는 혀의 뒷부분이 연구개에서 떨어져야 한다. 어떻게 해야 할지 확신이 서지 않는다면, 1장의 25쪽을 다시 한 번 읽어보자. 6장에 연구개에 관련된 높은 수준의 연습들도 있다.

연습 6 • 사이렌에서 모음으로 이동

이것은 연습 5의 확장이다.

1. 이전과 같은 음으로 '응'('ng' /ŋ/) 소리를 내면서 한 옥타브를 올라간다. 최고음에서 '응'('ng' /ŋ/) 소리를 '이'('EE')로 바꾸면서 약간 길게 노래한다.
2. '이'('EE') 소리를 계속 내면서 음을 낮춘다. 사이렌 소리를 낼 때 주의했던 모든 부분을 동일하게 유지하자: 소리 없는 웃음, 목을 늘리기, 호흡의 양 등. 단 한 가지 바뀐 것은 연구개의 위치뿐이다. 소리는 계속 조용하며 분명하고 '쉽게' 나야 한다.
3. 다음 모음으로 연습을 시도한다. 그러나 항상 '이'('EE')부터 시작해야 한다.

연습 3에서 6은 훌륭한 기본 보컬 연습이다. 이러한 연습은 목소리를 워밍업시키고, 기어 변경을 원활하게 하며, 피치에 대해 인지하도록 한다. 마치 봉을 잡고 기본연습을 하는 발레리나와 같이, 이런 연습들은 당신의 목소리의 작은 근육들을 워밍업 시키고 있는 것이다. 특히 연습 3은 주변 사람들을 의식하지 않고 어디에서나 할 수 있기 때문에 추가적인 이점이 있다.

음정 맞추기pitching의 문제

필자는 음치tone-deaf라는 용어는 적절하지 않다고 생각한다. 왜냐하면 제 음정에 맞춰 노래를 부를 수 없는 99%의 사람들은 멜로디를 들을 수 있지만, 단지 멜로디를 재현해내는데 어려움을 겪을 뿐이기 때문이다. 음정 맞추는데 어려움을 겪고 있는 사람들은 노래 때문에 합창단에서 입만 벙긋거리거나, 학교, 친구, 가족에게 조롱거리가 되었던 경험이 있었기 때문에, 자신의 목소리에 대해서 부정적인 생각에 빠져있다. 필자는 가성대 수축-진성대가 적절하게 진동하도록 하는 것-문제를 처리하면 음정의 문제도 해결되는 것을 경험하였다. 우리는 누군가가 음정을 불안하게 노래하면, 피아노 앞에서 그 음정을 쳐주거나('이것도

못 듣니?' 테크닉) 스케일로 노래하는 것을 가르친다. 음정을 맞추는데 문제가 있는 사람들은 성도에서 느껴지는 것과 들리는 소리를 연결하는데 어려움을 가지고 있다. 음정은 듣는 것처럼 느낄 수도 있어야 한다.

음정pitch 느끼기

1. 음성 메커니즘을 이해함으로써, 청각 피드백auditory feedback뿐만 아니라 근운동감각적 피드백kinaesthetic feedback에 도움을 받을 수 있도록 하자. 가성대 연축 상태를 만들고 어떤 음이든 단순하게 노래를 부른다.

2. 사이렌 연습하기: 사이렌으로 오르내리는 느낌을 세밀하게 연상해보는 것이 도움이 될 것이다. 사이렌은 또한 특정 음역대에서 얼마나 열심히 노력해야 하는가를 인지하도록 하고, 근육 기억을 향상시키는데 도움을 줄 것이다.

3. 처음에는 음정을 맞추지 않고 단지 사이렌 소리만 낸다. 큰 음높이의 차이를 소리 내며 사이렌 연습을 한다(초보 가수가 세밀한 튜닝fine-tuning으로 연습을 시작하는 것은 바람직하지 않다. 아이들이 서예를 처음 배울 때 어떤 글자를 쓰게 하기보다는, 우리는 아이들이 크게 붓을 움직여 보도록 할 뿐이다!).

4. 피아노 반주와 같이 연습하는 것을 피하자. 피아노는 평균율equal temperament에 따라서 조율되어 있으므로, 인간의 귀가 음과 음 사이의 간격을 쉽게 구분하기 어렵다. 음정 연습을 할 때는 선생님이나 보컬 코치가 학생에 음역대에 맞는 옥타브를 직접 불러주는 것이 더 좋다.

5. '응'('ng' /ŋ/) 소리뿐만 아니라 모음을 사용하여 사이렌을 연습한다. 처음엔 옥타브 간격으로 시작하고 점차 5도, 3도로 연습한다. 점차 당신이 부르는 음성과 듣는 음성 사이의 연관성을 신뢰하게 될 것이다.

응(ng)

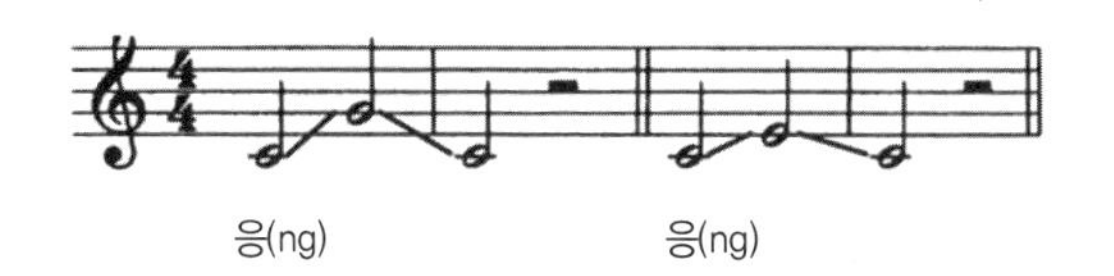

6. 연구개와 비문nasal port 조절을 위해서 6장의 1, 2, 3, 5의 연습을 해보자. 당신의 악기가 가진 다른 감각들을 구성할 수 있다는 것을 깨닫고, 안정적인 근육감각 피드백을 기를 수 있을 것이다. 연구개 연습은 매우 신체적이기 때문에 정확한 음정을 찾을 수 있도록 도움을 받을 수 있다.

7. 7장의 앵커링anchoring 연습(연습 1~3번)들을 해보자. 많은 사람들이 정확한 음정으로 노래는 하지만, 음정에서 적절하게 공명이 이루어지지 않기 때문에 음정이 불안전out of tune하게 난다. 필자는 큰 목소리로 노래를 부르는 사람들이 이러한 문제가 많다는 것을 깨닫게 되었다. 보컬 트레이닝의 초기 단계에서 크게 목소리를 내는 것은 무슨 이유에서인지 음정이 조절되지 않는 경향을 보인다. 비유를 하자면, 처음 운전 연습을 포르쉐Porsche나 다임러Daimler로 한다면 어떨까? 앵커링anchoring은 당신이 적절하게 공명을 할 수 있도록 하고, 목소리 크기를 조절할 수 있도록 도와줄 것이다.

이것이 전부이다. 이제 당신의 악기는 완전한 건반을 갖추었다. 비록 3옥타브는 아닐지라도 사이렌 소리를 낼 수 있다면 그 음역대에서 노래를 부를 수 있다는 것을 기억하자.

노래 과제 • 자유곡

노래 하나를 찾아보자. 아직은 익숙하지 않은 노래를 하나 선택하되 악보나 믿을 만한 레코드를 가지고 있는 곡으로 한다.

1. 멜로디를 잘 듣고 건반으로 연주해 보아라.

2. 한 소절 혹은 멜로디 라인이 작은 단위를 사이렌으로 불러본다. 소절 안에서 음과 음 사이를 부드럽게 연결하면서 사이렌으로 부른다. 초보자들은 음정을 확인하기 위해 진성대로 한음씩 내는 경향이 있는데 목소리는 타악기가 아니라는 것을 명심해야 한다. 만약 두 음이 한 소절에 속하고 쉼표가 없다면, 다음 음정을 맞추기 위해 진성대 진동을 멈출 필요가 없다. 음정 조절 메커니즘은 후두 내에 있다. 만약 당신이 발성을 올바르게 하고 있다면, 당신의 진성대는 특별한 도움 없이 미세한 조절만으로 음정을 바꿀 수 있을 것이다.
3. 가능하면 단어의 의미, 악보에 쉼표나 혹은 음악에 드러난 부분에서 숨을 쉬어야 한다. 새 노래를 배울 때 얼마나 많은 호흡연습을 해야 하는지는 중요하지 않다. 이것을 신경 쓰지 말고 편안하게 시작하자. 발성에 관여하는 근육들이 멜로디의 익숙해지면 호흡도 편안해질 것이다.
4. 가성대 연축 상태를 항상 점검 하자. 가장 좋은 점검 방법은 소리 내지 않고 노래하는 것이다. 입 모양은 가사에 맞춰 움직이고 마치 소리 내서 노래하는 것처럼 호흡한다. 이러한 연습은 웃음 자세를 유지하고 근육의 움직임을 듣는 것에 집중할 수 있게 돕는다. 게다가 복부 벽에서 어떤 현상이 일어나는지 관찰할 수 있다. 당신은 숨을 들이마실 때마다 호흡반동을 하기 위해 복부 벽을 이완하고 있는가?
5. 사이렌 소리로 다시 노래를 부른다.
6. 가사로 노래를 반복해서 불러보자. 당신의 근육 기억은 이미 노래를 입력하였다. 이 방법이 바로 새로운 곡을 받았을 때 곡을 빨리 소화할 수 있는 과정 중에 한 부분이다. 이 책의 뒷부분에서 새로운 곡을 빨리 배우는 방법을 연습할 것이다.
7. 노래하는데 어려운 부분이 있다면 기록해둔다. 혹시 어려운 부분에서 가성대 수축 상태가 되지는 않는가? 그 부분이 당신의 음역대에서 성구전환 부분에 속하는가? 이러한 문제들은 당신이 이 장에서 배운 테크닉으로 해결할 수 있다.

Chapter 6.

비문

The nasal port

공명 있는 목소리는 모든 가수나 트레이너들이 추구하는 목소리일 것이다. 연구개soft palate는 비강nasal 공명과 구강oral 공명을 조절하는 주요한 역할을 한다. 일반적으로 공명을 향상시키기 위한 다수의 훈련 방법은 연구개 연습이다. 또한 연구개는 비음 자음이나 연구개 자음에서 모음으로 이동하는 발음 연습할 때 중요한 역할을 한다. 연구개를 움직이는 근육들만 연습하는 방법은 알려진 바가 없다. 그리고 일반적인 연습과정에서 연구개 스스로 어떻게 움직이는지 불확실하다. 학생들은 '게으른' 혹은 '긴장된' 연구개를 가지고 있다는 이야기를 듣지만, 어떻게 고쳐야 할지 모른다. 연구개의 구조에 관한 내용은 한 장을 들여 설명할 만큼 중요한 과제이다.

비문이란 무엇인가?

그림 1을 보자. 성도를 세로로 자른 시상단면이다.

입천장을 구성하는 경구개를 살펴보면 뼈가 없는 부분(그림에서 어두운 부분이 뼈를 나타낸다)까지 뻗어서 목젖uvula까지 연결되어 있다. 혀끝을 앞니 뒤에 놓고 입천장을 따라 뒤쪽으로 움직이면 부드러운 연구개가 나오고 거기에 매달려있는 목젖이 느껴질 것이다. 그림 2~4는 연구개가 움직이는 방법을 보여준다. 아래 세 가지 상태는 그림 2~4를 설명한다.

1. 연구개가 아래 혀 쪽으로 움직여 구강(입 안)을 막아 코로 소리가 나가도록 한다(그림 2).

2. 연구개가 인두뒷벽 쪽으로 끌어올려져 비강을 막아 코로 소리가 나가는 것을 막는다(그림 4).

3. 연구개가 이완되어 매달려 있어 구강이나 비강 어느 쪽도 막지 않는다(그림 3).

'폐쇄'의 역할은 우리가 비문에 대해서 이야기하는 이유이다. 비문은 입과 코 사이의 출입구이다. 비문이 완전히 열려있으면 연구개는 내려가고 소리는 비음nasal sound이 된다. 반면 비문이 완전히 닫혀 있으면 연구개는 올라가고 소리는 구음oral sound이 된다. 혹은 비문이 반만 열리면(또는 반만 닫히면) 비음화된nasalised 모음 발성을 하며, 음색은 '비음nasal'으로 정의될 것이다.

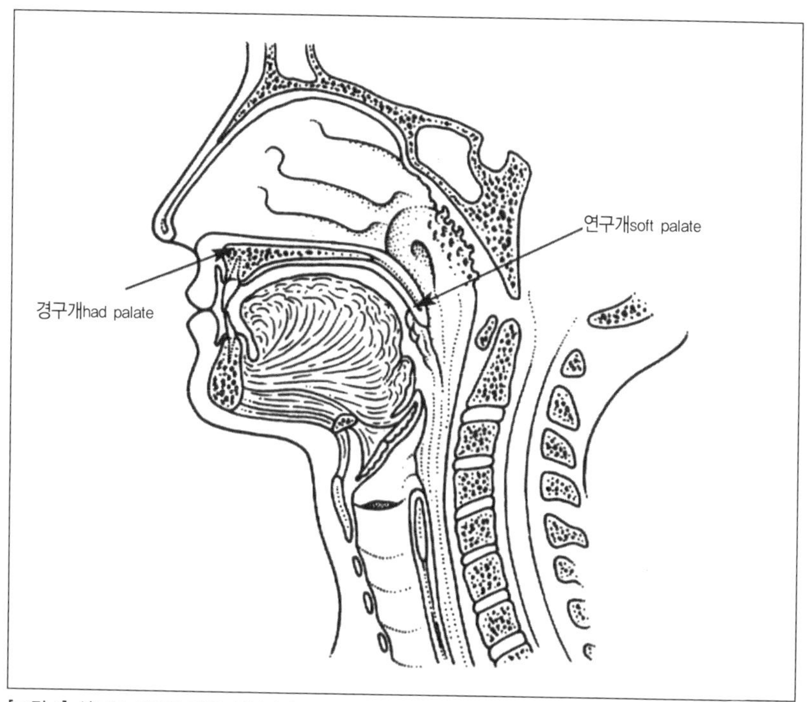

[그림 1] 성도를 세로로 자른 시상단면

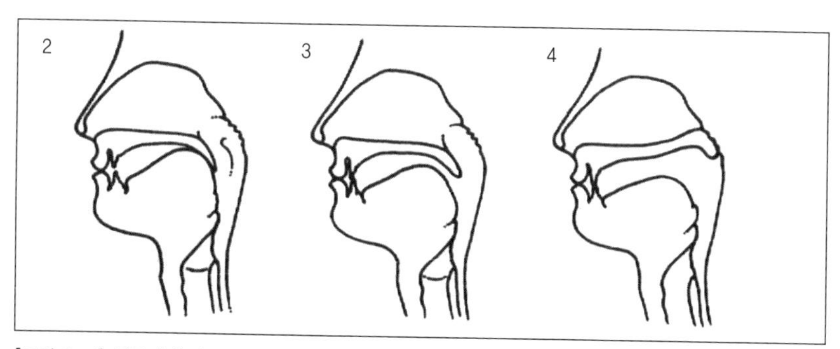

[그림 2~4] 연구개의 세 가지 자세

'폐쇄' 작용은 2장에서 필자가 논했던 목소리의 '주요 기능' 중에 하나이다. 사람은 음식을 삼킬 때 코 안으로 음식물이 들어가는 것을 막기 위해서 비문을 닫는다. 그리고 공기를 코로 들이마시기 위해서 비문을 열기도 한다.

연구개는 사실상 대단히 복잡한 근육들이 집합체이다. 긴장하기도 하고 위로 올려지기도 밑으로 내려지기도 이완되기도 한다. 또한 입천장올림근levator palatini muscles 작용으로 위와 뒤쪽으로 당겨지고, 입천장긴장근tensor palatine muscles으로 긴장된다. 연구개는 입천상혀근palatoglossal muscles 작용으로 아래로 당겨져 혀의 뒷부분에 닿는다.

이 근육들이 독립적으로 움직이는 것은 느낄 수 없는 반면, 근육 작용에 의한 효과들은 분명히 느낄 수 있으므로 당신은 연구개의 움직임을 점검할 수 있다. 연구개의 움직임은 입 안 입천장에서 이루어진다.

이런 이유로, 만약 당신이 연구개를 잘 활용하려면 경추를 무너뜨리지 않는 것이 중요하다. 목과 머리의 자세가 안 좋은 사람은 비문을 조절하는데 어려움을 겪을 수밖에 없다.

비문에 대한 몇 가지 오해는 다음과 같다.

1. 노래할 때 연구개는 항상 위로 올라가 있다.
2. 숨을 들이 마실 때 연구개는 자동적으로 올라간다.
3. 연구개를 자율적으로 조절할 수 없다.
4. 코로 노래하면 좀 더 맑은 음색을 얻을 수 있다.
5. 현대 뮤지컬 소리는 비음이다.

연구개를 독립적으로 조절하는 것은 대단히 어려운 일이다. 아래는 연구개를 작용 준비를 위한 몇 가지인지 훈련이다.

인지 훈련 1 • 폐쇄 작용 위치 찾기

이 연습은 연구개가 어디에 위치하는지를 인지하고 코와 입 사이의 수문장으로서 어떤 활동을 하는지 알 수 있다.

1. 입술로 'ㅍ'('p') 소리를 낸다. 여러 번 반복한 후에 'ㅍ'('p') 소리를 내기 직전에 입술을 이완하지 않고 멈춘다. 입술을 닫고 있으면 호흡이 증강되는 것을 인지할 수 있다.
2. 'ㅍ'('p') 소리에서 호흡을 멈춘 상태에서 입술을 이완하는 대신 코로 숨을 내쉰다.
3. 여러 번 반복하면서 무슨 일이 일어나는지 살펴본다. 점점 더 세게 또는 점점 더 부드럽게 실험한다.

처음에 갑자기 압력이 이완되면서 숨이 코로 빠져나가는 것이 느껴질 것이다. 여러 번 반복하면서 코 뒷부분에서 느껴지는 것에 집중한다. 코로 숨을 내보내기 위해 무언가 움직인다는 것을 알게 될 것이다. 그것이 바로 연구개이다. 연구개를 들어 올린 상태(닫힌 비문closed port)에서 아래로 떨어진 상태(열린 비문opened port)로 바뀐 것이다.

인지 훈련 2 • 연구개 움직이기

1. 코로 호흡을 한다. 코로 호흡을 하는 한 입을 열거나 닫아도 좋다.
2. 이제 숨을 내쉬면서 '응'('ng' /ŋ/) 소리로 허밍을 한다. 5장에 제시된 사이렌보다 좀 더 강한 '응'('ng') 소리이다.
3. '응'('ng' /ŋ/) 소리로 노래하면서 코를 손으로 잡는다. 소리와 호흡에 어떤 변화가 생기는지 인지한다. 코를 손으로 잡으면 호흡과 소리는 범출 것이다. 이것이 바로 비문이 열렸다는 신호이다. 손가락으로 코를 잡음으로써 소리의 흐름을 막았기 때문에 소리는 멈추게 된다.
4. 1에서 3 단계를 반복하면서 코를 잡고 '기'('gEE' /gi:/) 소리를 낸다. 이번에는 무슨 일이 일어나는지 살펴보자; 코 안의 압력이 풀어지면서 소리가 입으로 나올 수 있었다. 이것이 비문이 닫혔다는 신호이다.

어떻게 이런 현상이 일어날까? 99쪽 그림 2에서 보이는 것과 같이 '응'('ng') 소리를 낼 때 구개와 혀가 서로 붙는다. 'ㄱ'(g') 소리를 내기 위해 혀와 연구개는 위로 움직인 후 인두 벽에 닿을 때까지 움직인다. 이것이 자음 'ㄱ'('g') 소리를 내기 위해 호흡을 멈출 수 있게 한다. 모음 발음을 할 때 그림 5에서 볼 수 있는 것과 같이 혀는 연구개로부터 떨어지지만, 연구개는 비강을 막으면서 인두강 뒷벽에 붙어 있다.

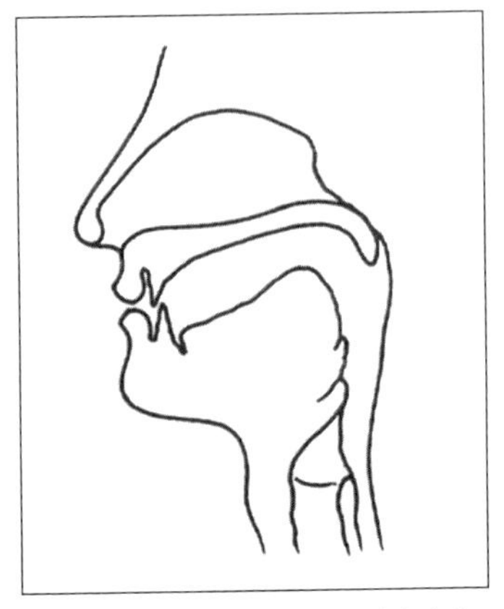
[그림 5] '기'('gEE') 소리의 마지막 단계

인지 훈련 3 • 무엇이 어디로 움직이는가?

위와 같은 소리와 방법을 사용하면서 좀 더 천천히 한다.

1. '응'('ng' /ŋ/) 소리로 허밍을 한다.
2. 허밍을 하면서 천천히 코를 잡으면 소리가 멈출 것이다.
3. '응'('ng') 소리에서 'ㄱ'('g')로 바꾸고 '이'('EE' /i:/)로 노래한다(전체 순서는 '응' - 'ㄱ' - '이'('ng' - 'g' - 'EE' /ŋgi:/)이다). 단계마다 무엇이 변화하는지 인지한다.

(1) '응'('ng') 소리 내기 시작하면 연구개가 혀 쪽으로 내려온다.

(2) 'ㄱ'('g') 소리를 내려고 할 때, 혀와 연구개가 같이 위로 올라가며 인두 벽에 붙고 호흡은 멈추게 된다.

(3) 'ㄱ'('g')에서 '이'('EE') 소리로 바뀌면서, 혀는 연구개에서 분리되어 아래쪽으로 떨어지고 호흡도 이완된다.

(4) 모음을 발음하기 위해서 연구개는 인두 벽 뒤쪽에 머물게 된다.

때로 연구개가 모음을 발음할 때도 위 뒷벽에 붙어있지 않을 때가 있다. 이것은 '비문'이 반쯤 열려 있다는 의미이다.

이것을 확인하기 위해서 모음 '이'('EE') 소리를 내는 동안 코를 손가락으로 잡는다. 만일 소리가 나왔다 안 나왔다 하면 비문이 부분적으로 열어 놓은 것이다. 반쯤 열린 비문을 조절하는 연구개 훈련은 연습 3을 참고한다.

연구개 조절

연습 1 • 연구개 열고 닫기

1. '응기'('ng-gEE' /ŋgi:/) 소리를 낸다. 'ㄱ'('g') 소리는 약간 강하게 낸다.
2. '응기 - 응기 - 응기 - 응기'('ng-gEE - ng-gEE - ng-gEE - ng-gEE') 소리를 한 음을 정하여 노래한다.

   이전 인지 훈련과 같이, 이 연습에서도 공기의 흐름이 변한다는 것을 주목하자. 비문이 열고 닫히는 것을 코를 쥐었다 놓으며 확인한다. 'ㄱ'('g') 소리를 내려고 준비할 때는 호흡이 정지되고 모음을 발음한 후에 호흡이 이완되는 사실에 주목하자.

점검하기

(1) 이 연습을 할 때 턱을 상하로 움직일 필요가 없다. 거울을 보거나 손가락을 턱 가운데 올려놓고 턱의 움직임을 점검한다. 턱은 움직이지 않고 연구개만 움직인다.

(2) 턱 아래서 구강의 바닥을 형성하고 있는 근육들은 소리를 내면서 언제나 부드러워야 한다. 이 부분에 불필요한 긴장은 없어야 한다. 엄지손가락으로 턱 아래 부드러운 부분을 점검한다. 'ㄱ'('g') 소리를 낼 때 이 부분을 밑으로 누르고 있다면, 움직임을 부드럽게 하려고 노력한다. 그렇게 연구개를 혀로부터 분리해서 움직일 수 있도록 만들어 준다.

연습 2 • 모든 모음으로 열고 닫기

77~78쪽에 있는 표준 모음 이외에 다른 모음으로 연습 1을 반복한다. 시간을 들여 모든 모음을 비문을 닫고 발성하는 것을 연습한다. 위와 같은 방법으로 점검한다.

연습 3 • 절반 열린 비문

이 연습의 목적은 비성모음 발성할 수 있는 지점에 연구개를 조절하여 놓는 것이다. 연구개를 들어 올리는 근육과 내리는 근육들 사이에서 균형 있는 근육의 사용이 필요하다. 이 연습을 통해 비문이 반 정도 열린 상태의 느낌과 소리를 점검해볼 수 있다.

1. '히'-'헤'-'하'-'호'-'후'('hEE'-'hEH'-'hAH'-'hAW'-'hOO'/hi:/-/he/-/hɑ:/-/hɔ:/-/hu:/) 소리를 연속적으로 내면서 코로 소리가 나가도록 노력한다. 'ㅎ'('h') 소리를 낼 필요는 없지만 첫 호흡을 직접적으로 코로 내보내는 것은 코로 소리가 나오도록 하는데 도움을 준다. 턱 자세는 이전에 점검했던 상태와 동일하게 한다. 모음의 음색과 공명의 변화를 유의하자. 모음 소리는 이전과 다르고 공명은 덜 밝을 것이다. 모음을 길게 발성하면서 손가락으로 코끝을 잡았다 놨다 한다. 잡으면 부분적으로 소리가 안 나고 놓으면 소리가 날것이다. 이런 현상은 비문이 반쯤 열려 있을 때 가능한 것이다. 그림 2~4를 살펴보자. 소리가 코와 입 양쪽으로 이동할 수 있다는 것에 주목하자. 비문이 반만 열려 있는 상태의 소리와 느낌을 기억하면서 다음 단계로 넘어가자.
2. 비문을 열고 '응'('ng') 소리를 내는 것으로 시작한다. 연구개를 혀에서 약간 떨어뜨린다. 이 움직임은 특정한 위치에서 일어난다. 인지 훈련 2에서 살펴본 코의 뒷부분을 느낄 수 있다.
3. 이번에는 '응'('ng')에서 '응-ㄱ'('ng-g')로 변화하지 말고, 모음으로 매끄럽게

연결한다. 어떤 모음을 사용하던지 중요하지 않다. 그러나 최종적으로 '이'('EE') 모음으로 연결하도록 한다. 완전히 닫힌 비문 상태가 되지 않도록 노력한다. 이전의 닫힌 비문 연습을 좀 게으르게 한다고 생각한다. 위에 1단계에서 반쯤 열린 비문의 소리에 음색을 맞추려고 노력한다. 코 잡았다 놓기를 반복해서 비문이 열려 있는 것을 확인한다. 이러한 과정을 반복한다.

연습 4 • 절반 열린 비문에서 닫힌 비문으로

이 연습의 목적은 비강 모음에서 구강모음으로 바뀔 때 어떤 변화가 일어나는지 알기 위해서이다.

1. 연습 3의 방법을 사용해서 비음화된 '이'('EE' /ĩ ː/) 소리를 낸다. 다시 한 번 코를 잡았다가 놓으면서 코를 통해서 나오는 공기의 감각을 느껴본다.
2. 계속 '이'('EE') 소리를 내면서 '코로 공기가 빠져나가지 않는 것'을 느껴야 한다. 어떻게 이것이 가능한지 몰라도 괜찮다. 단순히 지시를 따르는 것이 중요하다.
3. 무언가 변화가 있을 것이다: '이'('EE') 소리가 좀 더 크고 공명도 더 잘 될 것이다. 코끝에서도 더 이상 공기가 느껴지지 않을 것이다. 이것은 비문이 닫혔기 때문이다. 반쯤 열린 비문 상태에서 닫힌 비문으로 바꿀 수 있게 되었다.

당신이 노래할 때 비문을 효율적으로 닫지 못하면 충분한 공명을 얻지 못할 것이다. 구강은 비강보다 크기가 크고 부드러운 조직과 소리를 약화시키는 물질이 비강보다 작기 때문에 훨씬 효율적으로 공명이 가능하다. 구강 공명의 소리는 좀 더 밝고 크다. 따라서 음향학적으로 비문을 닫고 노래하는 것이 더 효과적이다. 비문을 조절함으로써 얻게 되는 다른 이점들이 있다:

1. 만일 비문이 열려 있으면 모음을 제대로 발음할 수 없다. 표준 영어에서 비문을 열고 발음하는 소리는 세 가지뿐이다: 'ㄴ'('n' /n/), 'ㅁ'('m' /m/),

'응'('ng' /ŋ/). 다른 소리들은 모두 비문을 닫아야만 한다.

2. 표준 미국 스피치가 표준 영국 스피치보다 비음도가 높다. 특히 모음 '아'('AH' /ɑ:/)와 '오'('AW' /ɔ:/)에서 비음도가 높다. 미국 곡을 노래할 때, 좀 더 울림이 있는 음색을 위해서 모음을 형성하도록 선택할 것이다.

3. 습관적으로 비문을 열고 노래하는 가수들은 호흡 조절에 어려움을 겪는다. 왜냐하면 노래할 때 비강에서 진동이 강하게 느껴지는 것에 익숙하기 때문이다. 모음으로 발성하는 동안 호흡이 비강과 구강 두 갈래로 나뉘어 흐르게 되어 호흡 조절이 비효율적이 된다.

4. 몇몇 지방사투리는 일반적인 비음 외에 다른 자음을 발음할 때 반쯤 열린 비문을 사용한다. 이러한 사투리를 구사하는 가수들은 비문 연습에 더욱 주의를 기울여야 한다.

5. 연구개를 들어 올리려는 노력이 최고음을 쉽게 낼 수 있도록 도움이 된다는 사실을 인지해 보자. 연습 5의 1단계 (6)을 참고하자.

이번에는 노래할 때 비문이 열린 상태의 경우들이 있다.

1. 'ㄴ'('n' /n/), 'ㅁ'('m' /m/), '응'('ng' /ŋ/)을 발음할 때 비문이 완전히 열려야 한다. 이 자음 중 하나라도 포함되는 단어(예를 들어 '안마')를 노래할 때 비문은 닫혔다가 열릴 것이다(비음이 포함된 음절로 노래하는 연습이 이 장의 끝부분 노래 과제 4에 제시되어 있다).

2. '음'('m')으로 허밍할 때 비문이 열린다.

3. 점점 약하게decrescendo로 노래할 때 비문이 열릴 수 있다. 111쪽 연습 7을 참고한다.

4. 비음성은 노래할 때 해석이나 스타일에 의해서 의도적으로 비음성 음색을 표현하기 위해서 선택되기도 한다.

이 테크닉을 응용하기에 앞서 연구개 조절을 점검하는 데 유용한 신호를 요약하였다.

연구개 조절 점검하기

비문 개방 비성자음(nasal consonant) 'ㄴ'('n' /n/), 'ㅁ'('m' /m/), '응'('ng' /ŋ/). 비성자음을 발음할 때 소리와 호흡이 코를 통해 나가는 것을 느낄 수 있다. 코를 잡으면 소리와 호흡은 멈출 것이다. 음색은 '비성'이라 정의한다.

비문 폐쇄 표준 영국어와 미국어의 모음들. 코를 잡아도 아무 변화가 없다. 음색은 '구강'이라고 정의하고, 더 '열린' 소리로 인식된다.

비문 절반 개방 비음화된 모음들. 소리가 비강과 구강에서 모두 울린다. 코를 잡으면 소리가 변한다. 모음 음색은 변질되고, 비문이 닫혔을 때의 모음과 비교하면 '칙칙'하거나 '밋밋한' 음색을 띤다.

응용 연습

다음 두 연습은 키보드나 다른 악기 혹은 반주자와 함께 첫 음을 찾아 연습하는 것이 좋다.

연습 5 • 스케일을 노래하며 비문 열고 닫기

1. 하행 스케일로 '응-기'('ng-gEE' /ŋgi:/)를 발성한다.

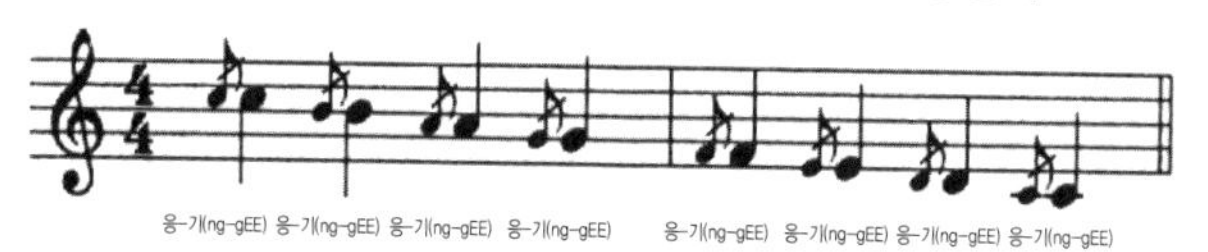
응-기(ng-gEE) 응-기(ng-gEE) 응-기(ng-gEE) 응-기(ng-gEE)
응-기(ng-gEE) 응-기(ng-gEE) 응-기(ng-gEE) 응-기(ng-gEE)

매 음정마다 비문이 열리고 닫힐 것이다. 다음 사항을 주의하자.

(1) 모든 움직임은 입 안 뒤쪽에서 일어나기 때문에 턱은 이완되어 있어야 한다. 이전에 방법으로 턱을 점검한다. 거울을 보거나 손가락을 턱 가운데 올려놓고 턱의 움직임을 점검한다.

(2) '응'('ng' /ŋ/) 소리를 내기 위해서 혀와 연구개는 붙어있어야 한다.

(3) 혀의 뒷부분을 연구개 쪽으로 올리면(연구개를 혀 쪽으로 낮추기보다는), 'ㄱ'('g') 발음을 준비하는데 도움이 될 것이다. 혀끝은 방해하지 않도록 아랫니 뒤에 놓는다. 만약 혀나 설소대가 짧으면 혀끝이 아랫니 뒤에 닿지 않을 수도 있다. 이 경우, 'ㄱ'('g') 발음을 준비할 때, 혀끝을 이완하고 아래로 떨어뜨린다.

(4) 'ㄱ'('g')에서 '이'('EE')로 '기'(/gi:/)로 소리를 힘차게 낸다.

(5) 가성대 수축 상태를 조심해야 한다. 비문을 닫는 것은 음식물을 삼키기 위한 준비 과정에서 일어나므로 가성대 수축을 동반한다. 그러므로 가성대 연축 상태를 유지하자.

(6) 고음을 위해서 '입 안에 공간을 만들기'에 익숙한 사람들은 음높이가 올라갈수록 '응'('ng') 소리를 멈추고 입 안을 크게 벌리고 싶을 것이다. 고음으로 올라갈수록 연구개와 혀가 분리되지 않도록 노력한다. 음이 높아질수록 '조이는' 느낌이 든다고 하더라도 혀 뒷부분을 연구개 쪽으로 올려붙인 상태를 유지하도록 한다.

(7) 음역대의 낮은 부분을 발성할 때도 연구개가 게을러지지 않는지 주의한다. 어떤 가수들은 저음에서 '아래'를 연상하면서 연구개의 위치를 낮추는 경향이 있다. 음역대 전반에 걸쳐 'ㄱ'('g') 발음할 때 드는 노력의 정도를 유지하도록 한다.

처음에는 천천히 연습하고 필요하다면 언제나 짧게 숨을 들이쉰다. 이 연습을 이해하는데 시간이 많이 걸리기 때문에 점차 연습 속도를 올리면 된다. 필자는 이 연습을 여러 번 반복해서 가르치면서, 비문 조절 능력과 고음역대의 최고음을 정복하기에 가장 좋은 훈련이라는 것을 발견하였다.

2. 순서대로 다른 모음들을 사용해서 위에 순서를 반복 연습한다['응-가' '응-고' '응-구'('ng-gAH' 'ng-gAW' 'ng-gOO', /ŋgɑː/ /ŋgɔː/ /ŋguː/) 혹은 모든 모음들].

다음 사항을 주의하자.

(1) 모든 모음을 일정하게 잘 비문을 닫아야 한다. 심지어 혀 뒤쪽으로 발음하는 후설고모음인 '우'('OO' /uː/) 발음도 역시 비문을 닫아야 한다.

(2) '오:'('AW' /ɔː/), '오'('aw' /ɒ/), '우'('OO' /uː/) 발음을 할 때는 입술을 둥글게 해야 한다. 이 단계를 마스터하면 빠른 속도로 연습하는 다음 단계로 넘어갈 수 있다.

3. 다섯 모음을 한 번에 사용하면서 옥타브를 올라가면서 발성하고 필요할 때 호흡을 한다.

이 연습은 연구개, 입술, 혀와 같은 입 안에 근육들의 움직임을 서로 연결시켜 훈련하기에 아주 좋다. 거울을 보거나 손가락을 턱 가운데 올려놓고 턱의 움직임을 점검한다. 이 연습에서 턱은 모음의 변화에 수동적으로 움직이도록 한다.

대부분의 가수들은 고음을 내거나 공명을 증가시키려고 할 때 '들어올리는 lifting' 감각을 경험한다. 다음 연습들을 하면서 연구개 주위가 더욱 들어올려지는 느낌을 받을 것이다. 또한 더 많은 진동을 느끼고 최고음에 도달할 수 있도록 도와줄 것이다.

110쪽의 그림 6은 앞에서 본 입 안과 입천장을 나타낸다. 입 안의 뒤쪽에는 두 개의 아치가 있다. 안쪽 깊숙이 있는 것은 입천장인두근palate pharyngeus이다.

연구개가 안정되어 있으면 입천장인두근이 인두강(성도의 뒤쪽 벽)을 짧게 만들어 최고음을 낼 수 있도록 도와준다.

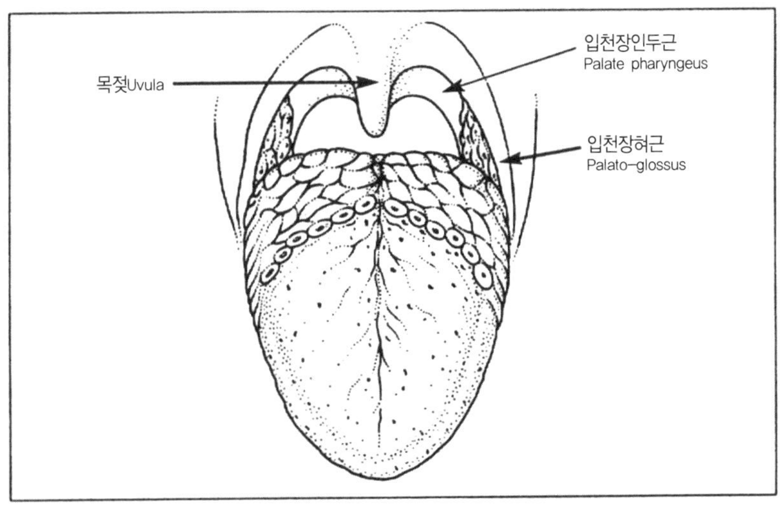

[그림 6] 구강 전면

연습 6 • 입천장인두근육과 '리프트lift'

이 연습에서는 연구개 깊은 곳의 노력 감각을 느껴본다. 코 뒷부분이나 입천장에서 무언가 일어나는 느낌일 것이다.

1. '응기'('ng-gEE' /ŋgi:/)로 천천히 노래하면서 비문을 열고 닫는다. 모음을 발성할 때는 코를 잡았다가 놓기를 한다.
2. 모음 '이'('EE' /i:/)로 노래하면서 코를 계속해서 잡고 비문이 닫힌 느낌이 드는 곳을 세게 당겨본다. 소리는 더 풍성해지고 공명은 더 깊게 울릴 것이다. 어디에 노력을 했는지 당신이 얼마나 강하게 노력했는지를 기억해둔다.
3. 이제 코에서 손을 뗀다..
4. '이'('EE')에서 다른 모음으로 매끄럽게 바꾸며 이 과정을 반복한다: '응-기-에-

아-오-우'('ng-gEE-eh-AH-AW-OO' /ŋgi:eɑ:ɔ:u:/)

관찰포인트

(1) 가성대 수축 상태를 주의한다; 후두의 소리 없는 웃음을 연상한다.

(2) 턱은 움직이지 않는다. 만일 턱에 힘 들어간다면 노래하면서 씹는 동작을 한다.

(3) 혀를 긴장하지 않는다. 만일 불필요하게 혀가 긴장이 된다면, 입 안에서 혀를 동그랗게 돌려 본다.

(4) 크게 노래하지 않는다. 소리가 커진다는 것은 진성대에서 일어나는 현상이 아니라 발성기관의 공명의 결과이다.

5. 코를 잡지 않고 위 과정을 반복한다.

연습 5에서 최고음에 도달했을 때 '리프트lift'의 근육 감각을 사용하여 고음을 내는데 도움을 받을 수 있다.

연습 7 • 연구개로 점점 약하게Decrescendo 노래하기

비문을 닫으면 공명의 변화로 인하여 소리가 커지게 된다. 반대로 소리를 작게 하려면 비문을 열면 되는 것이다. 이러한 소리 크기의 변화는 배음들harmonics을 죽이는 비강의 속성 때문이다.

1. 모음 '이'('EE' /i:/)로 노래하면서 코를 잡았다 놓기로 비문이 닫혔는지 확인한다.
2. 다른 모든 것은 위와 동일하게 유지하면서 '응'('ng' /ŋ/)을 소리 내듯이 혀 쪽으로 연구개를 약간 낮춘다.
3. '응'('ng' /ŋ/) 소리가 나기 전에 연구개의 위치를 멈춘다. 이렇게 연구개를 중

간에 멈추는 것이 처음에는 어려울 수도 있다. 연습을 몇 번 반복한다. 이것을 성공한다면 당신은 비음화된 '이'('EE' /ĩ ː/) 모음을 발성할 수 있다.

4. 이제 단어 '엔드'('end')를 노래하며 천천히 과정을 반복한다. 마지막 'ㄷ'('d') 이전의 비음 'ㄴ'('n')으로 부드럽게 이동되도록 가능한 모음을 길게 발성한다.

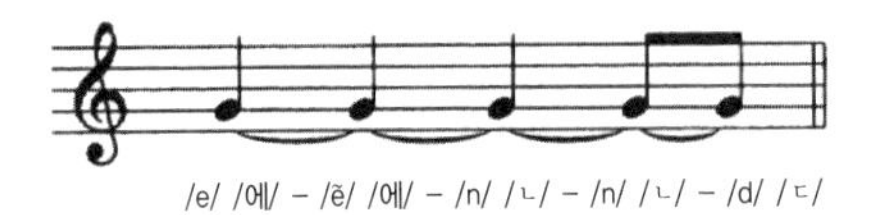

만일 당신이 앙상블이고 음악감독 앞에서 노래를 부드럽게 하고 있지 못하다면 점점 약하게Decrescendo를 위에 방법으로 하는 것이 도움이 된다. 이 방법은 단어가 비성자음으로 끝나는 단어가 효과적이다. 음질뿐만 아니라 소리의 크기도 변화한다는 것을 인지하고 음높이를 유지하도록 노력한다. 7장에서 우리는 소리의 크기를 바꾸는 다른 방법들에 대해 살펴볼 것이다.

마이레닝Mirening

'마이레닝'은 사이렌siren과 입mouth을 합한 신조어이다. 입에 앞부분은 발음하듯이 움직이고, 뒷부분은 '응'('ng' /ŋ/)을 유지하며 소리 낸다. 배우들은 화술 연습을 하고 텍스트를 근육에 기억시키기 위해 모음과 자음을 소리 없이 읽기는 연습을 한다. 마이레닝은 모음과 자음의 형태를 구성하는 것과 노래 가사에 음정을 맞추는 것을 연결시키는 역할을 한다. 조용히 텍스트를 읽는 연습에 사이레닝을 더해보자. 'ㅋ'('k' /k/)와 'ㄱ'('g' /g/)와 같이 연구개에서 만들어지는 발음을 제외하고 모든 자음을 사이레닝과 같이 발음할 수 있다. '응'('ng' /ŋ/)을 하면서 모음 발음을 생각하면 각 모음에 따라서 혀가 약간의 조정을 한다. 원순 모음은 정상적인 방법과 같이 입술이 움직여 발음한다.

노래 과제

노래 과제 1 • 마이레닝

1. 제롬 컨Jerome Kern의 '오늘밤 당신의 모습The way you look tonight' 도입부의 가사와 멜로디를 살펴보자. 모음과 자음을 정확하게 발음하면서 소리 없이 연습한다.

2. 사이레닝 '응'('ng' /ŋ/)으로 전체 멜로디로 노래한다.
3. 1과 2단계를 같이 한다. 멜로디는 '응'('ng') 소리로 부르고 혀와 입술을 사용해서 단어를 소리 내지 않고 입 모양만으로 발음한다. 들리는 것은 '응'('ng') 소리뿐이지만, 발음 근육은 계속 움직일 것이다. 다른 모음의 형태와 'ㅋ'('k' /k/)와 'ㄱ'('g' /g/)와 같은 연구개음에 대한 변화를 느끼게 될 것이다.

마이레닝은 상당한 협동작업이 필요하다. 마이레닝은 당신이 음정을 맞추는 근육과 발음을 조절하는 근육들이 서로 조화를 이루게 하는데 중요한 역할을 한다. 노래 배우기에 매우 유용하다.

노래 과제 2 • 자유곡

1. 5장 끝에 노래 과제에서 선택한 곡으로 연습한다. 다음 순서대로 연습하면서 녹음한다.

(1) 노래를 처음부터 끝까지 불러본다.

(2) 마이레닝으로 노래한다. 입 안의 뒷부분에 '응'('ng' /ŋ/) 소리를 유지해야 한다는 것을 기억하자.

(3) 비문을 반만 열린 상태로 노래한다. 반만 열린 비문으로 노래를 부르면 더 많은 호흡이 필요할 것이다. 잘못된 것이 아니다. 여기에서는 이 연습을 통해 느껴지는 감각을 인지한다.

2. 녹음한 것을 들어본다. 반만 열린 비문으로 녹음한 것은 호흡의 사용뿐 아니라 음정에도 영향을 미친다는 것을 알 수 있을 것이다. 비문이 열리면 공명은 줄어들고 음정은 떨어지도록 만든다. 또한 모음의 '존재감presence'이 없어진다는 것을 알 수 있을 것이다.

노래 과제 3 • 생일 축하 노래

'생일 축하 노래Happy Birthday'는 세 번째 소절 'happy birthday, happy birthday'에서 비성자음이 없다. 또한 곡의 음역이 한 옥타브이기 때문에 키를 바꿔서 부르기 쉽기 때문에 연습곡으로 적절하다.

1. 코 아래 손가락을 데고 곡 전체를 비문을 닫고 노래할 수 있는지 테스트해 보자. 비문이 닫혀 있다면 코에서 공기가 빠져 나가는 느낌이 없을 것이다.
2. 키를 바꿔서 노래해 보자. 예를 들어 당신의 음역대에서 다른 음으로 노래를 시작한다.

모든 곡에는 비성자음이 포함되어 있다. 이 과제의 목적은 비성자음이 들어 있는 단어를 노래할 때 연구개에 어떤 일이 일어나는지 알아본다. '주님의 놀라우신 은총'의 첫 소절을 살펴보자.

A - m - az - ing Grace, how sweet the sound

비성자음은 밑줄을 그었다. 이 음들을 부를 때는 비문이 열리게 된다. 비성자음에 뒤따르는 모음은 다시 닫힌 비문으로 노래해야 한다.

1. 이 소절을 천천히 부른다. 비성자음 'ㅁ'('m'), 'ㄴ'('n'), '응'('ng' /ŋ/) 소리는 코로 소리가 나오도록 한다. 코를 잡았다 놓기로 확인한다.
2. 비성자음으로 들어가기 시작할 때와 다시 빠져 나올 때 비문이 닫혀 있는지 확인한다. 비성자음으로 음절이 끝날 때 비문을 열기 쉽지 않을 것이다. 스피치에서는 동시조음co-articulation이라고 하며 뒤에 따라오는 자음의 음질을 앞에 모음이 가지게 되는 것을 말한다. 노래에는 피치를 유지해서 발성해야 하기 때문에 구강 모음에서 비성자음으로 매끄럽게 이동해야 한다. 이것은 좀 더 상급의 연습이기 때문에 11장에서 더 알아볼 것이다. 노래과제를 수행할 때는 자음이 준비될 때까지 비문을 닫은 상태를 유지해야 한다.
3. 새로운 노래를 연습할 때, 발음기호를 사용하거나 자신만의 방법으로 비성자음을 표시하도록 한다.

필자는 100쪽에 있는 비문에 대한 오해를 다시 살펴보며 이 장를 마치고자 한다.

1. 노래할 때 연구개는 항상 위로 올라가 있다

무언가 들어 올린 느낌을 받긴 하지만, 'ㅁ'('m'), 'ㄴ'('n'), '응'('ng' /ŋ/) 등

의 비성자음을 노래할 때 연구개는 올라가지 않는다.

2. 숨을 들이 마실 때 연구개는 자동적으로 올라간다

항상 그런 것은 아니고 입으로 숨을 들이쉴 때만 그렇다.

3. 연구개를 자율적으로 조절할 수 없다

사실이 아니다. 연구개 조절 능력을 발전시킬 수 있다.

4. 코로 노래하면 좀 더 맑은 음색을 얻을 수 있다

단지 비강 트웽nasal twang로 노래할 때 그렇다. 아니면 둔탁한 소리가 난다. 비강보다 구강이 더 효과적인 공명강이다.

5. 현대 뮤지컬 소리는 비음이다

일부의 경우는 그렇다. 현대 뮤지컬에서 들리는 소리는 트웽이지 비음nasality이 아니다. 트웽은 9장에서 살펴볼 것이다.

이 장에서 특정한 근육 집단의 움직임에 집중할 필요가 있었기 때문에 연습 과정이 어쩔 수 없이 복잡할 수밖에 없었다. 당신은 연구개의 조절 능력뿐만 아니라 더 큰 자유를 찾을 수 있을 것이다. 많은 가수들과 배우들은 목소리를 내는데 있어서 여유와 자유를 꿈꾼다. 넓은 공간을 인지하기 위해 우리는 다양한 이미지 훈련을 사용하여 왔다. 성도의 상부에 위치한 연구개와 하부에 위치한 가성대 연습에 집중하는 것은 자유자재로 음성을 조절하는데 크게 도움을 받을 것이다.

Chapter 7.

다이나믹 조절과 전달력

Dynamic control and projection

이 장에서는 다이나믹 조절(음량을 높이고 낮추는 방법)과 근육 지지muscular support 또는 '목소리-몸 연결voice–body connection' 개념을 살펴보고자 한다. 워크숍에서 필자가 가장 많이 제기하는 질문은 '어떻게 하면 목소리의 크기를 키울 수 있을까요?'이다. 가끔 흥미로운 답변도 있지만, 대개는 '공간을 넓혀라', '후두larynx를 낮춰라', '설단음blade을 늘려라', 그리고 (거의 항상) '호흡량을 늘려라'는 답변이 돌아온다. 그러나 진성대聲帶, vocal folds 연습 강화를 언급하는 경우는 거의 없다.

이제 자연스러운effortless 큰 소리 또는 전달력의 구성 요소에 대해 살펴보기로 하자.

고강도HIGH INTENSITY 발성VOCALISATION

크고 멀리까지 들리는 발성을 위해서는 기본 주파수the fundamental를 만들어 내는 진성대 진동vibration이 좋아야 하고, 음색으로 인식되는 배음 에너지가 적절한 균형을 이루어야 한다. 이와 함께, 목소리와 신체적 노력physical effort이 조화를 이루면 힘을 들이지 않고 큰 소리를 내는 것처럼 보인다. 소리 크기 증가에 기여하는 요인은 3가지이다.

1. 진성대의 움직임은 폭넓고 자유로워야 한다. 진성대가 닫힐 때는 재빨리 합쳐져야 하고, 열릴 때는 멀리 떨어져야 한다. 이렇게 활기찬 진성대의 움직임은 노래할 때 수월하고 큰 소리에 필요한 강한 기본주파수와 배음 에너지를 준다.

2. 진성대의 폭 넓은 움직임에 따른 성문하 압력sub-glottic pressure과 공기흐름airflow의 증가이다.

3. 가성대의 연축 상태는 큰 소리를 내는데 필요한 진성대의 폭넓고 자유로운 움직임을 촉진한다.

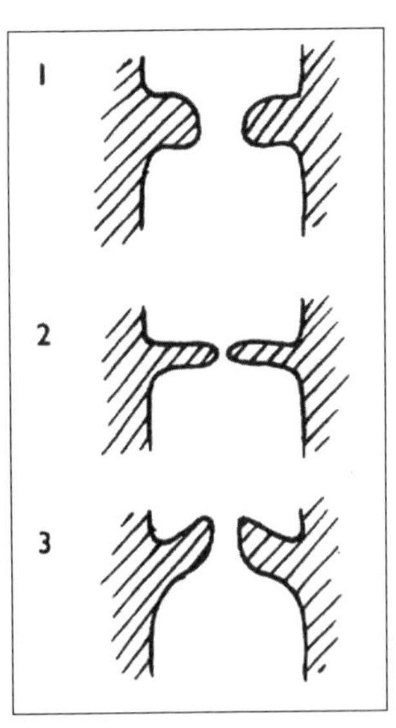

[그림 1~3 진성대] 1. 두꺼운thick 상태 2. 얇은thin 상태 3. 올라간raised plane 상태

목소리를 크거나 작게 부르게 위해서는 호흡의 변화뿐만 아니라 진성대의 변화도 필요하다. 4장에서 당신은 큰 목소리로 노래하기 위한 성문하 압력을 만들고 유지하는 여러 가지 연습을 해보았을 것이다. 그러면 큰소리를 내기 위해서 진성대에서는 어떤 일이 발생할까?

그림 1~3은 진성대의 세 가지 진동 양상을 나타내고 있다. 이 그림은 머리 꼭대기에서 얼굴 쪽으로 세로로 잘라 앞에서 본 단면이다.

이 그림은 연습을 하면서 목 안에서 어떤 일이 발생하는지를 머리에 그려볼 수 있을 것이다. 진성대 근육vocalis과 후두 근육들의 복잡한 상호작용에 따라 진성대의 다양한 진동 양상이 결정된다. 진성대의 두꺼운 상태(그림 1)는 큰 소리를 만들고, 얇은 상태(그림 2, 3)는 작은 소리를 만드는 경향이 있다. 올라간 단면raised plane의 상태(그림 3)는 진성대가 만나지 않기 때문에 '진성대가 닫힌 기간closed phase'이 존재하지 않는다. 이 상태는 큰 소리를 내기에 적합하지 않다.

발성sound production을 해체deconstruction하는 것은 쉽지 않다. 보컬리스트와 청자는 마치 모든 소리가 한 번에 일어나는 것처럼 느끼는 것은 당연한 일이다. 이 책에서 지금까지 우리는 발성에 필요한 요소들을 해체하여 다루어왔다. 이제 심화단계로 들어서기 위해 몇 가지 주제를 다시 살펴보고 하나씩 쌓아 전체적인 구조를 만들어 보자. 여기에서는 2장과 4장에서 살펴보았던 온셋onset과 호흡운용에 대해서 상급 연습을 할 것이다. 이것은 큰 소리로 노래할 때와 작은 소리로 노래하는 상황에서 진성대의 노력 수준과 호흡의 노력 수준을 명확하게 파악할 수 있을 것이다.

호흡과 진성대의 노력 수준

인지 훈련 1 • 두꺼운 진성대thick folds

1. 4장 59~61쪽에 명시된 말소리의 유성마찰음voiced fricatives 연습들을 사용한다. 이 훈련은 큰 소리를 내기 위한 성문하 압력을 강화하고 진성대 닫힘 상태를 유지하는데 도움이 될 것이다.
2. 다이아몬드 지지력을 사용하면서 여러 마찰음fricatives을 한 호흡으로 발성한다(61~62쪽 참고).
3. 복부 근육의 움직임을 감지하면서, '헤이'('hey')와 '예'('yeah')를 다양한 음높이로 발성한다.
4. 2장의 38쪽와 4장의 69쪽에 제시된 '어-오'('uh-oh')를 다양한 음높이로 노래

한다. 유성마찰음voiced fricatives에 대한 근육 기억을 활용하면 성문glottal이 닫히기 전에 호흡을 키울 수 있다.

5. 위 4단계를 반복하는데, 이번에는 마지막 '오'('oh')로 노래한다.
6. 위 순서를 반복하면서, 여러 가지 모음과 음높이로 발성한다('이-이'('EE-EE' /i:/), '애-애'('ae-ae' /æ/ 등). 그 다음 한 음으로 노래 전체의 가사를 불러본다.

이제 '두꺼운 진성대'의 높은 노력 수준에 대한 감각을 인지했을 것이다. 당신의 목소리와 호흡의 관계가 보다 민감하게 느껴질 것이고, 목소리의 크기는 상대적으로 더욱 커졌을 것이다.

노력 수준 점검하기

(1) 호흡 압력을 점검한다. 큰소리를 견디기 위해 진성대에 너무 많은 호흡을 보내거나 목소리에 힘을 주어 밀지 않도록 주의한다.

(2) 소리 없는 웃음소리를 내면서 후두의 가성대 수축 상태를 점검한다.

(3) 편안한 음높이에서 연습을 시작한다. 연습 음역은 차후에 설명하겠다.

인지 훈련 2 • 얇은 진성대thin folds

이번에는 인지 훈련 1과 정반대로 연습한다.

1. 아기가 칭얼대는 소리나 작은 강아지가 낑낑대는 소리, 신음소리 같은 우는 소리를 내면서 사이렌 소리를 내기 위한 준비를 한다. 추가적인 청각적 단서는 전화 통화를 할 때 상대방의 말을 듣고 생각에 잠기는 듯한 '음'('mm') 소리이다('그건 생각을 해봐야 겠군'). '응'('ng') 소리를 낸다.
2. 소리 크기와 호흡 노력 수준을 모두 낮게 유지하고, '응'('ng')에서 모음발성으로 전환한다. 처음엔 말하듯이 소리를 유지한다.
3. 이제 일정한 음높이로 노래한다. 먼저 '응'('ng') 소리로 시작하고 모음으로 전

환한다; '응-기-에-아-오-우'('ng-gEE-eh-AH-AW-OO' /ŋgi:eɑ:ɔ:u:/). 가능한 최대로 부드럽게 발성한다.

4. 호흡에 어떤 변화가 일어났는지 점검한다. 얼마나 많은 호흡을 사용했는가? 한 음을 얼마나 오래 유지할 수 있었는가?
5. 위 순서를 반복하면서, 여러 가지 모음과 음높이로 발성한다. 그 다음 한 음으로 노래 전체의 가사를 불러본다.

당신은 이제 얇은 진성대 상태를 위한 다른 후두의 배치를 인지했을 것이다. 진성대가 얇은 가장자리가 서로 닿기 때문에, 소리는 부드럽지만 여전히 전달은 잘 될 것이다.

노력 수준 점검하기

(1) 부드러운 노래는 의외로 많은 에너지를 요구한다. 소리 없는 웃음소리를 내면서 가성대 수축 상태를 점검한다.

(2) 복부 벽을 천천히 부드럽게 움직여 호흡 이완을 조절하는 것을 목표로 한다.

(3) 마지막 음을 끝낸 후, 호흡반동으로 숨을 들이쉬는 것을 잊지 말자.

청각 · 시각으로Auditory and visual 점검하기

이제 두꺼운 진성대에서 얇은 진성대로 전환되면 어떤 느낌인지 비교하기에 적절한 시점이다. 파트너와 함께 몇 가지 듣기 훈련을 실시하는 방법도 있다. 아니면, 손이나 온 몸의 움직임을 사용하여 소리를 신체적으로 인지하면, 얇은 진성대와 두꺼운 진성대를 근육이 기억하는데 도움이 될 수 있다. 진성대가 두꺼워지면 소리가 커지고, 진성대가 얇아지면 소리가 부드러워지는 다이나믹한 변화에 주목한다. 진성대의 두 가지 상태의 노력 수준을 비교하면 미묘한 변화를 감지하는데 도움이 될 것이다. 그 때문에 부드러운 소리에서 큰소리로 다이나믹하게 변화할 것이다.

인지 훈련 3 • 올라간 진성대의 단면raised vocal fold plane

3장 52쪽에서 소개된 연습을 다시 살펴본다. 진성대의 단면을 올리는 근육들은 호흡을 위해 진성대를 여는 근육들과 같다.

1. 중-고음으로 한숨 소리나 하품 소리를 내본다. 반드시 'ㅎ'('h') 소리부터 발성해야 한다(또 하나의 유용한 청각적 단서는 영어의 '유-후'('yoo-hoo')이다).
2. 3장 51쪽에 명시된 '올라간 단면' 자세가 느껴질 때까지 위 1단계를 반복한다.
3. 위 상태에서 단어나 모음으로 말한다.
4. 노래의 한 구절을 부른다. 음색이나 '감정feel'에 변화를 주지 않도록 한다.
5. 올라간 단면 상태에서 더 크게 혹은 더 부드럽게 소리를 실험한다. '후티hooty'하거나 힘없는 느낌이 든다고 묘사하는 경우가 많은데, 호흡의 사용과 음색의 변화에 주목한다.

단면이 상승하면 진성대가 만나지 않기 때문에 호흡에 대한 저항이 거의 없다. 음색에는 아무런 문제가 없으나, 제대로 전달되지 않으며 배음 에너지도 낮아진다.

노력 수준 점검하기

(1) 이런 소리를 내는 것이 얼마나 어려운가? 또는 쉬운가?

(2) 호흡과 목소리가 연결되는 느낌을 어떻게 묘사할 수 있을까?

위와 같이 청각·시각적 점검을 사용할 수 있는데, 이번에는 세 가지 상태를 비교해 보자. 다음의 차트는 유용한 개요를 제공함으로써 호흡과 진성대의 노력 수준을 비교할 수 있다.

진성대의 변화들

- 두꺼운 진성대: 소리가 커진다. 능동적인 호기에 관여하는 근육들과 진성대의 움직임이 늘어난다.
- 얇은 진성대: 소리가 부드러워진다(작아진다). 진성대가 늘어나고 긴장된다. 호흡은 더 '조절된다controlled'.
- 올라간 단면 진성대: 소리가 부드러워진다. 진성대는 진동하는 동안 열려있고, 호흡은 비효율적으로 사용된다. 큰소리 내기에 적합하지 않다.

얇은 상태에서 두꺼운 상태로 진성대가 바뀌면 점차 다이나믹한 변화가 발생한다.

앵커링ANCHORING, 목소리-몸 연결

진성대 그 자체로는 넓은 공간에서 오랜 시간동안 힘들이지 않고 전달력을 유지하기 어렵다. 설령 성문하 압력이 충분히 지지하더라도, 이 작고 섬세한 근육이 그런 작업을 감당하기는 무리일 것이다. 앵커링anchoring[11]은 목소리-몸의 근육적 연결을 통하여 진성대를 지지력을 제공한다. 앵커링은 호흡지지breath support와 다르다. 오랫동안 노래나 스피치의 음성 트레이너들은 큰 공간을 안전하게 '채우기fill' 위해 소리를 크게 내는 여러 가지 전략들을 활용해왔다. 이제 우리는 이런 전략 가운데 몇 가지를 살펴보고자 한다. 전달력의 다른 필수 요소인 '가창자의 음형대the singer's formant' 혹은 '트웽twang'은 9장에서 알아볼 것이다.

11 앵커링(anchoring)은 에스틸(Estill)이 'Compulsory Figure for Voice'에서 사용한 용어이다.

성도의 앵커링

후두는 목에 매달린 메커니즘으로서 음식을 삼키기 위해서는 기동성이 매우 좋아야 한다. 후두는 척추에 직접적 혹은 간접적으로 연결되어 있지 않기 때문에, 우리는 다른 근육을 이용하여 안정적이게 만들 필요가 있다. 후두 주변의 성도 안에 근육들을 활용함으로써, 호흡에 대항하여 후두가 작동할 수 있게 지지해준다. 성도의 앵커링은 또한 공명을 확장하는 효과가 있다. 머리와 목의 자세를 바꾸면 '더 넓은 공간'의 감각을 주며, 공명하는 표면을 확장함으로써 구강을 이루는 근육과 부드러운 조직soft tissue을 견고하게 만든다.

앵커링의 두 가지 핵심 포인트는 다음과 같다.

1. 보컬 과업이 많을수록, 진동 메커니즘을 지지하기 위한 노력이 어려워질 수 있다.
2. 분리는 앵커링의 필수 요소이다.

분리 체크리스트

1. 소리 없이 웃으면서 가성대 연축상태를 유지한다.
2. 복부의 벽을 이완시켜 들숨과 날숨이 유기적으로 이루어지도록 한다. 앵커링 자세를 취하며 유성마찰음 'v'와 'z'를 발음하면서 호흡상태를 확인하고, 각각의 소리 사이에 숨을 들이쉴 때는 호흡반동recoil을 확인한다. 그 다음 정상적으로 호흡한다.
3. 씹기, 입 안에서 혀를 돌리기를 하면서 입, 턱, 혀를 이완한다.
4. 자세를 조정하고 자유롭게 움직여본다.
5. 조용히 사이렌소리를 내거나 작게 모음 소리를 내어 진성대가 과도하게 일하지 않는지 확인한다.

다음 연습들은 시작할 때는 소리 없이 할 수 있다. 이러한 연습을 통해 당신의 목소리를 지지하는 근육집단의 위치와 움직임을 찾을 수 있다. 근육을 움직일 때는 반드시 분리 체크리스트를 사용한다. 그 다음 각각의 연습에 사이렌 소리내기, 모음 발성, 노래 구절 발성을 주가해서 할 수 있다. 성도는 앞뒤좌우 그리고 안으로부터 도움을 받아 안정을 유지할 수 있다.

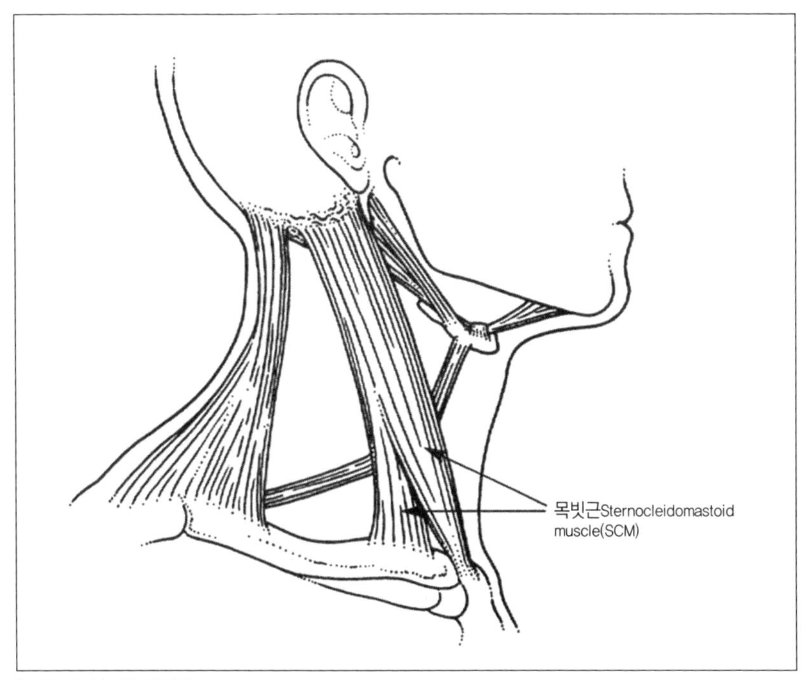

[그림 4] 성도의 안정화

그림 4, 5는 외부에서 성도를 안정화시키는데 기여하는 근육 집단을 나타내고 있다. 근육들은 함께 움직이는 경향이 있기 때문에, 개별 근육을 분리하기는 어렵다. 목표는 감각을 통해 균형 잡힌 노력balanced effort 상태를 인지하는 것이다.

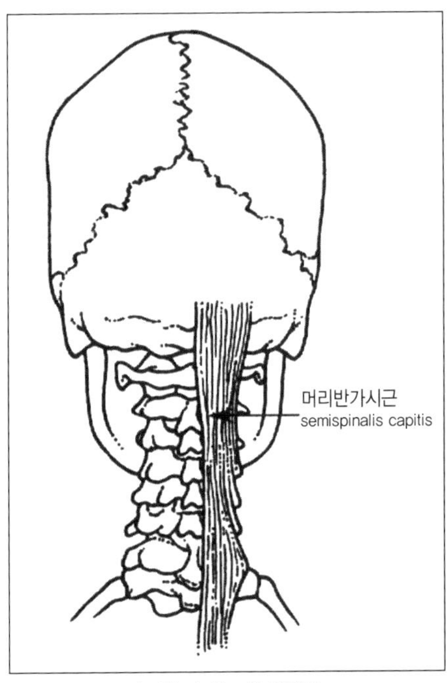

[그림 5] 성도의 안정화

연습 1 • 외부 앵커링

다음 네 가지는 외부 앵커링 연습 방법이다.

1. 경추cervical spine를 늘리면서 곧게 펴고 약간 뒤로 당긴다. 한 손은 환추 관절 atlas joint[12]의 커다란 돌기bump에 대고, 다른 한 손은 축추 관절axis joint에 댄다. 목표는 이들 관절을 정렬시키는 것이다. 손을 떼고, 목의 앵커링 자세를 유지

12 제1경추를 환추(atlas)라고 하며, 두개골과 환추 사이의 관절이 환추 관절(atlas joint)이다. 제2경추는 축추(axis)라고 하며, 환추와 축추 사이의 관절을 축추 관절(axis joint)이라고 하며, 목을 상하좌우로 움직일 수 있도록 조절한다. 한 손은 두개골과 뒷목이 만나는 지점에 약간 튀어나온 부분(환추 관절의 돌기)에 놓고, 다른 손을 그 아래 놓아 양손을 각각 위아래 방향으로 밀어줘 경추를 늘린다. ■옮긴이 주

한다.

2. 머리를 가볍게 두드린다. 정수리에 손바닥을 대고 손으로는 머리를 밑으로 살짝 누르고 머리는 손을 밀어 올린다. 이때 목은 척추와 같은 선상을 유지한다. 손을 떼고 머리의 행거링 자세를 유지한다.
3. 올림픽 수영선수가 사용하는 타이트한 모자를 착용했다고 상상한다. 이 모자를 쓰려면, 머리를 모자에 밀어 넣어야 한다. 모자가 '착용'되었을 때, 길게 늘어뜨려진 목의 감각을 기억해둔다.
4. 그림 4('목빗근SCMs')에 있는 목 측면의 커다란 근육을 느낀다. 한 손은 목의 옆 근육에 대고 다른 손은 주먹을 쥐고 이마에 댄다. 목 뒤를 길게 늘어뜨린 상태에서 목빗근의 근육이 수축하여 작동할 때까지 이마를 주먹으로 밀고 이마는 주먹을 밀어내려고 노력한다.

점검하기

(1) 머리와 목 부위만 움직이는 것을 목표로 한다. 어깨를 사용할 필요는 없으며, 턱을 꽉 다물지 않아도 된다.

(2) 척추의 한 부분을 길게 늘어뜨리면, 나머지 부분도 영향을 받아 틀림없이 어떤 일이 발생할 것이다. 앉은 자세로 연습을 시작해야 하는데, 등은 바른 자세를 취해야 한다.

(3) 일어선 자세에서 이 훈련을 시작해야 하는데, 무릎에 힘을 빼고 요추lumber spine에서 일어나는 현상에 주목한다. 허리를 아치 모양으로 꺾고 있는가? (엉덩이를 내밀고 있는가?) 아니면, 골반을 앞으로 내밀고 있는가? 정수리에서 발바닥까지 몸 중심의 선이 수직선상에 있는 모습을 상상한다.

(4) 정면과 측면에 거울을 배치해 시각적 피드백을 확보하거나, 파트너를 통해 근운동감각적kinaesthetic 피드백을 사용한다. 위의 1, 2번 점검하기도 파트너와 함께 연습할 수 있다.

이런 연습을 할 때는 당신의 몸에 귀를 기울여야 한다. 이 연습들은 저항을 이용해 근육을 움직이는 것이다. 분리체크리스트를 사용해야 하며, 다음은 부적절한 긴장을 이완시키고 특정한 근육 집단을 움직일 수 있어야 한다.

청각적 점검하기

노래와 말소리를 활용해 청각적 점검을 실시한다.

(1) 중립 자세에서 편안한 음높이로 '이'('EE' /i:/)를 발음하거나 노래한다. 다시 말해 앵커링 상태가 아니다.

(2) 연습 1에 묘사된 앵커링 방법 가운데 하나를 활용해 목소리를 안정화시킨다. 성도의 뒤쪽과 양 측면을 사용하는 것을 목표로 하고, 노력 수준은 1~10척도의 근육 노력으로 평가한다.

(3) 사이렌 소리, 다른 모음, 대사, 노래 가사를 사용해 위의 2단계를 반복한다.

목소리의 크기와 음색의 변화를 기록한다. 목소리는 분명 커졌고, 아울러 다른 변화도 발생했을 것이다. 소리가 '확장'되었거나 '풍성'해졌을 수도 있다. 공명이 강화되었기 때문이다.

근운동감각적kinaesthetic 점검하기

앵커링된 음성에 대한 새로운 감각을 묘사해 보자. 예를 들어 '안정적임', '단단함', '조밀함', '활기참', '풍성함', '자유로움', '물 흐르는 듯함'과 같이 표현할 수 있겠다. 앵커링 방법을 활용하면 힘들이지 않고 목소리가 흘러나온다고 느끼는 경우가 많다.

연습 2 • 내부 앵커링

그림 6은 이번 연습에서 어떤 근육의 움직임을 감지할 것인지 시각화하는데 도움을 준다. 여기서도, 근육을 찾아내고 이를 사용하는데 도움이 되는 일련의 단서가 존재한다. 이전 연습과 마찬가지로, 각각의 연습을 실시한 후에는 분리체크리스트를 사용한다.

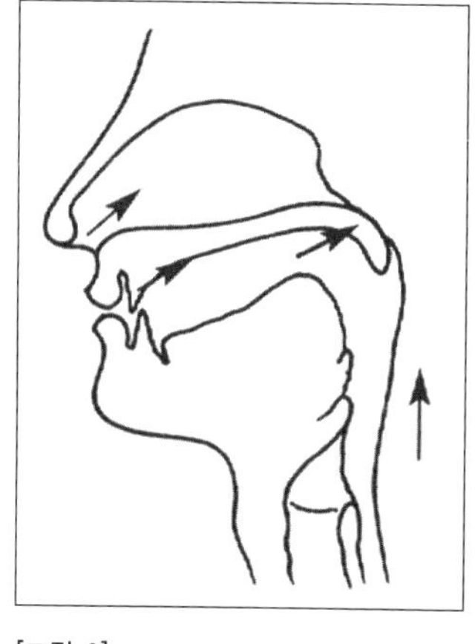

[그림 6]

1. 정말로 먹고 싶은 음식이나 마시고 싶은 음료수, 또는 소나무 숲이나 공기가 신선한 바닷가와 같이 좋아하는 장소에서 나는 냄새를 상상한다. 후각을 가동하고 콧구멍을 확장한다. 근육 노력을 유지하고 턱을 이완시킨 다음, 조용하게 입으로 숨을 내쉰다.
2. 작고 바삭바삭한 사과 또는 즐겨먹는 단단한 과일을 깨무는 장면을 상상한다. 과일을 위턱으로 깨물고 아래턱은 이완하는 느낌을 간직한다.
3. 실제 또는 가상의 빨대를 아래쪽이 막혀 아무것도 나오지 않는다고 생각하고 빨아본다. 근육 노력을 유지하면서, 턱은 이완하고 조용하게 입으로 숨을 내쉰다.

위에 모든 방법은 성도 내부의 근육을 사용한다. 성도의 뒷벽back wall 뿐만 아니라, 연구개도 활성화될 것이다.

외부 앵커링 방법과 마찬가지로, 1~3단계 방법을 활용해 발성, 노래하고 소리의 크기와 음색의 변화에 주의를 기울인다. 파트너가 들어준다면 정말로 도움이 될 것이다. 공명의 차이는 뚜렷하다. 배음 에너지가 증가했기 때문이다. 이런 훈련을 '목소리 끌어내기', '목소리 배치하기', 'inhalare la voce(소리를 빨아들이기)', '목소리 마스크 사용하기' 등 다양한 이름으로 부르고 있다. 위 훈련 가운데 당신의 목소리를 어떤 곳에 '배치'하는 훈련은 없으며 다만 성도의 근육의 사용할 뿐이다.

점검하기

(1) 만약 당신이 분리를 못했다면 이 훈련을 통해 얼굴을 찌푸릴 수 있다! 거울을 사용해서 외부에는 분명히 드러나지 않지만 내부에서 뭔가 움직이는 느낌이 들 때까지 노력 수준을 점검한다.

(2) 특히, 턱의 긴장 상태, 튀어나온 눈, 치켜 올라간 눈썹을 확인한다.

(3) 가성대의 연축 상태를 기억하자. 엄지손가락에 두른 고무 밴드를 기억 촉진제로 사용하거나, 83쪽에 설명한 대로 엄지손가락을 벌려본다.

다음 훈련은 몸의 보다 큰 근육 집단을 목표로 한다. 이들 근육 가운데 일부는 강제 호기forced expiration 근육이라고 불리기도 했는데, 이는 격렬한 음성 과업에 유용한 근육이라는 의미이다. 독자는 이러한 근육이 전체적인 호흡에 영향을 미치며, 크고 활기찬 소리를 안전하게 낼 수 있게 한다는 사실을 알게 될 것이다.

상체 앵커링Torso Anchoring

그림 7, 8은 상체 앵커링에서 사용되는 근육의 위치를 나타내고 있다. 이들 근육은 갈비뼈, 척추, 황격막diaphragm, 골반에 붙어 있기 때문에, 격렬한 목소리 과업에서 몸의 자세 안정화에 영향을 미치고, 이에 따라 호흡에도 영향을 미친다. 알렉산더Alexander의 작업은 상체의 등 부분의 안정화를 강조하며, 상체의 앞면을 제대로 설수 있도록 하고 복부의 내용물이 등 쪽으로 움직일 수 있도록 돕는다. 이 근육들은 강제 호기forced expiration 근육으로 불리기도 하는데, 활동적인 호기energetic expiration라는 의미를 내포하고 있다.

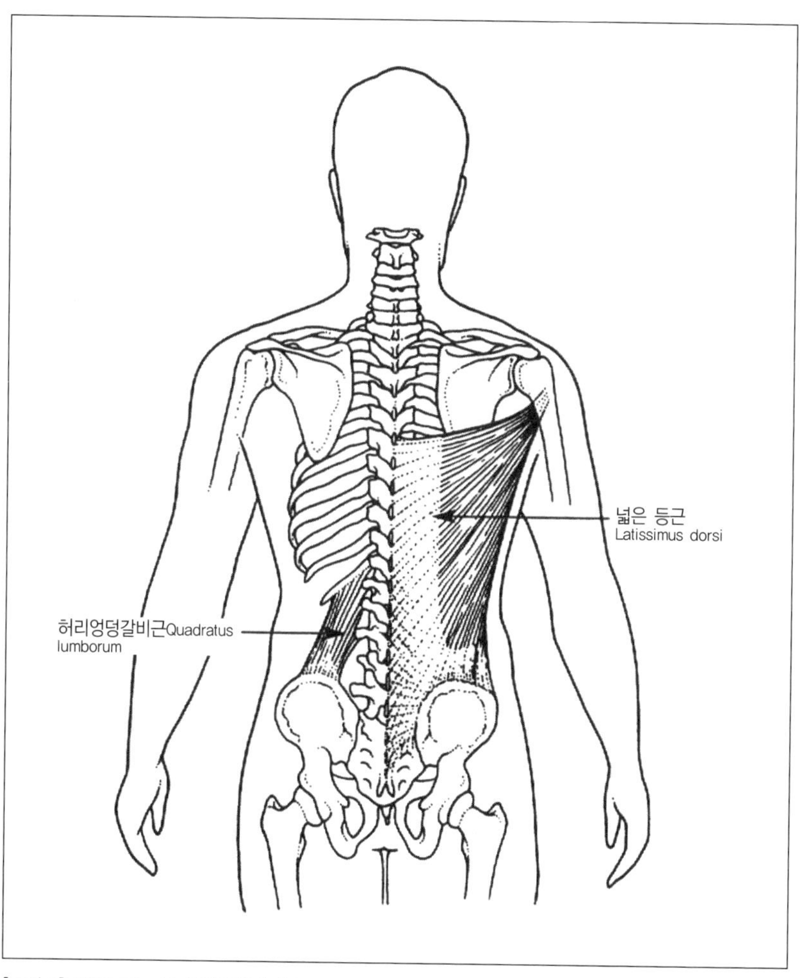

[그림 7] 넓은등근lats과 허리엉덩갈비근quads

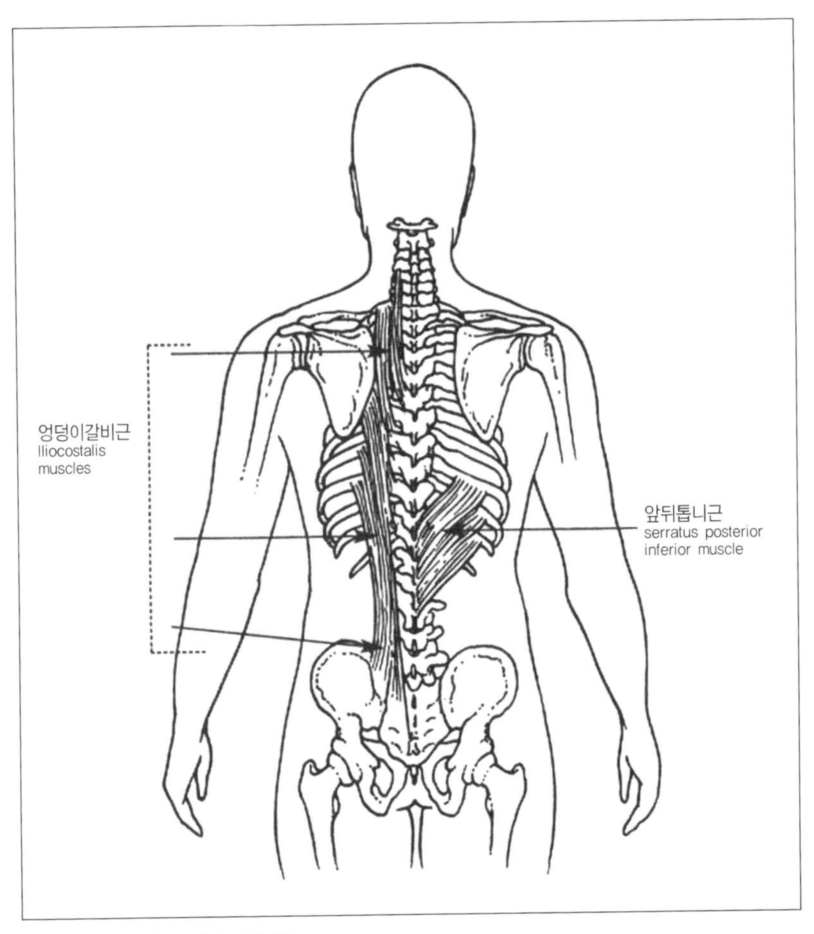

[그림 8] 엉덩갈비근무리와 뒤톱니근

연습 3 • 상체 앵커링

1. 발을 편안하게 벌리고 선다. 무릎은 잠그지 않는다.

(1) 팔은 몸으로부터 거리를 두고 어깨를 서서히 돌린다. 이 동작은 넓은등근lats 의 윗부분을 고정시켜줄 것이다.

(2) 넓은등근을 고정시키면서 근육들은 밑에서 바깥쪽으로 당긴다. 겨드랑이에서

척추 윗부분까지 운동이 되도록 한다.

2. 파트너와 함께 연습하는데, 파트너가 당신의 양쪽 겨드랑이에 손을 넣는다. 이 때 당신은 팔꿈치를 살짝 굽혀 팔이 쫙 펴진 상태가 되지 않도록 한다.

(1) 파트너가 겨드랑이의 손을 몸 쪽으로 조이듯이 잡고 아래로 밀어낸다.

(2) 간지럼을 잘 탄다면, 작은 소프트볼을 겨드랑이에 끼고 연습한다.

[사진 1] 신체 밸런서Body balancer

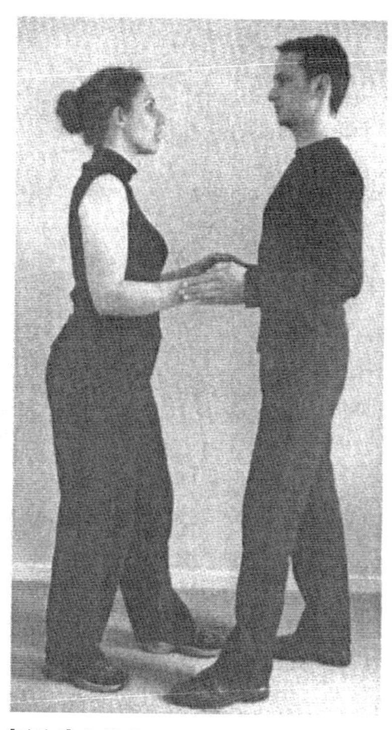

[사진 2] 손 밀기pushing hands

3. 이 연습은 '신체 밸런서body balancer'이다. 사진 1을 보면, 두 사람이 함께 상체 앵커링 근육을 찾는 모습을 확인할 수 있다. 중립 자세를 취하고 상대방과는 편안할 정도의 거리를 두어야 한다. 두 사람은 척추와 목, 골반은 일직선상

에 있어야 하며 무릎에 힘을 빼고 어깨를 떨어뜨린다.

(1) 서로 교대하면서 상대방을 잡아당긴다. 팔꿈치를 몸통에 밀착시키고, 팔에 긴장이 들지 않도록 한다.

(2) 앵커링을 하는 사람은 팔을 당기지 말아야 한다. 모든 작업은 등에서 이루어진다. 단순히 '팔꿈치를 뒤쪽으로 향하게 한다'라고 생각한다.

(3) 당신의 파트너는 근육을 활성화할 정도로만 충분히 저항을 만들어주고 섬세하게 반응을 해야 한다. 너무 오래하면 오히려 몸을 긴장하게locked 된다.

4. 사진 2를 보자. A(여자)는 바깥쪽으로 밀고 있고, B(남자)는 안쪽으로 밀고 있다. 팔꿈치를 몸통에 붙이고, 어깨너비 정도 유지한다. 팔에 긴장이 들지 않도록 한다. 이 경우에도 근육을 쓰기 시작하면 서로의 움직임을 면밀하게 관찰해야 한다.

노력 점검하기

상체 앵커링을 실시할 때는 반드시 분리 체크리스트를 활용해야 한다. 반드시 가성대 연축상태를 유지하고 복부 벽을 이완해야 한다. 그래야 호흡 반동을 할 수 있다. 다양한 노력 수준을 숫자로 매기며 실험해본다. 노력한다는 느낌이 드는 것은 좋지만, 통증을 느끼거나 불편해서는 안 된다. 만일 연습을 하다가 통증이나 불편을 느낀다면, 자신의 전반적인 자세를 확인해야 한다.

청각적 점검하기

성도 앵커링(연습 2)을 하면서, 소리를 내기 시작한다. 작은 소리로 발성을 시작한 다음, 호흡 압력과 성대 움직임을 증가시켜 음량을 높일 수 있다. 가창 목소리나 말하는 목소리를 모두 사용한다. 음높이를 동일하게 유지하며, 노래를 하거나 텍스트를 읽으면서 앵커링을 실시할 때와 그렇지 않을 때의 차이점을 파악한다. 파트너와 함께 연습한다면, 노래를 부르거나 텍스트를 읽으면서 앵커링 상태의 자세를 확인하고, 노력 수준을 유지하며 서로 일정한 거리를 유지하도록 한다.

당신은 벨팅과 같이 큰 에너지를 필요로하는 발성을 하거나, 한음을 길게 유지해야할 때 상체 앵커링 훈련이 도움이 된다는 것을 깨닫게 될 것이다. 상체 앵커링을 유지하면 진성대를 부담스럽게 쓰는 상황에서 안전하게 목소리를 운용할 수 있다. 필자는 목소리를 크게 내는 사람들은 거의 상체 앵커링을 어느 정도 사용한다는 것을 찾았다. 적절한 힘의 정도가 필요한 큰 목소리에는 어떤 순전한 신체성sheer physicality이 존재한다. 큰 목소리는 조절하기 어렵기도 하다. 이 때문에, 가수들은 큰소리를 낼 때, 가성대 수축상태나 무성음화de-voicing를 하는 등 발성을 방해하는 경향이 생긴다. 만일 당신도 그런다면, 당연히 상체 앵커링을 활용해야 한다.

힘들이지 않고 목소리 전달하기

소위 힘들이지 않은 전달력은 실제로 여러 가지 요소들이 유기적으로 작용한 결과이다.

1. 진성대의 작용
2. 호흡의 작용
3. 열린 가성대의 작용
4. 후두를 안정화시킨 작용
5. 공명을 최대화한 작용

이것이 우리가 듣는 '좋은' 발성의 구성요소들이다. 이제 당신은 이러한 구성요소들을 조합할 수 있는 지식을 갖추게 되었다.

응용

이 장 앞부분에서 설명한 진성대 연습(117~123쪽)과 앵커링 근육 단련(123~135쪽)은 다양한 상황에서 응용할 수 있다. 아마도 그 중에서 가장 확실한 용도는 음색tone 강화가 될 것이다. '톤tone'은 목소리 크기와 음질 모두를 의미하는데, 그 중에서 음질은 다소 주관적일 수밖에 없다. 그러나 경험상으로 볼 때, 톤tone을 증진시키는 요인은 다음과 같다.

1. 진성대 '두께mass'가 두꺼워지는 변화
2. 앵커링 근육 작용의 확대
3. 전략 1, 2 동시 활용
4. '가창자 음형대singer's formant' 또는 트웽twang의 활용

이에 더하여 당신의 음역에서 기어 변경gear change을 할 때도 앵커링 전략들이 도움이 된다는 사실을 알게 될 것이다. 앵커링은 어려운 변경 지점에서 후두를 안정화하는데 도움이 된다. 또한 호흡 운용을 효과적으로 만들어 한 음을 길게 유지하는데도 도움이 된다. 앵커링은 조용한 노래에도 도움이 된다. 이것은 단지 소리의 크기를 의미하는 것이 아니다. 많은 가수들이 조용히 노래하는데 앵커링의 효과에 대해 언급하고 있는데, 조용히 노래하려면, 얇은 진성대와 공기 흐름 조절이 적절한 균형을 이루어야 하기 때문이다. 성도 앵커링을 상체 앵커링과 분리하여 사용할 수 있다. 그러나 몸의 균형을 읽어버릴 수 있기 때문에 필자는 경추를 늘리는 훈련(연습 1의 1, 2단계)을 가르치지 않고 상체 앵커링을 가르치지 않는다. 앵커링은 무대 공포증에도 매우 효과적이다. 무대 공포증이 있는 사람의 경우, 숨이 막히고 마치 목소리를 잃어버리는 것 같은 느낌이 드는 일이 드물지 않다. 이런 상황에서는 성도 앵커링을 실시해야 하는데, 소리 없이 앵커링을 하면서 숨을 천천히 내쉬는 것이다. 그런 다음 소리를 더하여 울리면, 목소리가 돌아온다. 필자는 졸업 공연 대기실에서 연극학과 학생들과 이 훈련을 실시해 효과

를 보았고, 공연 도중에 목소리를 잃어버리는 연기자들에게도 이 방법을 사용했다.

이제 이러한 방법을 적용한 연습에 대해 추가적으로 논의하고자 하는데, '메싸 디 보체messa di voce'(다이나믹한 조절), 음역대 확장연습, 기어 변경을 위한 조절력, 그리고 곡 실습이 그것이다.

연습 4 • 메싸 디 보체Messa di voce 또는 다이나믹한 조절

기본적으로 목소리 크기 점점 높였다가 낮추는 연습으로, 진성대와 앵커링 근육을 모두 활용한다. 음악적으로 머리핀hairpins을 사용해 이 연습을 묘사한다.

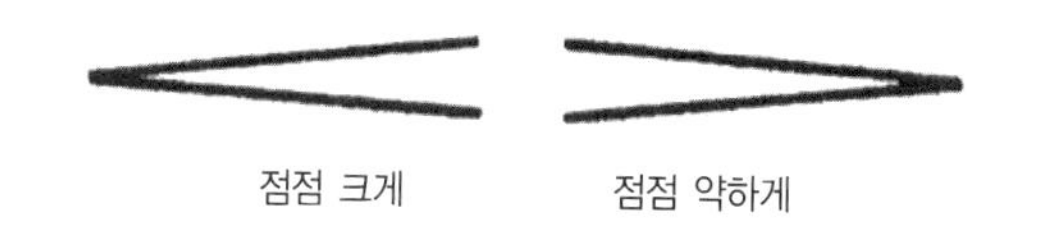

1. '얇은' 진성대를 사용해서 '응'('ng' /ŋ/)을 조용하게 소리 낸다.
2. 계속 조용히 소리 내면서, 비문이 닫힐 때까지 연구개를 혀에서 떨어뜨리며 '응-이'('ng-EE') 소리를 낸다.
3. 안정된 성도(뒤, 양쪽 그리고 안쪽 부분)를 유지하면서, 점점 진성대를 두껍게 만든다. 공기 흐름을 증가시켜야 할 수도 있기 때문에, 복부를 점검한다.
4. 상체 앵커링을 한 상태에서 목소리의 크기를 키운다. 소리 없는 웃음을 사용하는 것을 기억하자.
5. 편안하게 낼 수 있는 최대 목소리 수준(힘들이지 않은 전달력)에 도달하면, 발성을 중지한다.
6. 이제, 순서를 거꾸로 진행한다. '이'('EE' /iː/) 소리를 내면서, '얇은' 진성대로 바뀔 때까지 진성대의 노력 수준을 점진적으로 줄인다.
7. 앵커링 근육 노력 수준을 일정하게 유지하고, 소리 없는 웃음도 계속 유지한다. 소리의 크기를 줄일 때는 적은 공기를 사용하고 앵커링 근육으로 호흡을

조절한다는 사실을 유의해야 한다. 숙달되면, 한 호흡으로 위의 순서대로 빠르게 진행할 수 있다.

연습 5 • 음역대 연습하기

1. '응'('ng' /ŋ)을 저음으로 시작해서 한 옥타브를 올려 작게 소리낸다.
2. 최고음을 유지한 상태에서 연구개를 혀 뒤쪽과 분리해서 '이'('EE', /i:/)로 발성한다.

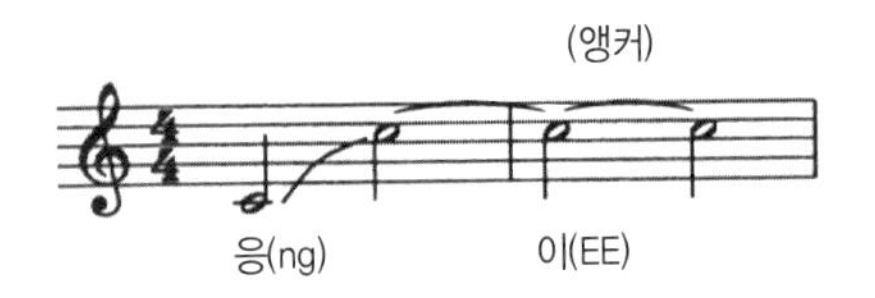

3. 이제 성도 앵커링을 실시한다. 자신에게 효과적인 방법을 선택한다. 진성대의 저항으로 인해 호흡이 더 필요하다는 느낌이 들면 지지의 다이아몬드를 이용한다.

(1) 반드시 가성대는 연축 상태를 유지한다.

(2) '이'('EE')를 발음할 때는 비문을 닫는다.

(3) 자세에 주의를 기울여야 하는데, 척추는 바른 자세를 이루어야 하고 어깨는 이완해야 한다. 양 발은 엉덩이 너비로 편안하게 벌리고, 무릎은 긴장하지 않는다. 이러한 규칙을 정확하게 준수하면, 목소리의 크기가 개선될 것이며, 최고음의 톤(공명)도 좋아질 것이다.

4. 위의 연습 단계를 반복한 후, 다시 처음으로 돌아와 낮은 옥타브 '이'('EE')를 노래하면서, 새로운 다이나믹 수준을 유지한다.
5. 모든 모음을 발성해보고, 모든 음역대에서 이와 같은 연습을 한다.

처음에는 천천히 진행하고, 자신이 무엇을 하고 있는지에 대해 확신이 생겼을 때, 연습 속도를 높이면 된다.

기어 변경, 음역대 그리고 성구

당신은 가수들이나 노래 선생들이 '성구vocal registers'가 다르다고 말하는 것을 종종 들었을 것이다.

일부 선생들은 '높은 성구와 낮은 성구'라는 말을 사용하면서 '성구register'를 '음역range'과 혼동하여 사용한다. 1장에서 논의한 바와 같이, 성구聲區는 종종 '흉성'과 '두성' 또는 '팔세토falsetto'로 언급된다. 사실, 두성과 팔세토를 혼용하는 사람들도 있고 그렇지 않은 사람도 있어서 매우 혼란스러운데, 이런 용어가 지금도 사용되고 있기 때문에, 그 의미를 어느 정도 파악해둘 필요가 있다.

파싸지오*passaggi*라고 일컫기도 하는 기어 변경gear change은 고음이 요구하는 빠른 진동에 진성대가 자연스럽게 반응하는 현상이다. 여기서는 네 가지 음높이에서 주파수를 측정한 예를 살펴보고자 한다. 남녀를 불문하고, 가온 다middle C를 발성하려면, 성대가 1초에 220번이나 열리고 닫혀야 한다.

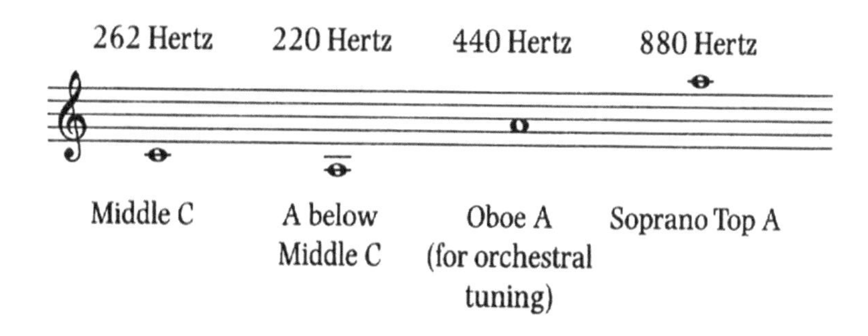

더 빠르게 진동해서 보다 높은 음높이에 도달하기 위해서는 성대의 질량(두께)이 바뀌어야 하는데, 이완되어 약간 길어지거나, 팽팽해져 늘어나야 한다. 이러한 기어 변경은 한마디로 성대의 질량이 바뀌는 전환 시점이다. 남녀 화자와 가수의 기어 체인지는 가온 다middle C보다 높은 D와 G 사이에서 발생하는 경향이 있다. 따라서 이러한 기어 변경은 여성 음역의 약 3분의 1 지점과 남성 음역의 약 3분의 2 지점에서 발생한다고 볼 수 있다. 두 번째 기어 변경 대게 더 높은 음역대에서 발생한다. 이번에는 고음이 안정되기 위해서 후두가 상승해야 한다는 특징이 있다. 이러한 기어 변경에 관여하는 근육은 연구개와 혀, 그리고 후두 올림근laryngeal raisers이다. 사이러닝 발성하면서, 여성은 높은upper D와 F 사이(가온 다middle C)에서 9번째 음과 11번째 음 사이), 남성은 가온 D와 G 사이에서 이러한 2차 기어 변경이 발생한다. 남성의 경우, 하나의 기어 변경이 다른 기어 변경를 은폐하기가 쉽다. 필자의 경험을 비추어 볼 때, 설령 두 지점이 가깝더라도, 이 두 가지 변경 지점이 모두 발생해야 한다. 이러한 기어 체인지에 능숙하게 대처하기 전에는 목소리가 갈라지거나, 후두 자체가 상승하면서 발성 메커니즘이 일시적으로 불안정해질 수 있다. 바로 이때 성도 앵커링이 도움이 된다.

연습 6 • 상행 스케일에서 진성대 얇게thinning 만들기

연습 5의 1에서 3단계를 진행한다. 음계가 올라갈 때, 목소리를 밀어 올린다는 느낌이 들 수 있다. 음역대에서 어려움이 있는 지점에 도달한다면,

1. 갑상연골thyroid을 기울여 성대의 두께를 얇게 만들고, 공기의 흐름을 줄인다.
2. 목의 뒤쪽과 양쪽을 길게 늘려 움직임으로서 성도를 안정화시킨다.
3. 소리의 크기를 더 높여야 한다면, 내부 앵커링을 한다.

연습 7 • 상행 스케일에서 후두 올리기

연습 5의 1~3단계를 진행한다. 당신의 음역대의 가장 높은 1/3 지점에 도달하면 후두가 상승해야 한다. 후두를 끌어올리는 근육들은 연구 근육들과 연결되어 있다. 연구개가 안정적으로 상승하지 않으면 이 근육들은 서로 경쟁을 하게 되고 비문을 열어버리기도 한다. 이러한 어려운 상황에서 생기는 가성대 수축 상태 때문에, 목소리가 막히는 느낌이 들 것이다.

1. 비문을 닫는다. 6장 연습 1(103쪽)을 실시하면서 비강과 구강 사이를 완전히 밀폐한다.
2. 당신은 반드시 후두가 올라가도록 두어야 한다. 3장의 인지 훈련 3(46쪽) '후두 올리고 내리기'를 참고한다.
3. 근육을 조절하기 어려운 고음으로 '응-이'(ng-gEE, /ŋgi:/)를 노래한다.

연습 8 • 하행 스케일에서 진성대 두껍게thickening 만들기

연습 5를 실시한다. 음계를 내리는 경우, 성대를 두껍게 하지 않으면 힘이 빠질 수도 있다.

1. 전환 지점에 도달하면 갑상연골의 기울기를 완화한다. 목 뒤쪽과 측면의 앵커링을 유지한다. 전환되는 지점을 부드럽게 만들려면 기울기를 조금씩 완화해야 한다. 두꺼운 진성대를 위해서는 호흡 압력을 높인다.
2. 이와는 달리, 전환 지점에 도달할 때, 노래를 중단하고 성문 온셋glottal onset으로 '이'('EE' /i:/)를 발성하는 방법도 있다. 그런 다음, 성문 온셋을 계속 사용하면서 목표로 하는 음의 높이로 '이'('EE')를 발성한다.

연습 9 • 하행 스케일에서 후두 낮추기

필자의 경험을 돌이켜볼 때, 음계를 내리는 과정에서 문제가 발생하는 경우는 비교적 드물다. 그러나 연습 5를 실시하는 동안에 음계를 내리는 것이 어렵다면, 아래와 같이 해본다.

1. 3장(41~45쪽)에서 설명한 바와 같이 외부에서 후두를 관찰하거나 거울을 사용해 관찰한다.
2. 전환 지점에 도달하면 위쪽으로 당겨진 후두를 이완한다.
3. 목 뒤쪽의 안정을 유지한다.

4. 앵커링에 대한 초점을 성도로 이동해 공명을 최대화하는데 집중한다.
5. 기어 변경을 조절하기 위해 비문을 열지 않는다.

연습 6~9번은 발성 과정에서 발생하는 당신이 기어 변경에 대처할 수 있도록 도구를 제공한다. 음색에 따라 기어 변경이 발생하는 지점이 다를 수 있는데, 이에 대해서는 12장에서 상세하게 논의하겠다.

노래 과제 • 발코니 장면Tonight – 토니 & 마리아WEST SIDE STORY

이 장면에서, 여성은 'Tonight, tonight'를 부르기 시작한 후, 높은 F음으로 'And what was just a world is a star, Tonight'를 부르면서 매우 강하게 마무리한다. 남성은 'Always you, every thought I'll ever know'로 시작한 후, 'You and me'로 노래를 끝낸다. 높은 G에서 '여리게piano; 부드럽게'로 시작해 '강하게forte; 크게'로 끝내야 하는 것이다.

1. 악절을 노래한다. 벨팅belting을 하지 않도록 유의하고, 갑상연골을 기울여 노래하고 있는지 확인한다(3장과 12장의 '크라이cry 음색' 참고).
2. 악절을 싸이렌siren과 마이렌miren으로 부르면서, 갑상연골 기울기를 유지하고 후두 안 가성대 연축 상태에 집중한다.
3. 마이레닝을 유지하면서 성대 앵커링을 실시하고 스스로 앞뒤좌우로 관찰하며 확인한다.
4. 우리가 6장(110쪽)에서 실습한 바와 같이, 머리 안쪽과 코 뒷부분을 치켜세운다. 심지어 '응'(ng, /ŋ/)을 마이러닝 발성하고 비문을 개방하더라도, 연구개 주변이 추가적으로 '상승lift'할 수 있다. 노력을 점수로 매겨놓으면 근육 기억에 도움이 될 것이다.
5. 이제 앵커링을 유지하면서 단어로 이루어진 악절을 노래한다. 음질에 변화하고 소리의 크기도 달라질 수 있다.

6. 긴 소절을 노래하기 어려운 경우, 일정 수준의 상체 앵커링을 통해 호흡을 유지할 수 있도록 한다. 숨을 들이마실 때 복부의 벽의 중심이 이완되어 호흡 반동이 일어나야 한다.

전달력projection은 다소 애매모호하게 사용되는 경우가 많다. 가창 교수법singing pedagogy에서는 오케스트라 전체가 울리는 음량보다 큰 소리를 낼 수 있는 능력으로 통용된다. 연극에서는 대개 배우가 목소리로 공간을 가득 채울 수 있는 능력을 의미한다. 이러한 설명을 오늘날 증폭된amplified 소리로 공연하는 뮤지컬 배우들에게 적용할 수 있다. 필자는 호흡과 신체뿐만 아니라 소리의 크기가 변화하기 위해서 진성대에서 어떤 변화들이 일어나는지를 배우는 것이 교육적으로 효과가 있다는 것을 경험했다. 그리고 큰 소리 노래하는 것뿐만 아니라, 부드럽게 노래하는 것도 음량 조절에 속한다는 것은 말할 필요가 없다. 큰 소리Loudness는 여러 가지 요소들을 고려해야 하는 상황에 불과하다. 공명은 신체적 연결에 대한 감각이기 때문에 역시 중요하다. 아마도 음성의 '존재감presence'에 기여하는 요소는 공명일 것이다. 필자는 종종 교육생들에게 '근육은 더 많이, 호흡은 더 적게'라고 말한다. 근육이 움직이기 위해 호흡은 필요 없다. 호흡 지지breath support와 자세 지지postural support, 근육 지지muscular support를 분리하면, 목소리 사용voice use이 개선될 뿐만 아니라, '힘들이지 않는effortless' 전달력이라는 목표에 다가간 것이다.

Chapter 8.

구강공명기관 조율하기

Tuning the oral resonator

'아'('AH' /ɑ : /)로 노래하는 게 왜 어려운지에 대해 필자에게 묻는 사람들이 많다. 이것은 일반적인 문제일 수도 있지만 특정음색이나 특정 음역대를 노래할 때 나타나는 현상이기도 하다. 얼굴정면에서 보면 '아'는 노래하기 좋은 모음처럼 보인다. 왜냐하면 턱과 입술은 이완되어 있고 혀는 낮기 때문에 소리가 나오는 길을 '방해 받지 않는' 것처럼 보이기 때문이다. 그러나 음향학적으로는 '이'('EE' /i : /)가 노래할 때 더 유리한 모음이다. '이'를 발음할 때는 혀가 더 앞으로 움직이고 성도의 뒷벽으로부터 멀리 떨어지기 때문에 소리를 내는데 필요한 공간을 더 많이 확보하게 된다. 우리는 특정 공명을 향상시키기 위해 혀, 입술, 턱의 움직임을 조정하여 입 안 공간(구강)the oral cavity의 모양을 만들 수 있다. 이번 장에서는 턱, 혀 그리고 입술의 구조에 관해 다루고, 또한 이러한 조음기관이 공명의 질resonating quality에 어떠한 영향을 주는지 살펴보도록 하겠다.

턱

'턱은 자발적인 노예이다.' 어디서 처음 이 말을 들었는지 생각나진 않지만 워크숍이나 마스터 클래스에서 필자가 자주 인용하는 말이기도 하다. 노래하는 사람 중에는 상당수가 턱을 고정시키는 것이 발성에 도움이 된다는 잘못된 믿음을 가지고 있다. 역으로 명확한 발음을 위해 극단적으로 입을 움직이는 사람도 있다. 그러나 과도한 입의 움직임은 시각적으로 산만할 뿐만 아니라 비효율적이다. 또한 자음은 성도the vocal tract를 가로막으며 발음되기 때문에 턱을 지나치게 사용하면 자음발음에 필요한 조음근육의 사용을 더 어렵게 만든다(자음에 관해서는 11장에서 심도 있게 다룰 것이다).

노래를 할 때 우리가 대부분 턱the jaw이라고 지칭하는 것은 구체적으로 아래턱the lower jaw이나 하악골mandible을 의미한다. 그리고 이 하악골은 구강공명기관의 아래쪽 구조를 형성한다. 턱에서부터 혀뿌리 부분의 목뿔뼈the hyoid bone;설골(舌骨)까지 근육으로 연결되어 있으며, 혀 자체에도 턱과 연결되는 근육이 있다. 우리는 육안으로 턱의 움직임을 쉽게 관찰할 수 있지만 그 움직임이 끼치는 영향에 대해서는 알기가 쉽지 않다. 약간만 턱을 움직여도 혀의 위치가 변하고, 그보다는 덜하지만 혀의 모양까지도 바뀐다. 또한 후두는 목뿔뼈를 따라 혀에 연결되어 있으므로 턱의 움직임 역시 후두에 연쇄반응을 가져올 수 있다. 하지만 필자의 경험으로 비추어 볼 때 언제나 이러한 상관관계를 이해할 수 있는 것은 아니다. 42쪽에서 45쪽(3장의 인지 훈련 2)의 후두 오리엔티어링 연습과 그림을 참고하자. 구강공명기관의 구조를 보고 느끼는 데 도움이 될 것이다. 자 이제 턱의 긴장에 대해 알아보자.

턱의 긴장 풀기

턱의 긴장은 턱을 움직이지 않거나, 정렬상태가 바르지 않거나, 입을 벌리기 위해 턱을 아래쪽으로 과하게 내릴 때 생길 수 있다. 아래턱을 닫는 데 사용하는 근육은 우리 몸에서 가장 강한 근육 중 하나이며, 음식을 씹기 위해 이 근육은 필연적으로 강할 수밖에 없다. 반대로 턱을 내리는 데 쓰이는 근육은 적기 때문에, 대부분 턱을 '이완한다'는 것은 아래턱을 위턱에 매달아 턱 관절을 효율적으로 움직이는 것을 의미한다. 아직 중력을 이기지 못하고 누워 있는 갓난아기도 턱을 닫는 방법을 알 정도로 턱을 닫으려는 우리의 본능은 아주 강하다고 할 수 있다.

다음의 훈련들은 턱의 긴장을 인지하고 점검하는 데 도움을 줄 것이다.

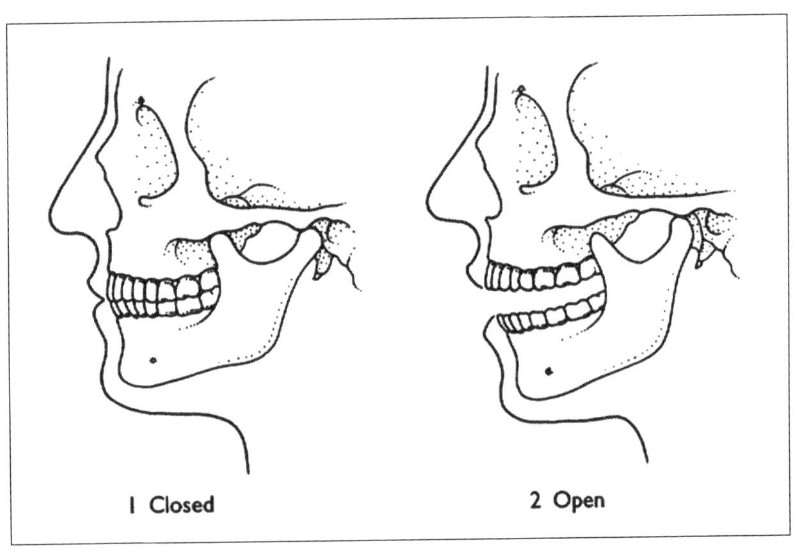

옆에서 바라본 턱 [그림 1] 닫혀 있는 턱 [그림 2] 열려 있는 턱

인지 훈련 1 • 턱을 움직이는 데 사용되는 근육 살펴보기

그림 1, 2는 열린 턱의 위치와 닫힌 턱의 위치를 보여준다. 다음 훈련을 통해 턱의 움직임을 느껴보도록 하자.

1. 이주tragus; 耳珠 바로 앞에 손가락을 올려놓자.
2. 하악골의 제일 윗부분인 둥근 돌기를 느낄 수 있다. 천천히 입을 열자.
3. 다음의 동작을 하며 관절이 어떻게 움직이는지 느껴보자. 아래턱을 앞으로 내밀기, 턱을 앞으로 내밀면서 동시에 아래로 내리기, 아래턱 회전하기. 각 동작에 따른 미묘한 감각의 차이를 느낄 수 있을 것이다. 시각적인 피드백을 원한다면 거울을 보며 잠시 동안 이 움직임을 반복해 보자.
4. 턱을 움직이게 만드는 다른 근육들을 살펴보자.

(1) 턱을 좌우로 움직이게 하는 근육

(2) 턱을 앞으로 돌출시키는 근육(손으로 턱 아래를 잡고 앞쪽으로 당겨보면 턱의 돌출을 느낄 수 있다).

(3) 턱을 아래뒤쪽으로 당기는 근육(손으로 턱 옆을 잡고 아래뒤쪽으로 당겨보면 이 방향으로 턱을 움직이는 데 사용되는 근육을 느낄 수 있다). 위와 같은 턱의 움직임은 음식을 씹고 먹을 때 사용되지만 노래를 할 때는 일부만이 적합하다.

① 턱이 좌우로 움직인다는 것은 턱이 불균형하게 열린다는 표시이다. 오른손잡이가 오른쪽 근육이 더 강한 것처럼 사람마다 음식을 씹는 방향의 선호도가 다르기 때문에 이런 현상은 흔하게 나타날 수 있다. 하지만 턱의 비대칭을 관객이 쉽게 알아보는 정도라면 등장인물의 심리상태를 온전히 관객에게 전달하고 공유하는데 영향을 미칠 수도 있다.

② 턱을 앞으로 내미는 것은 머리와 목의 정렬상태가 나빠서 생기는 습관일 수 있다. 극단적으로 아래턱이 앞으로 돌출된 경우 후두 역시 원래 있어야 하는 위치에서 앞으로 밀리게 된다. 이런 경우 소리의 질과 음성의 효율성에 영향을 미칠 수 있다.

③ 턱을 아래뒤쪽으로 당길 때는 후두상단부의 목뿔뼈와 혀를 잇는 근육들이 활성화된다. 이 근육들의 부적절한 사용은 목 주변이나 후두부에 긴장과

불편함을 불러일으킬 수 있다. 또한 턱을 아래로 내리게 되면 후두가 밑으로 내려가기 때문에 고음역 처리가 어려워진다.

턱에 긴장이 있는 학생들은 억지로 입을 벌려 턱의 긴장을 풀려는 시도를 한다. 그리고 턱을 좀 더 크게 벌리기 위해 손가락을 두 개나 세 개까지 입에 넣는 훈련을 하기도 한다. 매우 소수의 사람들만이 이런 연습이 편하다고 느껴질 것이며, 필자의 경우에는 이 연습을 통해 턱의 긴장이 풀린다는 생각이 든 적이 한 번도 없다. 여러분이 턱에 긴장을 하고 있다는 느낌이 든다면 턱을 올리고 닫는데 사용하는 근육을 풀어야만 한다. 다음의 훈련을 통해 턱 근육을 이완시켜 보자.

인지 훈련 2 • 중력을 이용한 턱 근육 풀기

거울을 이용해 시각적인 모니터링을 하면서 연습해 보자.

1. 인지 훈련 1에서처럼 손가락을 이주 바로 앞에 대고, 턱을 중력에 맡기며 천천히 내리자.
2. 거울을 계속 보면서 이 위치에 아래턱을 매달자. 턱이 열린 정도를 확인하자. 턱이 너무 적게 열려 있다고 생각될 수 있다. 대부분의 경우 이 단계에서는 손가락 두 개도 입 안에 넣기 힘들 것이다. 이 상태가 바로 '턱 매달아 두기'이다.
3. 이제 반대로 턱을 더 여는 연습을 해보자. 이때 입 안 바닥의 근육들을 사용하게 될 확률이 높다. 턱 아래에 손가락을 대고 근육이 아래로 눌리지 않는지 살펴보자. 턱 아래에 긴장이 느껴진다면 턱을 중력에 맡기는 것이 아니라 중력에 반해 밀고 있는 것이다. '두 손가락' 넓이의 입 열기를 할 때 이러한 긴장이 생길 수 있음으로 주의해야 한다.
4. 이주 바로 앞에 손가락을 대고 계속해서 턱을 열기 위한 연습을 해보자. 손가락 아래의 턱 관절이 움푹 들어가는 것처럼 느껴질 때까지 턱을 더 벌려보자

(관절이 마치 사라지는 것처럼 느껴질 것이다). 그리고 아래턱이 뒤쪽으로 약간 움직이며 입이 크게 벌어질 것이다. 노래를 하는 사람 중에는 자신의 가장 높은 음역대를 부를 때 이러한 턱의 모양을 만들려고 하는 사람들이 있다. 이와 같은 턱의 움직임은 고음에서 소리를 어둡게 만드는 데 유용하게 사용되기도 하지만, 무분별한 사용은 고음을 내는 데 필요한 자연스러운 후두의 상승을 방해할 수 있다.

인지 훈련 3 • 턱 매달기 자세

이 훈련은 강력한 저작 근육을 이완시켜 아래턱의 긴장을 푸는 연습으로 '턱 매달기hanging the jaw'에 어려움을 느끼는 사람에게 유용하다.

1. 책상이나 다른 적절한 장소에 팔꿈치를 놓고 양쪽 엄지를 광대뼈 아래에 대자.
2. 손가락으로 머리의 무게를 받치면서 고개를 천천히 숙여보자. 이때 손가락과 광대뼈 아래 부분의 압력이 점차적으로 높아짐을 느낄 수 있다. 책상 위의 팔꿈치로 동작을 지지하며 광대뼈 아래가 아프지 않도록 부드럽게 이 단계를 진행하자.
3. 턱을 열어 아래로 떨어뜨리는 동안 긴장된 턱의 근육이 느껴진다면 좀 더 이완할 수 있는 방법을 찾아보자.
4. 그대로 턱을 남겨두면서 천천히 머리를 들자. 이때 신체정렬이 바르게 되도록 신경 쓰자.

인지 훈련 4 • 턱의 움직임 점검하기

이 훈련은 노래를 하는 동안 혀나 연구개와 같은 근육 때문에 생기는 턱의 과도한 사용을 없애고 효율적으로 턱을 움직이기 위한 것이다. 다음의 두 가지 방법을 통해 턱의 움직임을 관찰해 보자.

⑴ 거울을 보며 다음 페이지의 그림 1과 같이 손을 턱 뒤에 두자. 이 방법을 사용하면 턱의 움직임을 점검할 수 있을 뿐만 아니라 발음도 평소대로 할 수 있다.

⑵ 그림 2와 같이 손가락을 입 안에 넣자. 이때 손가락을 물지 않도록 주의하자. 그림 2의 경우 당연히 모든 자음을 발음할 수는 없겠지만 턱의 효율적인 움직임에 관해 많은 피드백을 받을 수 있다. '턱을 항상 크게 움직이며' 노래하는 습관이 있다면 이 방법을 사용해 보자. 자 이제, 반주 없이도 잘 부를 수 있는 노래를 선택하여 다음의 단계를 진행하자.

턱의 움직임을 점검하기

1. 먼저, 인지 훈련 2와 3의 턱 매달기 자세를 취하자.
2. 턱의 움직임을 점검하기 위해 앞에서 제시된 방법 ⑴, ⑵ 중 하나를 사용해 노래 전체를 부르자.
3. 노래하는 동안 '턱이 사용되는' 정도를 파악하자.
4. 노래를 하면서 턱의 움직임을 얼마만큼 줄일 수 있는지 확인하자. 이제 외적인

턱의 움직임보다 입 안에서의 움직임이 더 많이 느껴질 것이다.

5. 턱을 좀 더 경제적으로 움직이는 동안 노래하는 게 더 쉬웠는지 생각해 보자.

청각적인 피드백

파트너와 함께 다음의 연습을 해보자.

(1) 자신의 습관적인 턱의 모양과 움직임을 하며 노래를 부르자.

(2) 이제 턱 움직임을 점검하기 위한 방법 (1), (2) 중 하나를 사용해 노래를 다시 불러보자. 파트너는 습관적으로 턱을 사용하며 노래했을 때와 점검을 하면서 노래를 불렀을 때 어떠한 소리의 변화가 있었는지 말해주자.

(3) 턱을 더 크게 벌렸을 때 노래 소리가 더 커졌는지 생각해 보자. 또한 턱의 위치와 크기가 변할 때 다른 어떤 현상이 발생했는지 얘기해 보자.

많은 사람들이 편안한 턱의 위치와 움직임을 찾는 순간 노래 부르기가 정말 '쉬워진다'는 사실에 놀라워한다. 이것은 매우 중요한 점이다. 자신에게 맞는 것이 어떤 것인지 알아야 한다. 우리는 모두 같은 신체 부분을 가지고 있지만 크기는 모두 다르다. 만약 여러분이 남보다 입 안 공간이 작다면 더 큰 구조를 가진 사람처럼 턱을 움직일 수 없을 것이다. 또한 혀가 짧거나 혀의 아래바닥과 입 안 아래의 점막을 잇는 힘살인 설소대가 짧은 경우라면 턱을 너무 크게 벌리지 말아야 한다. 왜냐하면 혀가 경구개에 닿아야만 발음되는 소리가 있기 때문에 턱을 너무 내리면 이러한 발음에 문제가 생길 수 있다. 사실 자신의 턱에 문제가 있다고 말하는 사람들은 대부분 이처럼 혀에 문제가 있는 경우가 많다.

턱의 떨림

턱이 떨리면 노래하는 사람뿐만 아니라 관객에게도 좋지 않은 반응을 불러일으킨다. 성도를 유지하고 받치는 근육의 잘못된 정렬 때문에 이러한 턱의 떨림이 발생할 수 있으며 이 문제를 해결하기 위한 방법은 다음과 같다.

1. 머리와 목의 자세를 체크하며 자신의 전반적인 신체정렬을 살펴보자.

2. 목 뒤와 옆에서 성도를 받치고 있는 근육에 신경을 쓰며 목을 정렬하자.

3. 손가락을 입에 넣고 싸이러닝으로 노래하자. 성도의 앞보다는 연구개 위나 코 뒤쪽에 감각의 초점을 맞추도록 하자.

4. 손가락을 입에 넣고 마이러닝으로 노래하자(6장 112쪽 참고).

5. 성도를 앵커링하는 근육에 집중하며 손가락을 유지한 채 가사로 노래하자.

6. 공기의 흐름을 살펴보자. 노래를 할 때 지나치게 호흡을 사용하면 성도를 불안정하게 만들 수 있다. 호흡의 사용을 줄이는 것이 성도의 안정화에 도움이 되는지 확인해 보자.

혀

필자의 세대에는 숟가락 같은 도구를 이용해 혀를 평평하게 하는 훈련을 받은 가수나 선생들을 쉽게 찾아볼 수 있었다. 그런데 시간이 한참 지난 지금까지도 혀가 입 안에서 '방해가 되지 않도록' 혀를 낮고 평평하게 만드는 훈련을 하는 사람들이 있다.

우리의 혀는 크다. 우리는 방해가 되지 않도록 혀를 입 안의 다른 곳으로 보낼 수 없다. 그림 3과 4를 보자. 입 안 공간을 넓히기 위해 혀를 움직인다면 혀는 오직 한 곳으로만 갈 수 있다. 바로 뒤쪽이다. 이런 현상은 공명을 생성하는 중요한 부분인 인두 벽 앞의 공간을 막고 혀뿌리에 긴장을 일으키게 된다. 거울로 혀를 보면 우리는 대략 혀의 전체 구조 중 3분의 2 가량을 볼 수 있는데 이 부분을 혓몸the tongue body 혹은 혀 등dorsum이라 부른다. 이 부분은 소대(혀를 위로 들어 올렸을 때 보이는 부분)를 따라 입의 바닥에 느슨하게 붙어있다. 혀뿌리라

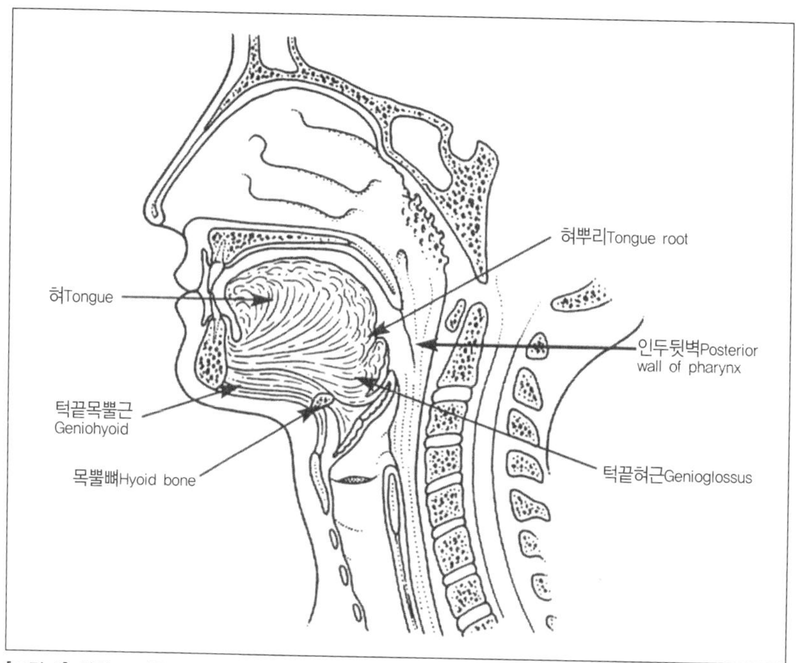

[그림 3] 혀의 크기를 보여주는 머리의 시상矢狀 단면

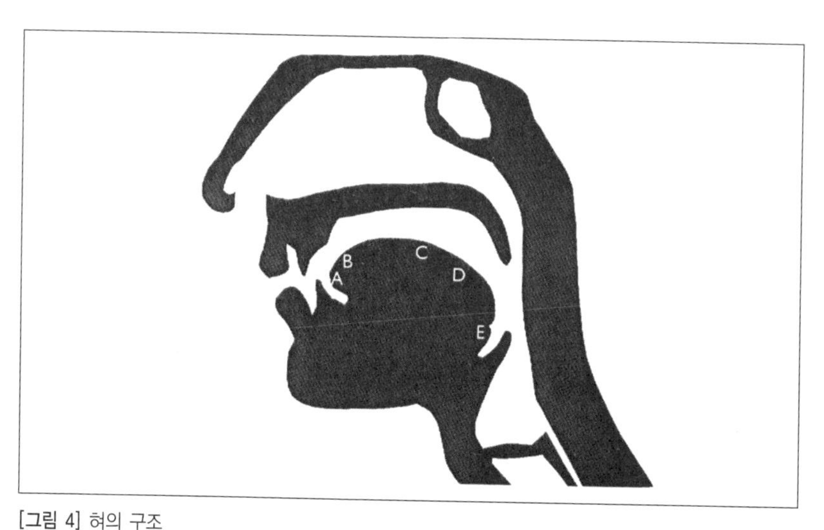

[그림 4] 혀의 구조

(A) 혀끝the tip (B) 혀의 평부분(혀날)the blade (C) 앞부분the front (D) 뒷부분the back (E) 혀뿌리the root

고 불리는 남은 3분의 1은 앞에서 볼 수가 없다. 더구나 이 혀뿌리는 아래의 목뿔뼈와 두개골 내부의 작은 뼈(경상돌기styloid process)에 붙어 있기 때문에 더 고정적이라고 할 수 있다. 혓몸과 혀뿌리 외에도 수많은 근육들이 혀에 붙어 있으며 그림 3에서 일부 관찰할 수 있다.

잘못된 혀의 사용 때문에 생기는 몇 가지 일반적인 문제를 살펴보자.

1. 고음을 내기 어렵다.

높은 음정을 내기 위해서는 후두가 올라가야 하며, 이 과정의 한 부분으로써 연구개 근육은 긴장된다. 즉, 높은 음정을 낼 때는 후두가 상승되기 때문에 공간이 더 좁아진다.

2. 비음이 발생한다.

혀의 뒷부분과 연구개를 잇는 근육의 비활성화는 비음발생의 원인이 될 수 있다. 연구개를 들어 올리는 근육들이 단단하게 앵커링 되어있지 않다면 혀는 낮아지게 되고 연구개는 아래로 떨어진다. 이로 인해 비강 통로가 열리게 되며 비음발생의 원인이 된다.

3. 어두운 음색을 내기 위해 혀를 내린다.

이것은 재즈 가수나 팝 가수가 사용하는 테크닉의 하나로 음색을 어둡게 만든다. 그러나 혀를 누르는 것은 방패연골과 목뿔뼈 사이의 섬세한 세포막에 문제를 일으키고 호흡의 사용에 부정적인 영향을 끼칠 수 있다.

4. 일부 모음이 다른 모음에 비해 더 잘 울린다.

이것은 피할 수 없는 문제이다. 하지만 우리는 모든 모음이 똑같이 잘 들릴 수 있도록 해결하는 법을 터득할 수 있다.

인지 훈련 5 • 혀

1. 먼저 코로 숨을 들이 쉬고 내 쉬자. 그리고 혀의 옆 부분이 윗니에 닿도록 연구개를 향해 혀의 뒷부분을 올리자. 이때 혀의 나머지 대부분은 입천장에

닿을 것이다. 이것이 혀의 가장 높은 위치이다.

2. 깊게 하품하면서 혀의 움직임을 느껴보자. 혀끝이 뒤로 당겨지고 혀가 아치형으로 구부려지며 혓몸은 입의 바닥에 '느슨하게 놓여지게' 된다. 이것이 혀의 가장 낮은 위치이다.
3. 높은 혀의 위치와 낮은 혀의 위치에서 모두 싸이러닝하며 소리적으로나 감각적으로 어떠한 차이가 있는지 비교해 보자. 싸이러닝을 하기 전에 혀의 위치에 따라 어떤 모음을 사용할지 '생각'하는 게 도움이 될 수 있다. 혀가 낮을 때는 '엉'('UHng' /ʌŋ/)으로, 높은 위치에서는 '잉'('EEng' /iːŋ/)으로 소리 내 보자.
4. 거울을 보고 턱을 아래 뒤쪽으로 당겼을 때 혀에 어떤 변화가 생기는지 살펴보자. 이때 턱의 움직임과 함께 혀가 아래로 당겨지지 않도록 주의해야 한다. 모음을 만들고 자음을 정확하게 발음하기 위해선 턱의 움직임과 분리된 광범위한 혀의 움직임이 필요하다.

위에서 설명한 혀의 잘못된 사용에 의해 발생하는 문제점 1, 2는 다음의 두 가지 연습을 통해 해결 가능하다. 연습 1은 고음을 편하게 내는데 도움이 될 것이며, 연습 2는 연구개로부터 혀의 움직임을 분리시켜줄 것이다.

연습 1 • 혀 뒷부분 올리기

1. 턱 매달기 자세를 취하며 입을 열자(크지 않게!). 혀를 아랫입술 밖으로 내밀고(혀가 매우 짧은 경우라면 일정부분 조정이 필요할 것이다) 필요한 경우 손가락으로 혀를 잡자.
2. 이 자세가 익숙해지도록 약간의 소리를 내보자. 목을 조이지 않도록 소리 없이 웃기(침묵웃음)를 사용하자.
3. 혀를 내민 상태를 유지하며, 쉬운 음정부터 시작해 '아'('AH' /ɑː/)로 옥타브

도약을 노래하자. 모음 '아' 소리가 약간 이상하겠지만 상관없으니 신경 쓰지 말자. 음정이 올라갈 때 혀끝이 뒤로 당겨지지 않도록 손가락으로 혀끝을 주의 깊게 모니터링 하자. 손가락 대신 거울을 보며 혀의 움직임을 살펴봐도 된다. 여러분이 이 연습을 올바르게 진행한 경우라면 고음으로 도약할 때 혀의 뒷부분이 솟아오르는 것을 느낄 수 있다. 후두의 대부분은 목뿔뼈를 지나 혀에 연결되어있다. 따라서 혀 뒷부분이 올라가면 후두도 함께 상승되어 고음이 더 잘나게 된다.

4. 이제 자신의 전체 음역대로 확장해 보자. 필요하다면 앵커링이나 방패연골 기울이기 같은 방법을 사용하자. 소리를 내는데 불편함이 없을 때까지 연습해 보자.
5. 자신의 가장 높은 음역에서 내려올 때도 계속해서 '아'로 노래하자. 서서히 손가락을 떼고(혹은 거울보기를 멈추고) 혀를 정상적인 입 안의 위치에 두자. 이제 손가락이나 거울 없이도 혀의 뒷부분이 고음에서 그대로 올라가는 것을 느낄 수 있을 것이다.

연습 2 • 혀와 연구개 움직임 분리하기

1. 턱의 움직임 점검 방법(149쪽의 인지 훈련 4)을 모두 사용하여 모음 '이'('EE' /iː/)에서부터 '우'('OO' /uː/)까지 연구개 조절 씨퀀스(6장 103쪽)를 실행하자.
2. 'ㄱ'('g')자음을 발음할 때처럼 혀의 뒷부분과 연구개가 인두 벽에서 만나도록 하자. 그런 다음 모음을 발음하면서 혀를 떨어뜨리자.
3. 엄지손가락을 턱 아래에 대고 혀의 움직임을 조금 더 살펴보자. '이'('EE' /iː/)로 발음할 때 어떤 움직임이 느껴져야 정상이며 다른 모음에서는 아주 작은 움직임만이 느껴져야 한다.
4. '응'('ng' /ŋ/)에서 각 모음으로 움직이며 소리 내 보자. 처음에는 아주 천천히 움직이면서 생각하고 느낄 수 있는 시간을 충분히 가지도록 하고, 익숙해지면 속도를 높여 연습하자.

모음 발음하기

이번 단락을 공부하는 동안 77~78쪽의 모음발음기호표를 참고하도록 하자. 발음기호를 읽을 수 있다면 바로 본문으로 들어가도 된다. 모음은 어떻게 만들어질까? 그림 5~12의 8가지 단모음(참고: 피터 래디포게드의 음향 음성학의 구성요소P Ladefoged's Elements of Acoustic Phonetics, 시카고대학출판부, 1962)을 살펴보자. 필자는 '왜 많은 사람들이 모음 '아'로 노래하는 것에 어려움을 느낄까?'라는 질문으로 이번 장을 시작했고, 이제 그 질문에 대답할 때가 된 것 같다. 모든 모음이 똑같이 만들어지는 것은 아니다. 그림에서 분명하게 알 수 있듯이 각 모음에 따라 성도의 모양도 다르며, 따라서 소리공명도 달라진다. 각 모음은 보통 모음 포먼트vowel formants라고 불리는 고유한 형태의 배음 패턴에 따라 구별되며, 소리신호를 시각적으로 보여주는 스펙트로그램spectrogram으로도 매우 분명하게 관찰된다. 음성분석프로그램 소프트웨어는 인터넷에서 무료로 다운받을 수 있다. 프로그램을 통한 시각적인 피드백은 여러분이 이후의 연습을 진행하는데 있어 또 다른 즐거움을 가져다 줄 것이다.[13]

전설모음의 포먼트는 후설모음의 포먼트보다 높은 주파수대를 가진다. 전설모음의 높은 주파수는 사람의 귀에 더 잘 들리며, 반대로 후설모음은 전설모음에 비해 잘 안 들린다. 우리는 노래할 때 음정을 유지하기 위해 주의를 기울이며, 각 음절을 발음할 때마다 갑자기 소리의 크기가 작아지는 것을 원치 않는다. 보통 노래를 부르는 사람은 다른 모음에 비해 소리가 '약한' 모음에 매우 신경을 쓴다. 그리고 약한 모음을 왜곡하거나 바꾸어 '더 강한' 모음처럼 들리고 느끼게 만들려는 충동을 느낀다. 그러나 이러한 모음의 변형은 조심스럽게 선택할 필요가 있다. 클래식이나 재즈, 팝 가수들이 모음을 변형시켜 노래하지만 항상 이러한 모음의 변형을 인지하며 사

[13] 음성분석 소프트웨어 정보 사이트: http://www.visualizationsoftware.com/

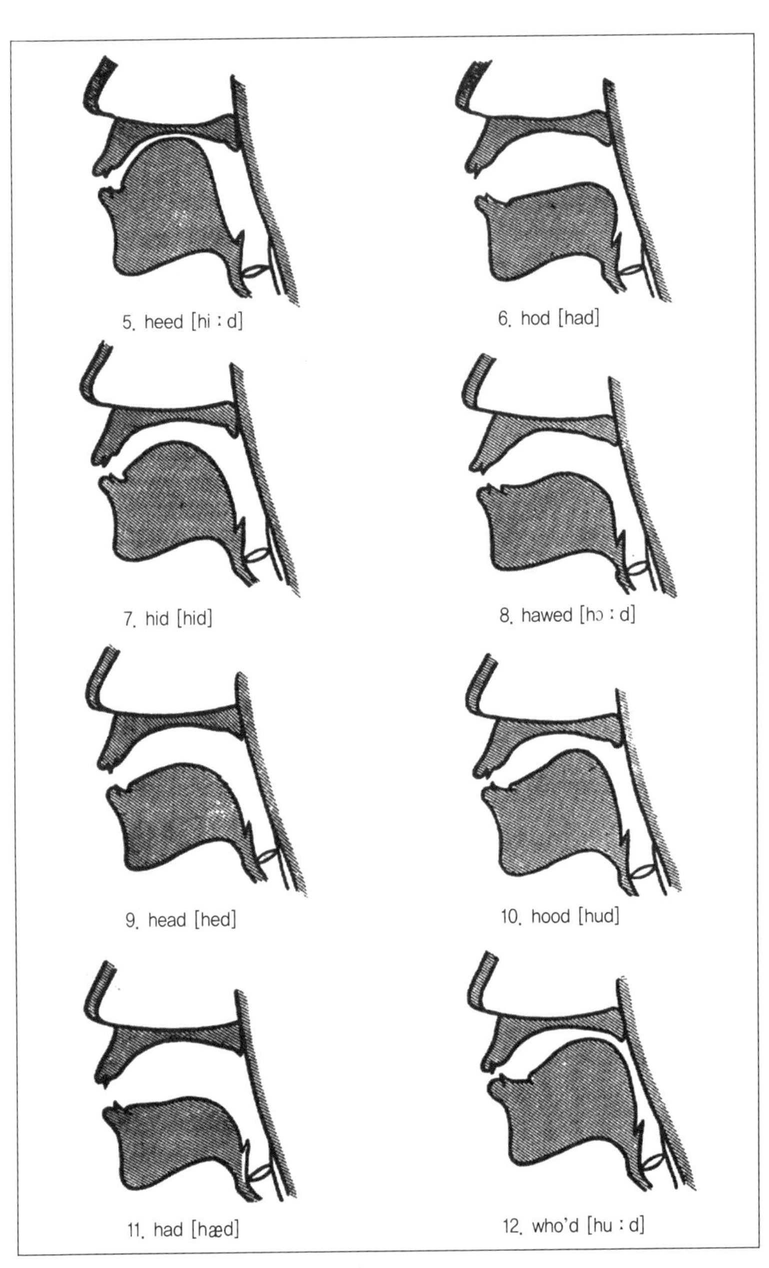

[그림 5~12] 각 단어에 따른 발성기관의 모양(엑스레이 촬영을 바탕으로 함)

용하는 것은 아니다. 반면에 배우는 모음 고유의 특성을 유지하면서 노래 가사를 전달해야 하는 임무를 띠고 있다. 사투리와 특정 억양으로 노래할 때도 마찬가지이다. 다음의 **중설화** 기술은 이러한 배우로서의 임무를 수행하도록 도와줄 것이다.

중설화medialising 또는 모음 포먼트의 조정

노래하는 사람들은 수세기 동안 모음에 통일성과 일치감을 주기 위해 힘써왔다. 이런 이유로 모음연습은 다양한 형태의 보컬 트레이닝에서 중요한 부분을 차지하고 있다. 모음에 통일성을 부여하기 위해서 이태리어의 모음 위치(성악을 할 때 매우 중요)를 기반으로 한 많은 방법이 사용된다. 그 밖에 흔히 사용되는 방법 중 하나는 밝은 전설모음front vowels을 어두운 후설모음back vowels이나 개모음open vowels과 조화를 이룰 수 있도록 밝은 모음을 '감싸는' 식의 모음 변형을 한다. 그러나 이 두 가지의 방법 모두 뮤지컬 발성으로는 적합하지 않다. 반면에 중설화는 모음의 불균형을 해결하기 위한 방법으로써 일반 배우나 뮤지컬 배우에게 적합하다. 중설화의 의미는 '중간에서 만들어지는 것'을 말한다. 특히 모음을 구별하기 위한 혀 모양의 변화가 앞이나 뒤가 아닌 혀의 중간에서 만들어지는 것을 의미한다. 이는 결국 각 모음 간에 통일성 있는 공명감을 주도록 모음 포먼트의 조율이 이루어진다는 것이다. 여러분은 중설화의 사용을 통해 좀 더 쉽게 들리면서 더 효율적인 소리를 만들 수 있다. 또한 중설화와 이와 관련된 훈련은 154쪽에서 서술한 문제점 3과 4의 해결에 도움을 줄 것이다.

그림 13을 보자. 여러분은 입 안에서 모음이 만들어지는 위치에 따라 그 성격이 결정된다는 것을 알 수 있다.

(1) 전설모음, 중설모음, 후설모음(모든 모음전환은 이 세 종류의 모음 사이에서 이루어짐)

(2) 폐모음, 중모음, 개모음(모든 모음전환은 이 세 종류의 모음 사이에서 이루어짐)

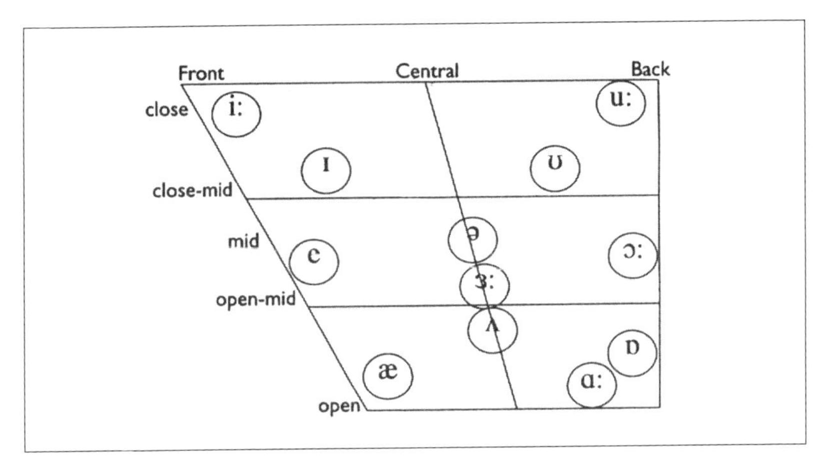

[그림 13] 입 공간을 구분한 모음사각도

전설모음은 입술과 치아근처에서 발음되고, 후설모음은 목구멍 주변에서 발음된다는 것을 의미한다. 폐모음은 혀가 입천장 가까이에 위치하고 개모음은 혀가 입의 바닥 쪽에 위치하는 것을 말한다.

이는 국제음성학회the International Phonetic Association가 정의한 표준모음의 위치이다. 모음사각도 내에는 표준 영국 영어General British speech의 단모음의 위치를 보여주고 있다. 그림 14, 15와 같이 모음사각도를 입 안 공간에 넣고 시각화하는 것이 혀의 위치를 설정하는 데 도움이 될 것이다.

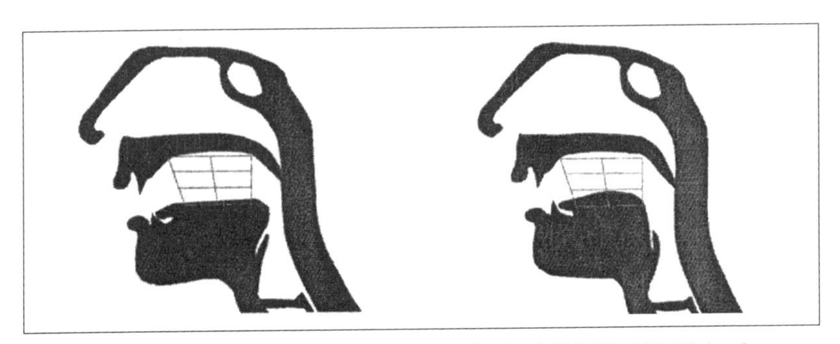

[그림 14] '아'('AH' /ɑ : /)　　[그림 15] 중설화된 '아'('AH' /ɑ : /)

중설화는 모음이 소리 나는 위치를 바꾸는 것이다. 그림 14와 15는 모음 '아'('AH' /ɑ：/)의 서로 다른 두 위치를 도식화하고 있다. 모음 '아'는 혀가 입의 바닥에 놓여 입천장과 가장 먼 개모음이다. 그림 15의 중설화된 '아'(AH' /ɑ:/)는 혀의 뒷부분과 인두 뒷벽 사이에 더 많은 공간을 만든다. 혓몸은 상승되어 조금 더 입 공간의 앞에 위치해 있으며, 혀뿌리는 더 이상 후두에서 올라오는 소리를 막지 않는다. 중설화는 고유한 모음의 특성을 손상시키지 않고 혀 뒤쪽, 입천장과 인두 뒷벽 사이를 조절하여 성도를 재조정함으로써 소리의 효율성을 극대화한다. 또한 혀가 윗니 쪽으로 향하기 때문에 쉽게 혀의 움직임을 점검할 수 있으며 이를 통해 혀가 눌리거나 목구멍 쪽으로 당겨지지 않도록 한다.

163쪽의 그림 16부터 21까지 살펴보자. 이 그림은 '아'를 제외한 표준 영국 영어의 후설모음을 나타내고 있다. 그림을 통해 중설화된 모음의 혀가 표준 위치의 혀보다 좀 더 앞쪽에 위치하고 있다는 것을 알 수 있다. 모음사각도 상에서도 약간 앞으로 위치한 혀의 모습을 볼 수 있다. 중설화에서는 모음을 구별하기 위한 혀 모양의 변화가 앞이나 뒤가 아닌 혀의 중간에서 만들어진다. 이 중설화 테크닉을 모든 모음에 적용하여 사용하는 경우 모든 모음의 구별이 가능할 뿐만 아니라 평상시의 모음소리처럼 들리게 된다.

중설화의 효과는 인두 뒷벽과 혀 뒤쪽 사이의 통로가 좁은 '우'('OO' /u：/), '오'('AW' /ɔ：/), '아'('aw' /ɒ/, 'AH' /ɑ：/), '어'(ER /ɜ：/)와 같은 중설모음과 후설모음에서 훨씬 더 잘 드러난다. 또한, 중설화는 자음을 발음하는 데 어떠한 영향도 주지 않기 때문에 자음 발음에 상관없이 사용할 수 있다.

중설화를 위한 준비

표준 영국 영어 모음표에서 혀의 가장 중립적인 위치는 주저모음the vowel of hesitation '어'('er' /ə/)이며 159쪽의 모음사각도 중간 부분에 위치해 있다. 이제 모음 '이'('EE')에서부터 중설화 연습을 시작해 보자.

연습 3 • 중설화 – 1단계

1. '잉'('EEng' /iː ŋ/)으로 소리 내며 혀의 뒷부분을 올리자. 그런 다음 혀가 위쪽 어금니에 닿는 느낌이 들 때까지 혀 뒷부분을 넓게 펴자.
2. 1의 상태에서 다른 발음을 하게 된다면 혀의 뒤쪽은 연구개에서 떨어지고 혓몸은 앞으로 움직이게 될 것이다.
3. 이제 러시아어 '네트'('nyet' /njet/)를 발음해 보자.
4. 반모음 'y[14]' /j/를 발음할 때 혀가 경구개를 따라 앞쪽으로 밀리는 것을 느낄 수 있다. 그림 15를 참고하여 중설화된 혀의 위치를 찾아보자. 혀는 위쪽 뒤어금니에 위치해야 한다. 혀가 위쪽 뒤어금니 높이까지 닿지 않는다면 아래턱을 약간 닫고 입 안의 공간을 더 작게 만들자.
5. 아주 천천히 '니이'-'네'-'냐아'-'뇨오'-'뉴우'('nyEE'-'nyeh'-'nyAH'-'nyAW'-'nyOO'/njiː/-/nje/-/njɑː/-/njɔː/-/njuː/)로 발음해 보자. 'n'에서 'y' 그리고 각 모음으로 바뀔 때 충분한 시간을 갖도록 하자. 이때 혀의 양쪽 날이 위쪽 뒤어금니에 가깝게 위치하도록 신경 쓰자. 전설에서 후설모음과 개모음으로 움직일수록 혀가 더 오목해질 것이다.

(1) 'n'에서 'y' 그리고 각각의 모음으로 움직일 때마다 비강통로를 닫자.
(2) 필요할 때마다 숨을 쉬자.
(3) '오'나 '우'를 발음할 때는 입술을 평소처럼 동그랗게 만들도록 하자.

14 반모음은 음성적 성질이 모음과 비슷하나 폐모음을 발음할 때보다, 혀가 입천장에 더 가까이 접근하는 소리로써 경구개 반모음 [y]와 연구개 반모음 [w]가 있다. 이 반모음은 대개 독립된 자음으로 쓰이지 않고, 모음과 결합하여 이중모음을 형성한다. 출처: [네이버 지식백과] [consonant, 子音] (두산백과) ■옮긴이 주

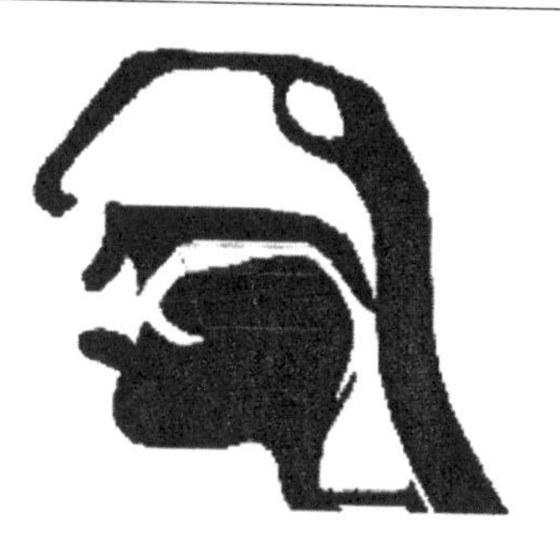

그림 16 'shoes'를 발음할 때 모음 [u :]

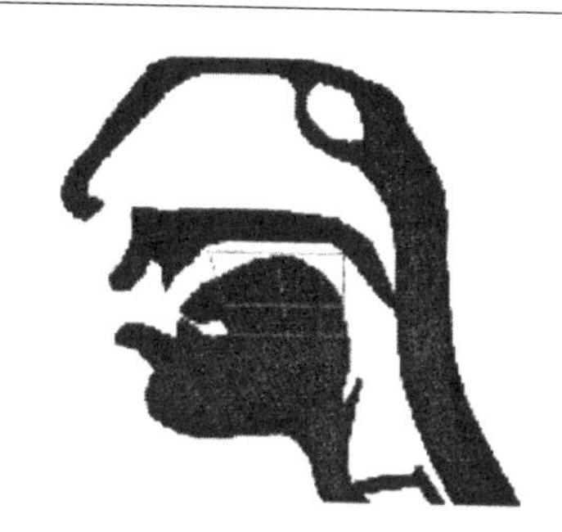

그림 17 중설화된 [u :]

그림 18 'horse'를 발음할 때 모음 [ɔ :]

그림 19 중설화된 [ɔ :]

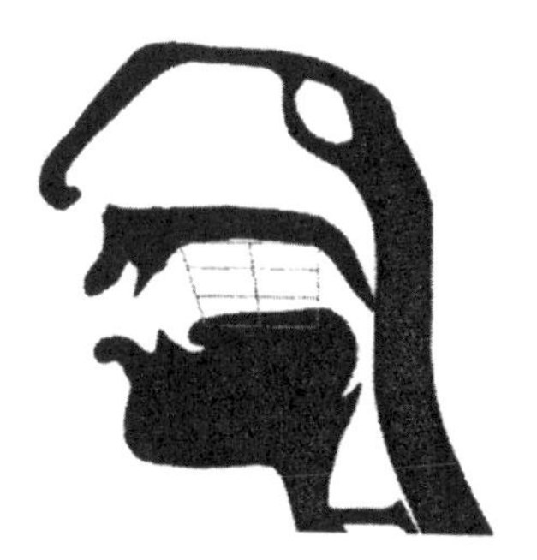

그림 20 'soft'를 발음할 때 모음 [ɒ :]

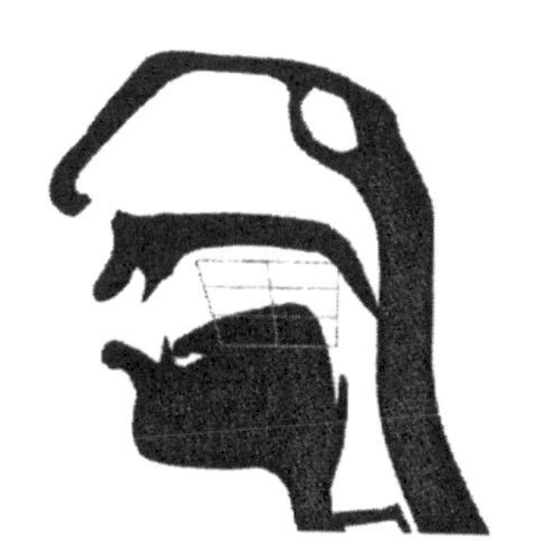

그림 21 중설화된 [ɒ :]

표준 영국 영어 모음: 단모음Monophthongs

대문자는 어휘집합의 단어를 표시하고, 굵은 글씨는 모음의 위치를 나타낸다.

장모음Long Vowels

/ɑː/ 개모음, 후설모음, 장모음, 평순음

open back long unrounded: P**A**LM r**a**ther, m**ar**k

/ɜː/ 중모음, 중설모음, 장모음, 평순음

mid central long unrounded: N**UR**SE, b**ir**d, conf**er**

/ɔː/ 반개모음, 후설모음, 장모음, 원순음

open-mid back long rounded: TH**OUGH**T, w**al**ker, l**aw**

/iː/ 폐모음, 전설모음, 장모음, 평순음

close front long unrounded: FL**EE**CE, m**ea**n, f**ee**d

/uː/ 폐모음, 후설모음, 장모음, 원순음

close back long rounded: G**OO**SE, cr**u**de, b**oo**ts

단모음Short Vowels

/ɪ/ 반폐모음, 전설모음, 단모음, 평순음

close-mid front short unrounded: K**I**T, st**i**ll, w**i**cked

/æ/ 개모음, 전설모음, 단모음, 평순음

open front short unrounded: TR**A**P, b**a**nned, spl**a**shed

/e/ 중모음, 전설모음, 단모음, 평순음

mid front short unrounded: DR**E**SS, t**e**nth, s**e**ction

/ʌ/ 반개모음, 중설모음, 단모음, 평순음

open-mid central short unrounded: STR**U**T, w**o**rried, w**o**nders

/ɒ/ 반개모음, 후설모음, 단모음, 원순음

open-mid back short rounded: L**O**T, s**o**ft, c**o**stly

/ʊ/ 반폐모음, 후설모음, 단모음, 원순음

close-mid back short rounded: F**OO**T, c**ou**ld, p**u**t

/ə/ 중모음, 중설모음, 단모음, 평순음

mid central short unrounded: C**O**MM**A**, **a**lone, moth**er**

표준 미국 영어 모음: 단모음Monophthongs

대문자는 어휘집합의 단어를 표시하고, 굵은 글씨는 모음의 위치를 나타낸다.

장모음Long vowels

/ɑː/ 개모음, 후설모음, 장모음, 평순음

open back long unrounded: PALM, s**o**vereign, marath**o**n

/ɝː/ r-음화음, 중모음, 중설모음, 장모음, 평순음

rhotic mid central long unrounded: N**UR**SE, p**er**fect, ref**er**

/ɔː/ 반개모음, 후설모음, 장모음, 원순음

open-mid back long rounded: TH**OUGH**T, wr**o**ng, s**aw**

/iː/ 폐모음, 전설모음, 장모음, 평순음

close front long unrounded: FL**EE**CE, m**ea**n, f**ee**

/uː/ 폐모음, 후설모음, 장모음, 원순음

close back long rounded: G**OO**SE, cr**u**de, b**oo**ts

단모음short vowels

/ɪ/ 반폐모음, 전설모음, 단모음, 평순음

close-mid front short unrounded: K**I**T, st**i**ll, w**i**cked

/æ/ 개모음, 전설모음, 단모음,평순음

open front short unrounded: TR**A**P, B**A**TH spl**a**shed

/ɛ/ 중모음, 전설모음, 단모음, 평순음

open-mid front short unrounded: DR**E**SS, t**e**nth, s**e**ction

/ʌ/ 반개모음, 중설모음, 단모음, 평순음

open-mid central short unrounded: STR**U**T, w**a**s, wh**a**t, **u**nder

/ʊ/ 반폐모음, 후설모음, 단모음, 원순음

close-mid back short rounded: F**OO**T, c**ou**ld, p**u**t

/ə/ 중모음, 중설모음, 단모음, 평순음

mid central short unrounded: COMM**A**, th**e**, **a**lone, tak**e**n

/ɚ/ r-음화음, 중모음, 중설모음, 단모음, 평순음

rhotic mid central short unrounded: LETT**ER**, int**er**national, sug**ar**

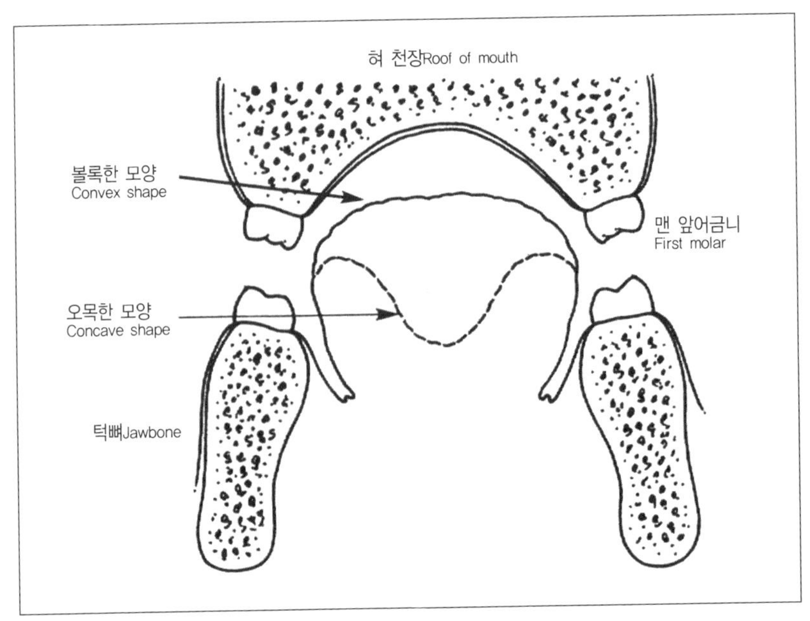

[그림 22] 앞에서 본 오목한 혀의 모습

중설화된 모음 '아'는 위치변화가 뚜렷이 드러나지만 모음 '이'의 밝은 소리와 공명과는 조화를 이루게 된다. 이러한 중설화 테크닉을 통해 모든 모음의 밝기를 일치시킬 수 있으며, 또한 후설모음을 발음할 때는 혀뿌리와 인두 벽 사이에 소리가 갇히지 않기 때문에 소리내기 더 쉬워질 것이다.

점검하기

이 연습은 혀의 위치를 고정시키거나 위쪽으로 들어올리기 위한 것이 아니다. 또한 턱에 힘을 주며 노래하기 위한 연습도 아니다. 오히려 이러한 현상들은 부적절한 긴장을 가져오게 된다.

(1) 엄지를 턱 아래의 부드러운 부분에 대고 혀의 바닥 부분을 손가락으로 느껴보자. 연습 2의 혀와 연구개움직임 분리연습처럼 모음 '이'에서만 근육의 긴장이 느껴져야 한다.

(2) 'n'에서 'y' /j/로 움직일 때는 비강통로를 반드시 닫아야 한다. 마지막 모음을 발음할 때 코끝을 잡아보면 비강통로가 닫혔는지 알 수 있다.

(3) 거울을 보거나 148쪽 인지 훈련 2의 턱 매달기 자세를 취하며 턱의 위치를 점검하자.

(4) 이 연습을 하는 동안 혀의 측면이 위쪽 뒤어금니와 떨어지는 경우, 혀를 윗니에 닿게 한 다음 혀를 입 안의 앞뒤로 움직여 혀가 가장 편하게 닿는 위치를 찾아보자.

연습 4 • 중설화 - 2단계

이 연습의 목적은 'ny' /nj/ 없이 모음을 중설화하는 것이다.

1. 혀를 중립위치에 둔 다음, 중설화의 준비단계로 처음 모음에만 'ny'를 붙이고 다음을 노래하자.

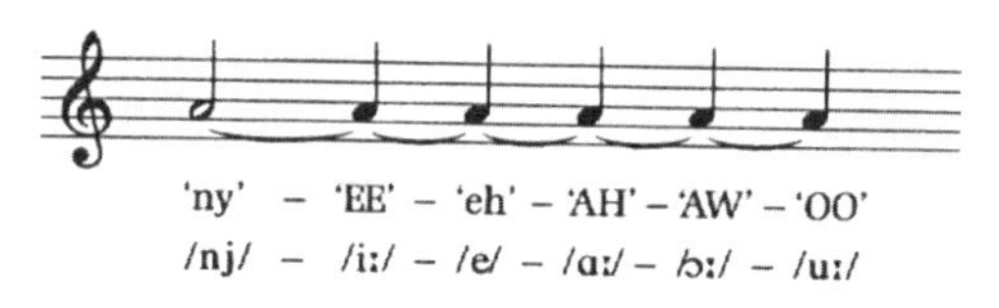

2. 처음에는 모음 간의 움직임을 천천히 하고, 점차적으로 모음의 이동을 빠르게 하자. '니이 - 에아 - 오 - 우'('nyEE' - 'eh' - 'AH' - 'AW' - 'OO' /njiːeɑːɔːuː/)
3. 이제 자신의 음역대 안의 다른 음정을 사용하여 '이 - 에아 - 오 - 우'('EE' - 'eh' - 'AH' - 'AW' - 'OO' /iːeɑːɔːuː/)로 노래하자.
4. 하향 스케일을 할 때는 모음 '이'에다 각기 다른 모음을 붙여 같은 음정으로 노래하자. 77쪽에 있는 모든 단모음을 사용해 불러보자.

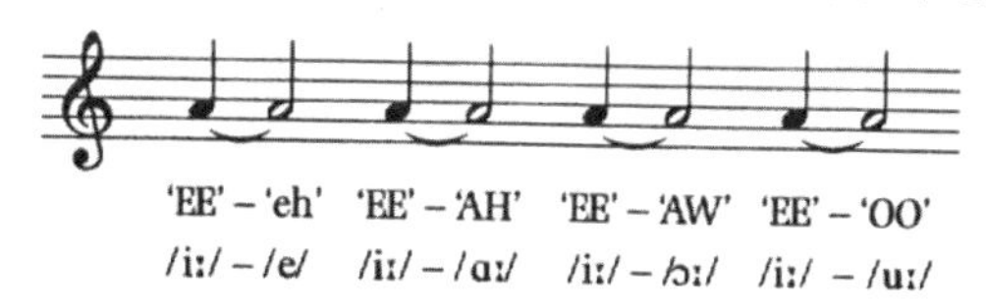

여러분은 이와 같은 방식으로 전체 음역대에 걸친 중설화를 연습할 수 있다. 또한 여러분은 이러한 중설화를 통해 모음 간의 공명과 에너지의 차이가 생기지 않는다는 것을 알게 될 것이다.

노래 과제 1 • Anyone can whistle

다음은 손드하임의 'Anyone Can Whistle' 중 특히 노래하기가 어렵다고 느껴지는 부분이다. 발췌 부분은 오리지널 키original key임으로 높은 음역대를 가진 사람이라면 E음정을 시작으로 해 연습하도록 하자. 모음 '아'로 가장 높은 음정을 불러야 하는데, 여러분의 혀가 납작하고 아래로 당겨져 있는 경우 이 부분을 노래하기 어려울 수 있다.

1. 고음 부분을 '히'('hEE' /hiː/)로 먼저 부른 다음, '햐'('hyAH' /hjɑː/)로 노래하자. 이때 혀를 경구개 가까이 유지하도록 하자. 처음 이 연습을 할 때는 음정이 원음보다 높아질 수 있으며, 이러한 현상은 '아'를 노래할 때 생기는 공명의 손실을 채우려고 하기 때문에 발생한다. 먼저 모음의 중설화에 따른 부정확한 음정을 맞추자. 그리고 중설화를 통해 좀 더 효율적인 소리를 내고 있는지 살펴보자. 미국식 영어발음으로 노래를 하더라도 이 원리는 동일하게 적용된다. 유일한 차이는 'urr'/ɚ/로 소리 나는 'r'을 모음과 함께 노래한다는 것이다.
2. 여러분이 공부하는 노래 중에 부르기 어렵다고 느껴지는 모음이 있다면 위와 같은 방법을 사용하여 불러보자. 노래하기 원하는 지점까지의 모음을 살펴보고, 필요하다면 개모음과 후설모음에서 혀를 좀 더 오목하게 만들자.

입술

입술은 구강the oral carity의 앞부분에 위치하며 따라서 성도의 끝 지점이 된다. 입술은 혀와 함께 자음을 발음하거나 일부 모음을 만드는 역할을 하며, 여러 그룹의 근육에 의해 움직인다.

다음은 입술을 움직이는 다섯 종류의 근육군이다.

1. 윗입술과 입 꼬리를 올리는데 쓰는 근육

2. 입술을 돌출하거나 (키스를 할 때와 같이) 입술을 닫을 때 사용하는 근육

3. 아랫입술을 아래턱 쪽으로 내리는 데 사용하는 근육

4. 입 꼬리와 입술을 귀 방향으로 당길 때 쓰는 근육

5. 아랫입술을 앞으로 쭉 내밀 때 (뿌루퉁해 입을 삐죽거릴 때처럼) 사용하는 근육

입술을 내밀거나 동그랗게 만들어야 하는 모음

1. 'OO' /uː/: 입술을 아주 동그랗게 하고 혀의 뒷부분은 입천장에 가까움.

2. 'ou' /ʊ/: (book을 발음할 때처럼): 입술은 약간 덜 동그랗게 하고 입을 조금 더 열어야 하며 혀의 뒷부분이 'OO'보다 입천장에서 약간 더 떨어짐.

3. 'AW' /ɔː/: 입술은 여전히 돌출되어 있지만 덜 동그란 모양이며 혀의 뒷부분이 중모음보다 조금 더 아래로 떨어짐.

4. 'aw' /ɒ/: 입술은 여전히 동그랗지만 덜 돌출되고 혀의 뒷부분이 낮음.

입술에 의해 형성되는 자음

1. 'p', 'b', 'm': 양 입술이 닿아 만들어짐.

2. 'f', 'v': 입술과 이가 닿아 만들어짐.

3. 'w': 입술과 연구개의 움직임으로 만들어짐.

연습 5 • 입술 근육 활성화하기

거울을 보면서 다음의 안면운동을 실행해 보자. 각 단계를 몇 분에 걸쳐 훈련하도록 하고, 다음 단계의 새로운 입술 모양을 만들기 전에는 중립적이고 편안한 얼굴 표정을 유지하도록 한다.

1. 입술을 닫은 상태에서 콧방귀를 끼거나 비웃는 듯한 표정을 지어보자. 콧구멍을 조금 넓히고, 윗입술과 코 사이의 공간을 좁히며 윗입술이 코 쪽으로 향하도록 하자.
2. 입을 살짝 벌리고 엄지손가락 끝 부분을 윗니와 아랫니 사이에 넣자. 윗입술 근육만을 사용하여 윗입술이 위로 들리도록 하자. 이때 혀와 턱에 긴장이 되지 않도록 한다(불편하지 않다면 엄지손가락 관절까지 입 안에 넣어도 상관없다). 1, 2는 윗입술을 올리는 근육을 활성화하는 훈련이다.
3. 입을 다물고 배트 맨 영화의 '조커'처럼 미소 지어보자. 입 꼬리를 올리는 근육이 활성화될 것이다.
4. 다시 엄지손가락 관절을 윗니와 아랫니 사이에 넣고 입을 벌리자. 엄지손가락을 제거한 다음 금붕어 같은 물고기 입 모양을 만들어 보자. 이제 반대로 동그란 모양의 입술을 입 안으로 넣는다고 생각하며 뒤로 당겨보자. 입술을 돌출시키는 근육이 느껴지도록 번갈아가며 위의 동작을 반복하자.
5. 턱을 닫은 상태에서 찌푸리듯이 입술을 아래로 내리자. 그 다음 뾰로통할 때처럼 아랫입술을 내밀어 보자. 아랫입술을 내리는 근육을 활성화될 것이다.
6. 턱을 다시 열고 우는 아이처럼 턱에 떨림을 주자. 아랫입술은 여전히 돌출된 상태여야 한다. 아래턱과 입술을 연결하는 근육이 활성화될 것이다.
7. 턱을 닫은 상태로 얼굴을 평평하게 하며 미소를 크게 지어보자. 그러고 나서 입꼬리가 귀 쪽을 향한다는 생각으로 뒤로 당기면서 매우 자신만만한 미소를 지어보자. 이렇게 하면 입꼬리를 뒤로 당기는 근육이 활성화된다.

중립적이고 편안한 표정으로 1에서 7단계의 훈련을 실행하며 각각의 입술모양을 만들자. 한 단계마다 몇 분에 걸쳐 훈련하도록 한다.

3장에서 우리는 후두를 올리느냐 내리느냐에 따라 성도관the vocal tract tube의 길이가 길어지거나 짧아진다는 것을 배웠다. 그리고 이러한 성도의 길이는 입술로도 조절 가능하다. 다음의 연습은 입술을 사용하여 공명의 질을 바꾸는 훈련이다.

연습 6 • 입술을 사용해 성도의 길이 늘이기

1. 먼저 입술에 힘을 빼고 모음 '이'('EE'/i : /)로 노래하자. 그 다음 입술을 돌출시키며 '이'로 노래하자. 소리가 약간 어두워지는 것을 느낄 수 있다(입술을 내민 '이' 소리는 프랑스어의 모음 'u'/y/로 들릴 것이다).
2. 일반적으로 입술에 힘을 주지 않아도 발음되는 다른 모음들을 위와 같은 순서에 따라 소리내보자. 소리 빛깔의 확연한 차이를 알 수 있다.
3. 이제 반대로 '아'('AH' /ɑ : /)로 먼저 노래한 다음, 입술 양 옆을 뒤로 당기며 노래하자. 성도의 길이가 약간 짧아지고 소리는 더 밝아질 것이다.

여러분은 긴 음정을 부르는 동안 소리에 변화를 주기 위해 이러한 테크닉을 사용할 수 있다. 예를 들어, 밝은 톤에서 좀 더 어두운 톤으로 변화를 주거나 그 반대의 경우에 사용 가능하다(약간 돌출된 입술 모양과 미소 짓는 입술 모양의 두 가지 테크닉을 모두 사용하여 학생을 가르치는 음악학교도 있음).

노래 과제 2 • 자유곡

1. 먼저 노래하기 어렵다고 생각했던 곡을 선정한 다음 이번 장에서 배웠던 훈련 방법을 동원하여 문제를 해결해 보자. 아마도 다음과 같은 어려움이 있었을 것이다.

(1) 혀를 누름으로 인해 고음을 부르기가 어렵다.

(2) 노래할 때 소리가 좋지 않다고 느껴지는 부분이 있다. 아마도 자신의 음역에서 공명이 잘 안 되는 부분일 것이다(성도는 공명을 증폭시키는 배음을 여과하는 장치라는 것을 기억하자. 성도에 의해 어떤 소리는 증폭되고 어떤 소리는 감소된다). 이런 경우 우리는 혀의 위치를 조절함으로써 공명의 문제를 해결할 수 있다.

(3) 긴장되거나 지나칠 정도로 턱이 움직인다. 이 같은 턱을 여러분이 하고 있다면 소리가 공명되기 어렵다.

2. 노래 훈련을 하는 동안 손가락을 턱 아래에 대고 느끼기, 한 손가락 입 안에 넣기, 혀를 입 밖으로 내밀고 노래하기, 혀 옆면을 이에 닿기, 거울 사용 등의 모니터링을 잊지 말자.

우리의 목소리는 음향악기이다. 이번 장의 훈련을 통해서 여러분은 이 악기를 최상의 상태로 만들 수 있을 것이다. 여러분은 연구개, 혀, 턱, 입술을 조절하는 방법을 이해함으로써 전달력이 좋은 소리를 가질 수 있으며, 이로 인해 여러분은 가사와 의미에 더욱 집중하며 관객과 호흡하는 멋진 자유를 누리게 될 것이다.

Chapter 9.

트웽, 가창자의 포먼트

Twang, the singer's formant

우리는 6장과 8장에서 구강과 비강공명 사이의 균형을 찾는 방법, 구강공명을 향상시키기 위한 혀와 턱의 조율 방법 등, 공명의 운용방법에 대해 다루었다. 하지만 이러한 구조 외에 성도 내 다른 기관의 조율을 통해서도 공명을 증폭시키는 것이 가능하다. 이번 장에서는 성대 바로 위에 위치한 후두관the tube of larynx을 통해 공명을 조절하는 심화훈련을 할 것이다.

보이스 트레이너와 가창자가 말하는 공명은 소리 필터링의 한 형태이다. 성도의 각 부분—후두관, 코, 입, 인두—은 고유의 공명주파수를 가지고 있다. 성도의 공명주파수와 근접한 배음은 더 강해지고 그렇지 않은 배음은 감쇠된다. '포먼트'는 이러한 배음들 중에서 가장 높은 에너지의 꼭짓점으로 알려져 있다. 이러한 포먼트를 통해 우리는 모음을 식별한다. 전혀 발성을 하지 않더라도 '이'와 '우'의 차이를 구별할 수 있는 이유가 바로 이 포먼트 때문이다. 가창자의 포먼트는 이러한 원리와 귀가 소리를 인지하는 방법에 기반을 두고 있다. 다음은 기본

주파수 또는 저음의 낮은 도bass low C 음정과 함께 나오는 배음의 정렬이다.

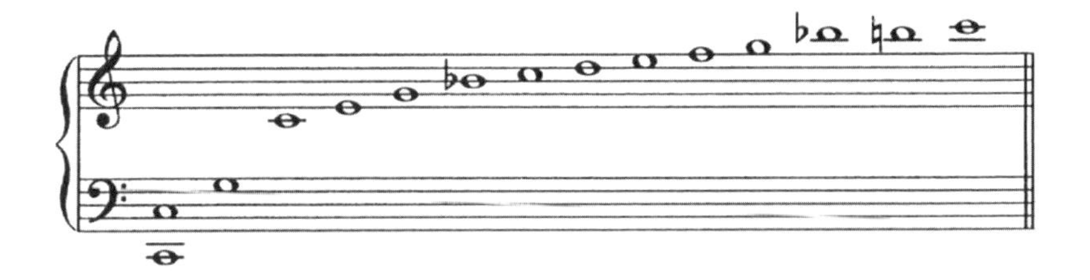

이도耳道, 귀의 통로 역시 자신의 고유한 공명주파수를 가지고 있다. 어떤 음정이 귀의 공명주파수 범위에 있을 때 이도는 이 주파수와 공명하게 된다. 이것이 바로 적은 노력으로 소리를 잘 들리게 만드는 비밀 중 하나이며, 우리의 귀가 트웽을 들었을 때 더 잘 들린다고 생각되는 이유가 바로 이 때문이다.

가창자의 포먼트

8장에서 설명한 것처럼, 높은 주파수는 우리 귀에 더 잘 들린다. 왜냐하면 이도의 공명주파수대가 2500Hz에서 4000Hz(헤르츠)이기 때문이다. 우리가 트웽을 사용할 때는 이와 같이 증폭된 배음들이 쉽게 나타나게 되며 20dB(데시벨)이라는 상당한 양의 크기까지 소리를 증가시킬 수 있다. 이러한 이점 때문에 가수의 소리가 앰프와 같은 음향시설 없이도 전체 오케스트라를 뚫고 들리게 되는 것이다. 이처럼 증폭된 배음들의 대역을 우리는 가창자의 포먼트라고 일컫는다. 노래하는 사람만이 트웽을 전문적으로 쓰는 건 아니다. 훈련된 배우 역시 큰 공간을 채우기 위해 트웽을 사용한다. 훈련담당 부사관, 길거리에서 소리를 지르며 물건을 파는 장사꾼, 신문 판매원 역시 트웽을 사용한다.

순수한 형태의 트웽은 밝고, 귀에 거슬리는, 금속성의 시끄러운 소리이다. 모든 사람들이 트웽을 기분 좋은 소리라고 여기는 것은 아니다. 트웽은 갓난아기가 엄마를 찾는 소리이며, 시끄럽고 복잡한 버스 안에서도 잘 들리는 두 살배기 아이의 소리이다. 이 음색은 명령하거나 짜증날 때 쓰는 소리이기도 하지만 훌륭한 오페라 가창의 필수 요소기도 하다. 또한 트웽은 웨스트 앤드와 브로드 웨이 뮤지컬의 특징이기도 하며 팝뮤직에도 사용된다. 트웽은 그 자체를 음성적 특징으로, 또는 여러분이 사용하는 음색 중에 하나의 구성요소(트웽을 섞어서 사용)로써 사용할 수 있다. 여러분의 목소리에 트웽을 더한다면 야외나 큰 공간에서 다른 사람에게 여러분의 목소리를 전달할 수 있으며, 명확하고 좋은 신호를 음향기계에 보낼 수 있을 것이다.

자, 그렇다면 이러한 소리를 내기 위해 어떻게 해야 할까? 다음의 그림을 살펴보자. 뒤에서 바라본 후두의 모습이다.

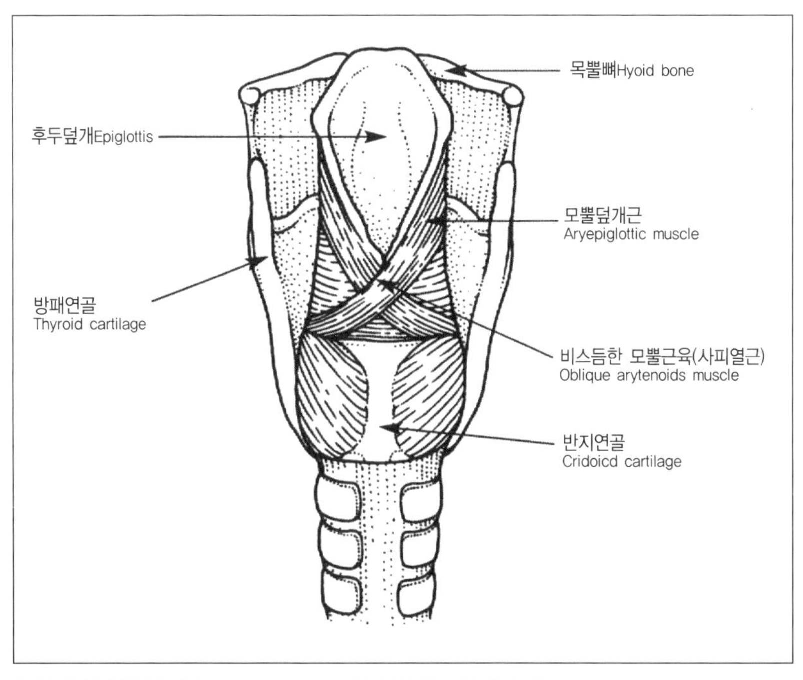

[그림 1] '모뿔덮개조임근aryepiglottic sphincter'을 보여주는 후두의 뒷면

후두덮개와 주변의 근육들은 트웽이라는 추가적인 공명을 만드는 역할을 한다. 후두덮개는 유연한 연골조직으로 구성되어 있으며, 살짝 말린 듯한 잎 모양을 하고 있다. 후두덮개는 음식과 물과 같은 액체가 식도 방향으로 갈 수 있도록 후두 위를 덮는 역할을 한다. 후두덮개는 인두관의 깃the collar of the pharyngeal tube이라고도 부르며 깃 주위의 근육들이 수축하면 깃은 좁아진다. 깃이 좁아지고 인두가 넓어지면 성도 안에서 추가적인 공명이 생성될 수 있는 조건이 만들어지게 된다. 후두덮개를 포함한 이러한 근육의 움직임을 모뿔덮개조임근 운동이라 칭한다.

모뿔덮개조임근은 근육의 수축에 의해 좁아진다. 그러나 다른 부위를 긴장시키지 않고 후두의 한 부분만을 수축시키는 것이 쉬운 일은 아니다. 트웽을 시도할 때는 모뿔덮개조임근뿐만 아니라 다른 부위를 조임으로 인해 발생하는 음성기관의 긴장을 없애기 위해 다음의 여러 준비가 필요하다.

연습 1 • 트웽 준비하기

트웽 연습을 위한 준비 단계로써 지난 장에서 했던 몇 가지 훈련을 복습해 보자.

1. 후두가 중간이나 높은 위치에 놓여 있는지 체크하자. 후두의 위치는 트웽의 소리를 찾는데 매우 중요하다. 조용히 자신의 가장 높은 음역대까지 싸이러닝을 하거나, 무언가 삼키려고 할 때의 후두 위치만큼 후두를 올리자(3장 45쪽 참고). 너무 힘을 주면서 소리 내지 않기 위해 분리 체크리스트를 다시 한 번 떠올려 보는 것도 좋다.
2. 8장에서 사용했던 '니예트'를 하면서 높은 혀의 위치를 확인하자. 혀의 측면과 위쪽 뒤어금니가 닿아 있는지 느끼며 혀의 위치를 점검하자.
3. 소리 없이 웃기(침묵웃음)를 사용하여 가성대가 물러나도록 하자.
4. 흐느끼기, 개처럼 낑낑거리기, 싸이러닝을 시작할 때처럼 가는 성대모양을 만들자.

5. 비강 통로를 반쯤 열고 말하거나 노래해 보자. 6장 104쪽처럼 코끝을 잡고 자신의 소리를 모니터 하자. 비강통로를 열고 다음과 같이 모음을 발음해 보자. '잉', '엥', '앙', '옹', '웅'('EE', 'eh', 'AH', 'AW', 'OO' /ĩ : /, /ẽ/, /ã : /, /ɔ̃ : /, /ũ : /). 반개방형 비강 통로를 사용한 트웽은 음식을 삼키는 과정에서 발생하는 후두의 폐쇄와 수축이 일어나지 않도록 후두를 속여 후두가 내려가지 않도록 만든다.

이제 준비훈련을 마치고 다음 훈련으로 넘어가 보자.

연습 2 • 트웽어(모뿔덮개조임근) 조이기

다음은 트웽 소리를 찾는데 도움을 주는 여러 가지 청각적 신호이다. 모두 시도해보고 자신에게 가장 잘 맞는 것을 다음의 훈련에 적용시켜 보자.

1. 행복한 마녀처럼 낄낄대며 웃기
2. 배고픈 고양이처럼 울기
3. 흥분한 오리처럼 꽥꽥대기
4. 버릇없는 아이처럼 말하기 '녜-녜-녜-녜-녜'('Nyea-nyea-nyea-nyea-nyea')

또는 트웽 음색을 사용하는 캐릭터나 상황을 그려보자.

5. 높고 날카로운 목소리를 가진 만화나 TV캐릭터의 목소리를 따라 흉내내보자. 일반적으로 어린이 프로그램의 캐릭터들은 트웽 음색의 모방에 있어 유용하게 사용될 수 있다(거칠고 긁어대는 듯하거나 귀에 거슬리는 목소리를 사용하는 캐릭터는 피하자).
6. 리차드 3세 초반부의 로렌스 올리비에의 음성.
   대사 예: 'Now is the Winter of our discontent made glorious Summer by this sun of York.'

7. 밖에 나가자고 조르거나 늦게까지 안 자려고 떼쓰는 불만 가득 찬 아이의 소리.
8. 저녁식사 시간에 밖에 있거나 위층에 있는 아이들을 부르는 엄마의 목소리.

트웽에 대한 청각적인 기억을 불러일으키는 다른 예를 생각해도 좋다. 위의 소리를 연습하는 동안 여러분의 목소리에 어떠한 질적 변화가 생겼는지 살펴보자. 여러분의 목소리는 아마도 밝고, 새되고, 날카롭고, 그리고 '예리하며', '에는 듯' 느껴질 것이다.

운동감각적 신호

트웽의 느낌은 여러분이 평소 소리 내는 방식과는 다를 수 있다.

(1) 입 안의 공간은 수직적이기보다는 수평적으로 느껴진다.
(2) 소리색깔은 밝으며 입 안과 광대뼈 뒤에서 소리가 울리는 느낌이다.
(3) 연구개와 혀를 사용하는 감각이 느껴진다.
(4) 후두 안의 공간이 더 작아지는 것처럼 느껴진다.
(5) 힘들이지 않고 소리가 '빠져나가는' 것처럼 느껴진다.

연습 3 • 트웽 소리 만들기

1. 가늘게 만든 성대와 높은 위치의 후두(연습 1: 트웽 준비하기 살펴보자)를 만든 후 트웽 소리를 내보자. 트웽을 대한 근육기억muscle memory; 머슬 메모리을 사용하여 다음의 연습을 진행하자.
2. 계속해서 혀의 위치를 점검하며 혀가 위쪽 뒤어금니와 닿도록 하자.
3. 비강자음은 트웽을 만드는 데 도움이 됨으로 '니에아오우'('nyeeow' /nji : ea : ɔ : u : /)를 사용해 트웽 연습을 해보자. 이것은 고양이가 우는 소리의 변형이며, 트웽을 하는 동안 혀를 높게 유지하는 데 도움을 줄 것이다.
4. 계속해서 '니에아오우'로 말하면서 자신의 음역 내의 여러 음정을 소리내보자.

트웽 음색이 쉽게 찾아지는 음역에서 시작해 높은 음정이나 낮은 음정으로 움직이며 트웽을 하자.

노력 점검하기monitoring effort

만약 성대에 힘을 주고 소리 내거나 후두 내에서 안쪽으로 혹은 밑으로 누르는 느낌이 든다면, 트웽을 만들기 위한 노력을 잘못 기울이고 있는 것이다. 다음은 트웽을 위한 노력의 수준effort level을 확인하는 몇 가지 점검사항이다.

(1) 모음을 발음하기 전 '니에아오우'('nyeeow' /nji ː ea ː ɔ ː u ː /)의 'y' /j/를 사용해 혀가 경구개를 따라 앞으로 움직이도록 하자. 이러한 움직임은 트웽의 필수요소인 높은 혀를 만들어 줄 것이다.

(2) 연습 1의 트웽 준비하기에서 비강자음 'n'을 발음할 때처럼 경구개와 코 뒤쪽에서 감각이 느껴지도록 하자. 그리고 성대가 아래로 내려가지 않도록 신경 쓰자.

(3) 싸이러닝을 하거나 얇은 성대를 만들 때처럼 적은 호흡을 사용하자. 큰소리를 내려고 숨을 많이 들이마셔서는 안 된다.

(4) 가성대를 뒤로 물러나게 하자. 트웽을 할 때 불편한 느낌이 있으면 절대로 안 된다.

(5) 여러 음역대를 걸쳐 트웽을 하면서 어떠한 노력상의 변화가 생기는지 살펴보자. 기어 변경지점부터 아래 낮은 음역대까지는 트웽이 잘 안될 수 있고, 고음역에서 음성기관을 너무 많이 조이는 현상이 나타날 수도 있다.

결과적으로 머릿속에서 날카롭고 찌르는 듯한 소리가 느껴진다면 여러분의 트웽어(모뿔덮개조임근)가 잘 작동하고 있는 것이다. 연습 3은 트웽을 만들기 위한 근육의 사용에 관한 것이지 아름다운 소리에 관한 것이 아니다. 소리는 나중에 얼마든지 수정할 수 있으니 일단 내버려 두자.

트웽으로 노래하기

여러분이 트웽의 소리와 느낌을 알기만 한다면 트웽으로 음정을 노래할 수 있다. 그리고 앞에서 설명한 청각적 신호에 가까운 음정을 사용하면 트웽을 위한 근육기억을 체화하는데 도움이 될 것이다. '우'('OO' /uː/), '아'(AH /ɑː/), '오'('AW' /ɔː/, 'aw' /ɒ/)와 같은 후설모음과 개모음은 트웽을 하기가 더 어렵다. 하지만 8장에 다루었던 후설, 개모음을 위한 중설화 위치를 마스터 한 경우라면 이런 어려움은 극복할 수 있을 것이다.

연습 4 • 모든 모음으로 트웽하기

1. 먼저 전설모음 '이'('EE' /iː/), '에'('eh' /e/), '애'('ae' /æ/) 중 하나로 트웽을 시작하자.
2. 한 음정으로 '니'('nyEE' /njiː/)에서 '뉴'('nyOO' /nyuː/)까지 다섯 가지 모음을 사용하여 노래하자. 입 안 공간은 작게, 후두의 내부 공간은 침묵웃음을 사용하여 넓게 만들자. 그리고 '오'('AW' /ɔː/)와 '우'('OO' /uː/)를 발음할 때는 입술을 동그랗게 만들도록 한다.

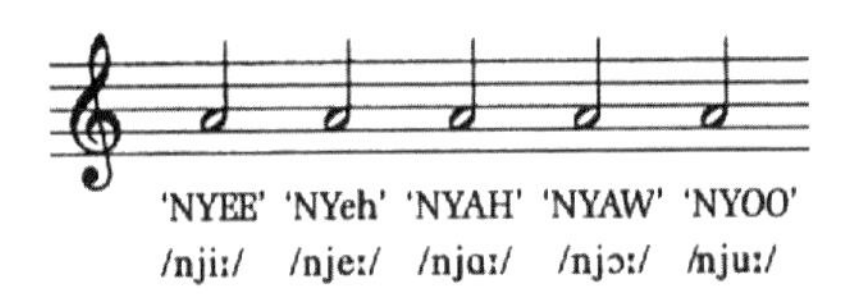

3. 천천히 고양이 울음소리를 낸다고 생각하면서 다섯 가지 모음을 소리 내 보자.

노력 점검하기

만약 후두에서 뭔가 긁히는 것처럼 느껴지면서 귀에 거슬리고 쥐어짜는 듯한 소리가 난다면, 여러분은 가성대를 조이거나 진성대를 서로 지나치게 부딪치고(누르는 발성pressed phonation) 있기 때문이다.

(1) 침묵 웃음을 사용하여 발성기관의 긴장을 없애자.

(2) 더 얇은 성대를 만들기 위해 원음보다 더 높은 음정에서 싸이러닝을 한 후 원래의 음정으로 내려오자.

(3) 호흡을 밀지 말아야 한다. 지나치게 많은 공기가 트웽어를 지나갈 경우에는 음성기관의 긴장을 불러일으킬 것이다. 싸이러닝을 할 때 이상의 호흡은 사용하지 말아야 한다.

(4) 비강통로가 여전히 반개방 상태여도 괜찮다.

5장의 연습 3과 7장의 연습 6~9에서 다루었던 기어를 부드럽게 바꾸는 훈련을 복습하자. 다음의 연습에 도움이 될 것이다. 첫 번째 기어 변경지점 밑에서는 성대가 두꺼워지기 쉽고, 고음역으로의 기어 변경을 잘 하기 위해서는 후두의 상승이 필요하다는 것을 기억하자. 기어 변경을 하는 동안 후두가 낮아질 수 있으며 나아가 이런 현상은 발성기관의 조임이나 트웽을 잃게 만드는 원인이 될 수도 있다.

연습 5 • 음역대 전체에서 트웽하기

다음은 음역 전반에 걸쳐 트웽 음색을 찾기 위해 사용하는 간단한 연습방법이다. 아무 음정으로 다음의 스케일을 노래하자.

다음의 잠재적 문제를 해결할 수 있는 방법을 살펴보자.

(1) 하향 스케일을 할 때 발생하는 트웽의 손실

후두가 함께 내려오는 것이 원인일 수 있다. 낮은 음정에서 트웽을 할 때는 원래 그 음정을 낼 때보다 높은 후두의 위치가 필요하다. 이 문제를 해결하기 위해 3장 46쪽의 후두 상승을 위한 연습 3을 참고하자.

(2) 고음역에서 발생하는 문제

가끔씩 목소리가 끊어지는 것을 느낄 수 있는데 이것은 대체적으로 발성기관의 조임 때문에 발생한다. 이러한 경우에는 트웽을 멈추고 싸이러닝으로 노래하자. 그런 다음 다시 트웽으로 고음을 부르자. 힘을 들이지 않고 편안하게 트웽을 하기 위해서 트웽의 사용 정도를 줄여야 할 수도 있다.

(3) 성대 두께의 문제

트웽은 얇은 성대로 가장 잘 만들어짐을 명심하자. 방패연골을 기울이는 감각을 통해 성대를 얇게 유지하지 않으면 방패연골이 풀어져 성대의 두께가 두꺼워 질 수 있다. 두꺼운 성대로 트웽을 하면 누르는 발성이 될 수 있음으로 피해야 한다. 또한 성대의 사용과 모뿔덮개조임근의 수축 사이에서 균형을 찾을 필요가 있다.

8음정 스케일을 사용하여 좀 더 심화된 버전의 트웽 훈련을 해보자.

연습 6 • 구강 트웽ORAL TWANG

이전의 연습들은 비강통로가 반 개방된 상태에서 이루어지는 비강 트웽nasal twang에 관한 것이었다. 이번 연습의 목표는 이러한 비강 트웽에서 비음을 분리시키는 것이다.

1. 비강통로를 열고 닫는 것을 복습하자. 특히 비강통로가 반 개폐상태에서 폐쇄상태가 될 때 어떠한 감각의 변화가 생기는지 주의하여 살펴보자(104쪽).

2. 위쪽 뒤어금니 양쪽에 혀가 닿아 있는지 점검하며 연구개의 움직임을 혀와 분리시키도록 한다.
3. 비강통로를 닫을 때는 아래가 아니라 연구개를 들어 올려 반드시 '위로' 닫아야 한다.
4. 아주 천천히 '니이'('nyEE' /nji : /)로 노래하면서 트웽어를 단단히 조이자.

(1) 'y' /j/ 소리를 낼 때 경구개를 따라 혀가 앞으로 움직이도록 하고 '이'('EE' /i : /)를 노래할 때 비강통로를 닫자.

(2) 싸이러닝을 할 때처럼 얇은 성대를 만들자(위의 훈련 5 참고).

(3) 만약 구강 트웽을 만들 때 후두가 낮아지거나 혀의 뒷부분이 아래로 당겨진다면 트웽의 빛깔을 잃게 될 것이다.

(4) 2단계에서 설명한 혀의 위치를 점검하고, 손으로 후두의 높이를 살펴보자(3장 41쪽).

필자는 트웽에 관한 워크숍을 진행할 때마다 대부분 다음과 같은 질문을 받게 된다. '이건 비음이 아닌가요?' 사실 많은 사람들이 트웽을 '인위적'이거나 과한 비음이라고 잘못 인식하고 있다. 자, 다음의 연습을 통해 비강 트웽과 구강 트웽의 차이점을 인지하고 구별해 보자(6장의 연습을 적용).

연습 7 • 비강 트웽에서 구강 트웽으로

1. 114쪽 6장의 노래 과제 3을 복습하자. 이 노래는 비강 자음이 없기 때문에 비강통로를 닫고 노래전체를 부를 수 있다.
2. 트웽의 통일성을 노래에 주기 위해 각 음절의 모음 앞에 'ny' /nj/를 삽입하여 노래하자.
3. 트웽의 소리와 느낌을 유지하며 원래의 가사로 노래하자. 콧구멍 밑에 손가락을 대고 비음이 섞이는지 확인하자. 이 노래는 비강 자음이 없음으로 어떤 소

리도 코를 통해 나와선 안 된다.

4. 만약 비강 트웽 소리가 나면, 반 개폐 상태의 비강 통로를 닫기 위한 연습(6장의 105쪽 연습 4)을 하자.

트웽을 할 때 발생하는 문제

트웽은 높은 강도의 음질이다. 트웽을 하려면 후두의 근육들을 조여야 하기 때문에 음성적인 문제가 있거나 노래 실력이 미숙한 사람들은 트웽을 하지 말아야 한다.

1. 성대를 대충 닫는 습관을 가진 사람은 트웽을 하기 전에 호흡과 성대의 사용 정도를 조절할 필요가 있다. 만약 소리를 정말 열심히 내고 있는 데도 목소리에서 호흡이 새는 소리가 습관적으로 난다면, 먼저 도움을 줄 수 있는 선생님을 찾아 이 문제를 해결해야 할 것이다.

2. 성대를 지나치게 붙이는 사람이 트웽을 하면 성대에 과부화가 생길 수 있음으로 이 음색은 사용하지 말아야 한다. 만약 여러분 중 싸이러닝이 잘 안되거나 작은 소리로 노래하는 게 쉽지 않다면, 발성을 통해 이 문제를 해결하기 전까지 트웽을 하지 않는 것이 좋다.

3. 평상 시 말을 할 때 트웽 음색을 사용하는 사람은 노래를 할 때도 아주 자연스럽게 트웽을 사용할 수 있을 것이다. 하지만 부드러운 로맨틱 발라드를 부르거나 앙상블에서 다른 사람들과 목소리가 섞여야 하는 경우에는 트웽의 사용이 문제가 될 수도 있다. 습관적인 트웽의 사용을 줄이기 위해서는 먼저 자신의 가장 낮은 음역대까지 싸이러닝을 하여 후두의 위치를 낮추자. 그 다음, 낮은 후두의 위치를 유지하며 노래하거나 발성훈련을 해보자. 이 연습은 트웽을 하면서 생긴 근육의 긴장과 수축을 이완하는 데 도움을 줄 것이다.

노래를 하거나 말을 하는데 있어 트웽은 매우 유용한 도구가 될 수 있다. 이미 여러분이 트웽을 하기 위한 근육기억을 가지고 있다면 이것은 정말 행운이다. 필자가 영국에서 노래를 가르칠 때는 트웽을 개발하기 위한 수업을 더 많이 하게 된다. 반대로, 트웽을 문화적인 소리의 한 부분으로 사용하는 나라에서는 트웽 음색을 없애달라는 요청을 받기도 한다. 모든 것은 균형과 선택의 문제이다. 이번 장의 연습을 통해서 여러분은 트웽 음색의 사용에 대한 여부를 결정짓고 동시에 그것을 수행할 수 있는 방법을 알게 되었으리라 믿는다.

SECTION • III

텍스트로 노래하기

Working the Text

이 책의 마지막 부분은 여러분을 공연의 세계로 안내해줄 것이다. 공연을 위해 여러분은 노래 준비과정의 첫 단계부터 심화훈련에 이르기까지 다양한 선택을 하고 또 그것을 수행하게 된다. 10장에서는 노래를 할 때 나타나는 특정 문제의 해결을 위해 적절한 부분의 노래를 발췌해 사용할 것이다. 이러한 과정은 비슷한 문제가 다른 노래에 발생했을 때 문제점을 쉽게 파악할 수 있게 도와준다. 그리고 이번 단락에서는 발성보다는 텍스트를 전달하기 위한 중요한 작업을 하게 될 것이다. 여러분이 상급단계의 가창테크닉을 익힌 경우라면 11장으로 바로 들어가도 좋다. 13장에 제시된 연습곡은 하나의 가이드로써 사용된 것이며, 자신에게 맞는 또는 연습해야 하는 노래가 있다면 본문의 연습곡을 훈련한 후 자신의 노래에 적용시켜 연습하도록 하자.

Chapter 10.

종합하기

Putting it together

이번 장은 지금까지 여러분이 배운 모든 훈련방법들을 동원하여 노래학습에 실제적으로 적용하는 과정이 될 것이다. 많은 배우들이 악보를 읽지 못하기 때문에 스스로 노래를 학습하는 데 어려움을 느낀다. 악보를 보지 못하는 사람이 새로운 노래를 배울 때는 믿을만한 선생님에게 최소 한 번 이상의 레슨을 받아야 한다. 악보에 제시된 음정과 리듬을 정확하게 하기 위해 레슨을 동영상으로 촬영하거나 녹음하도록 하자. 악보를 읽을 수 있는 경우에도 음악선생이나 보컬코치 혹은 곡의 스타일을 살려 정확하게 연주해 주는 반주자와의 시간을 가진다면 도움이 될 것이다. 그 다음의 연습과정은 성공적으로 관객에게 노래를 전달하기 위한 필요조건이 무엇인지 파악하는 단계이며, 혼자서도 진행 가능하다. 이 단계에는 개인연습과 함께 노래할 때 발생하는 특정 문제에 대한 해결책을 찾는 과정이 포함된다.

가사를 익힌다는 것은 텍스트나 멜로디를 외우는 것 이상의 문제이다. 우리의 몸과 근육이 가사와 음악을 기억하도록 방법을 찾아야 한다. 다음의 노래 과제를 살펴보자. 만약 여러분이 악보를 읽지 못한다면 음정과 리듬을 알려줄 사람과 함께 연습을 진행해야 한다. 먼저 여러분이 모르는 짧은 노래를 선택한 다음, 각 과정을 단계별로 밟아 나가도록 하자.

노래 과제 1 • 자유곡

1. 큰소리로 노래 가사를 읽어보자.
   강세, 억양 그리고 가사의 의미에 주의를 기울이며 평소 자신의 목소리로 소리 내어 읽자. 나중에 멜로디와 리듬이 첨가되면 가사의 느낌과 읽는 방법이 약간 바뀔 수 있겠지만 지금의 단계에서는 중요치 않으니 신경 쓰지 말자.
2. 가사를 리듬에 맞추어 읽어보자.

(1) 손가락을 튕기거나 박수를 치면서 가사를 읽으면 가사 전반에 나타난 일정한 박자를 익히고, 길거나 짧은 박을 세는데 도움이 된다.

(2) 리듬에 따라서 가사를 한 줄씩 읽어보자. 가사의 각 음절을 음표의 길이에 맞게 읽다 보면 노래할 때와는 대조적으로 단조롭게 읊조리게 될 것이다. 여러분이 악보를 읽지 못한다면 보컬코치가 한 번에 한 줄씩 먼저 리듬에 맞추어 읽은 후 그것을 반복하여 따라 읽도록 하자.

(3) 프레이즈의 길이를 살펴보고 호흡의 사용에 문제가 없도록 하자.

(4) 소리내기 힘든 부분이 있는지 살펴보자.

(5) 리듬에 맞추어 가사를 읽으면서 강세의 변화가 생기는 단어나 프레이즈가 있는지 확인하자.

음악에 나타난 리듬이나 가사의 빠르기에 익숙하지 않으면 노래하기 어렵기 때문에 노래를 익히는 데 있어 이 과정은 매우 중요하다고 할 수 있다. 리듬과 박자라는 음악의 구조가 노래를 방해한다고 여기지 말고 우리가 공연에서 이용할 수 있는 부가적인 요소로 받아들이도록 하자. 리듬이 완벽하다고 자신할 수 있을 때까지 다음 단계로 넘어가선 안 된다.

3. 한 줄씩 음정에 맞춰 싸이러닝으로 불러보자.

싸이러닝은 근육이 음정을 감각적으로 기억하여 노래할 수 있도록 도와준다. 악보를 보지 못하거나 악기를 사용하여 정확한 음정을 알 수 없을 경우, 여러분이 들을 수 있도록 멜로디를 연주해 주거나, 반복해서 음정을 연습하는 동안 함께 할 누군가가 필요하다.

(1) 2단계처럼, 한 줄씩 노래를 듣고 싸이러닝으로 따라하자. 노래를 할 때 근육의 사용을 인지할 수 있도록 천천히 싸이러닝하자.

(2) 실제 음악의 빠르기보다 느리게 해도 상관없으니 신경 쓰지 말고 자신이 생각하는 빠르기로 싸이러닝하자.

(3) 다시 처음부터 싸이러닝하자. 이번에는 좀 더 긴 마디(예를 들어 한번에 4마디 혹은 8마디)를 불러보자. 이 단계에서는 다른 반주에 의해 산만해지지 않도록 반주자는 오직 멜로디만을 연주하도록 한다. 싸이러닝은 말보다 노래하기 전에 목소리를 푸는 데 도움을 준다. 뿐만 아니라 음정 사이의 간격이 멀어 노래하기 어려운 부분을 바로 신경 쓸 수 있도록 해주며, 자신의 음역 안에서 발생하는 기어 변경을 확인할 수 있게 한다.

4. 음정을 마이러닝하자.

이 단계는 멜로디와 가사가 만나는 중요한 중간과정의 역할을 한다. 113쪽의 6장의 마이러닝 연습을 약간 변경하여 4마디에서 8마디 정도의 적당한 부분을 발췌하여 마이러닝하자.

5. 멜로디와 가사로 노래하자.

(1) 멜로디 부분만을 반주하면서 노래 전체를 부르자.

(2) 원래의 빠르기에 상관없이 자신에게 편한 속도로 노래하자. 노래를 부르는 것은 좌뇌와 우뇌 사이의 조율과 균형이 필요한 복잡한 일이다. 익숙해질 때

까지 급하게 노래하지 말자.

(3) 보컬코치의 연주나 전체 반주를 따로 녹음해 두자. 그리고 반주로 인해 산만해지고 박자가 빨라지지 않도록 1에서 5단계 연습을 하기 전에 들을 수 있도록 하자.

이 모든 과정은 20분 정도 소요된다. 선생님이나 보컬 코치와 함께 한 수업을 녹음한 자료는 혼자 연습하는데 있어 굉장히 유용하게 사용될 것이다. 1에서 5단계의 연습은 악보를 읽을 수 있는 사람이나 그렇지 않은 사람 모두 다 활용 가능하며 효과적이다. 위의 방법을 사용하는 배우들은 악보를 빠르게 그리고 확실히 배울 수 있게 되며, 일반적으로 노래를 부르는데 있어 기술적인 어려움을 덜 느끼게 된다.

무엇을 어떻게 연습할지 파악하기

가창자가 생각하는 가장 중요한 주제 중 하나는 무엇을 연습할지 그리고 어떻게 할지에 관한 것이다. 노래를 공부하는 사람들은 얼마나 많이 또는 자주 연습을 해야 하는지 궁금해 한다. 그러나 더 중요한 문제는 '내가 무엇을 연습해야 하며 어떻게 연습해야 하는가'이다. 첫째로, 여러분이 이미 잘 하는 것은 연습할 필요가 없다. 또한 공연처럼 목소리를 하루 종일 사용해야 하는 경우가 아니라면 일반적으로 많은 발성연습을 할 필요는 없다. 4장 60쪽의 유성마찰음연습, 2장 32쪽과 5장 81쪽의 소리 없이 웃기(침묵웃음) 연습, 5장 85쪽의 싸이러닝 연습을 포함한 간단한 발성연습만으로도 목소리를 사용하기 위한 준비는 완료된다. 다만 새로운 노래기법을 배울 때는 기술을 익히기 위한 시간이 필요할 것이다. 예를 들어 음정과 음역의 조율, 연구개의 제어 또는 새로운 보컬 셋업vocal set up 익히기(12장 참고) 등의 연습이 새로운 워밍업과정에 포함될 수 있다. 그 다음에 필요한 것은 바로 악보에 쓰인 노래를 연습하는 것이다. 노래연습 과정에는 노래

익히기, 다양한 의사결정(13장 참고), 노래가사의 명확한 발음(11장 참고), 그리고 노래에 나타난 기술적인 어려움들을 해결하는 것이 포함된다. 지금부터는 노래연습 과정의 마지막 주제인 기술적인 어려움과 그에 대한 해결방안에 관해 살펴볼 것이다. 다음은 특정한 경우에 적용할 수 있는 기술적인 체크리스트이며 이 연습을 위해 뮤지컬 레퍼토리로 잘 알려진 프랭크 로서Frank Loesser의 뮤지컬 <아가씨와 건달들*Guys and Dolls*> 중 'I've Never Been in Love Before'와 로저스 앤 해머스타인Rodgers and Hammerstein의 <카루셀*Carousel*> 중 'If I Loved You'를 사용할 것이다. 두 노래는 조성에 상관없이 부를 수 있으며 남자나 여자 모두 가창 가능하다. 그 밖에 다른 노래 자료를 통해서도 여러 기술적인 문제에 대해 다룰 것이다.

발성기관의 조임

노래연습 도중 거칠고 귀에 거슬리는 소리가 난다고 생각되거나 뭔가 소리를 내는데 불편하게 느껴진다면 발성기관과 주변의 근육에 지나치게 힘을 가하기 때문일 수 있다. 그리고 이러한 현상은 새로운 곡을 배울 때 자주 발생한다. 다음의 방법을 사용하여 발성기관을 조이는 증상을 해결하도록 하자.

1. 싸이러닝으로 한 줄씩 노래를 불러보자. 각 프레이즈를 부르기 전과 후에 조용히 낄낄거리며 웃거나 소리 내지 않고 웃어보자. '넓힌 엄지' 자세, 외부 모니터링, 고무줄을 사용한 소리 없는 웃음자세를 복습하자(5장 82~83쪽 참고).

2. 또는 소리 내지 않고 노래를 부르는 흉내를 내며 발성기관이 조여지는 증상을 없애보자. 먼저 손가락을 귀 안에 넣자. 그리고 원래의 리듬에 맞춰 노래하는 척하자. 이때 머릿속에서 소리가 울리지 않도록 해야 한다. 호흡을 내쉬면서 '노래하고' 각 프레이즈 사이에서 숨을 들이 쉬자. 이렇게 소리 내지 않고 몇 소절을 노래한 다음 크게 소리 내어 노래를 반복하여 부르자. 이 연습은 진성대에서 올라오는 소리를 가성대가 막지 않도록 가성대를 뒤로 보내는 근육기억을 발달시키는데 도움을 줄 것이다.

음역훈련

실력이 부족한 가창자는 노래를 할 때 자신의 목소리가 일정하게 느껴지면서 음이탈이 일어나지 않는 음역대의 노래를 찾으려 할 것이다. 슬프게도 이런 노래는 그다지 많지 않다. 대부분의 뮤지컬 넘버에서 우리는 위와 같은 음역대의 문제를 해결해야만 한다. 'I've Never Been in Love Before'와 'If I Loved You' 역시 한 옥타브 반에 걸쳐 음역대가 형성되어 있기 때문에 기어 변경을 필요로 한다. 다음의 과정은 이러한 기어 변경을 해결하는 데 도움이 될 것이다.

노래 과제 2 • 기어 변경하기

1. 싸이러닝으로 워밍업을 하자. 노래의 가장 높은 음역을 찾은 다음, 그 음역이 포함되도록 옥타브로 싸이러닝하자.
2. 먼저 기어 변경에 대해 생각한 다음 실행하도록 하자. 기어 변경을 하기 전에 먼저 근육을 정비한다면 기어변화를 좀 더 부드럽게 할 가능성이 높아진다(2장의 32쪽과 5장의 88쪽 참고).
3. 일반적으로, 방패연골이 앞으로 기울어지면 성대가 얇아지게 된다. 또한 낮은 음역을 부르기 위해서는 방패연골의 기울기를 풀어야 한다. 벨트창법을 사용할 때는 예외일 수 있다.
4. 기어 변경을 하는 동안 소리를 받칠 수 있도록 성도 앵커링이 필요할 것이다(7장 138쪽 참고).
5. 일반적으로, 가장 높은 음역을 부를 때는 후두를 올리는 근육들이 제 역할을 하도록 비강통로를 확실히 닫아야 한다. 비강통로폐쇄가 잘 안 되는 음정이 있다면 '응이ngEE'로 노래하며 비강통로를 닫는 연습을 하자. 그러고 나서 악보에 쓰인 모음 앞에 'ng'을 붙여 노래해 보자.
6. 기어 변경을 하는 동안 혀와 턱의 움직임을 살펴보자. 고음으로 움직일 때 턱

을 아래로 잡아당기거나 혀를 아래로 누르지 않도록 주의해야 한다. '손가락을 입 안에 넣기'나 '손을 턱에 대기' 등의 방법을 사용하여 턱의 움직임을 점검하자(8장 149쪽 참고).

7. 고음역에서 문제가 생겼을 때는 손가락으로 혀를 부드럽게 잡고 노래하자. 고음을 해결하는데 도움을 줄 것이다. 이 훈련을 할 때는 혀가 손가락을 빠져나가 아래쪽으로나 뒤쪽으로 당겨지지 않도록 해야 한다(8장 155쪽 참고).

노래 과제 3 • 'Anyone can whistle' – 급격한 도약음 해결하기

음정의 급격한 도약은 기어 변경을 어렵게 하고 음정이 맞지 않는 원인이 되기도 한다. 도약음정에 맞는 근육의 움직임을 미리 준비한다면 그 음역을 처리하기가 더 쉬울 것이다.

스티브 손드하임Stephen Sondheim의 'Anyone Can Whistle' 중 한 부분을 살펴보자.

1. 7도 간격에 대한 '느낌'을 근육이 가질 수 있도록 처음 두 음정(It's all)을 싸이러닝으로 부르자. 필요하다면 여러 번 반복하자.
2. 첫 음정을 크게 노래한 다음, 두 번째 음정은 싸이러닝으로 소리 내자. 처음부터 정확한 음정의 길이를 가지고 노래 할 필요는 없으므로 자신이 생각하는 속도로 노래하도록 한다.
3. 첫 음정을 크게 노래한 다음, 두 번째 음정을 소리 없이 싸이러닝하며 도약음을 낼 준비를 하자.
4. 정확한 음정의 길이를 사용하여 전체 소절을 노래하자. 이 방법은 내려오는 음정일 때도 동일하게 적용된다.

호흡의 운용

호흡의 운용은 노래의 요구사항에 맞춰 계획되어야 한다. 여기에는 음색의 선택, 음악의 스타일, 그리고 다른 해석적 문제와 같은 고려사항이 포함된다. 이러한 부분들은 이 책의 마지막 장에서 다루기로 하고, 이번 단락에서는 불충분한 호흡, 들숨의 어려움, 호흡 섞인 소리, 과호흡과 같은 일반적인 호흡의 문제점과 해결방안에 대해 다루도록 하겠다.

노래 과제 4 • 'I've never been in love before' – 불충분한 호흡과 호흡의 정지 해결하기

1. 'v'나 'z'와 같은 유성마찰음을 사용하여 멜로디를 노래하자. 소리를 낼 때 배의 중심부가 척추 쪽으로 움직이는지, 그리고 소절을 다 부른 뒤에는 다시 배가 원래대로 되돌아가는지 확인하자. 소리를 지속하기 위해 더 많은 에너지가 필요하다면 64쪽의 지지의 다이아몬드를 사용하자. 다이아몬드의 4지점을 손으로 살펴볼 수 있을 것이다.
2. 소절의 마지막에서 호흡이 갇혀 있다고 생각되면 양손으로 배를 마사지하면서 노래를 불러보자. 탄성반동의 감각을 가지는 데 도움을 줄 것이다.
3. 유성마찰음으로 노래할 때는 생각한 호흡량보다 더 많은 양의 호흡이 사용된다는 것을 명심하자. 호흡의 밸런스를 위해 유성마찰음과 가사를 한 소절씩 번갈아 가며 노래하자.
4. 모든 호흡을 소절마다 다 사용할 필요는 없다. 그리고 숨을 쉬고 싶을 때는 당겨진 복부벽the abdominal wall을 놓는다고만 생각하자.

노래 과제 5 • 'I've never been in love before' – 호흡 섞인 소리 해결하기

일반적으로 성대 자체가 서로 붙는 힘이 없을 때 호흡 섞인 목소리가 나온다. 이러한 기식성 음성은 유성마찰음을 사용한 훈련(노래 과제 4의 3단계)을 통해 교정되기도 하지만 언제나 가능한 것은 아니다.

1. 'I'를 노래할 때마다 성문 온셋을 넣어 성대가 좀 더 강하게 붙을 수 있도록 하자. 마지막('in love before')까지 계속해서 부를 때는 좀 더 강한 에너지의 목소리 사용이 필요하기 때문에 성도와 상체 앵커링을 반드시 사용해야 한다(7장의 126쪽과 134쪽 참고).
2. 성대를 두껍게 붙이는 것이 익숙해지면 성문 온셋을 안 해도 된다.
3. 트웽 음색 또한 호흡 섞인 목소리를 해결하는 데 도움이 될 수 있다. 노래의 각 음정을 '니에아오우'로 부르며 트웽 음색을 만들자. 그런 다음 노래 가사를 이용해 부르자.

과다호흡over-breathing; 過多呼吸은 발성 시 매우 흔히 발생하는 문제로, 노래를 할 때 공기의 흐름과 호흡의 압력을 일정하게 하려는 잘못된 생각으로 인해 생긴다. 성문하압(성대 아래에 공기가 갇힘으로 생기는 압력)은 다이내믹 정도(크고 작음), 음정(높은 음정에서 적은 호흡, 낮은 음정에서 많은 호흡) 그리고 발음(폐쇄음에서 호흡의 흐름이 정지, 마찰음에서 호흡이 증가)에 따라 다양하기 때문에 일정하게 똑같은 호흡을 사용해서는 안 된다. 또한 지나친 바이브레이션은 과다호흡의 부작용일 수 있다.

노래 과제 6 • 'I've never been in love before' – 과다호흡 해결하기

1. 싸이러닝으로 먼저 노래한 후 마이러닝으로 노래하자. 얼마나 적은 호흡이 사용되는지 살펴보자.
2. 모음만을 사용하여 노래하자. 먼저 첫 번째 모음 하나만을 사용해 노래한 다음, 각 음절에 쓰인 모든 모음을 사용해 노래하자. 소절 내에서는 호흡이 상대적으로 원활하게 사용되고 끊기지 않을 것이다.

3. 고음역으로 올라갈 때 어떤 일이 일어나는지 살펴보자. 고음부분을 부를 때는 보다 적은 호흡이 사용되고, 고음에 필요한 자세를 만드는 앵커링 근육들이 활성화될 것이다.
4. 이제 노래 가사로 불러보자. 공기흐름이 자음의 사용으로 인해 달라지는 것을 느낄 수 있다. 이런 현상은 특히 'before', 'at', 'once' 그리고 'it's'같은 폐쇄음이나 마찰음을 포함한 단어를 노래할 때 두드러진다.
일반적으로 말을 할 때는 무성음과 유성음 사이에 발생하는 공기흐름의 급격한 변화가 문제되지 않지만 음정으로 노래할 때는 이러한 변화에 대처하기 어렵다. 또한 공기흐름의 변화와 음정으로 소리 내는 것 사이의 조화가 이루어지지 않는다면 발성기관이 조여지는 현상이 나타날 수 있다.
5. 다음의 가사 'but this is wine'과 'that's all too strange and strong'을 하나의 음정만을 사용해 불러보자. 모음에서 자음으로 움직일 때 어떠한 일이 벌어지는지 주의를 기울이자(198쪽의 악보 참고). 때로는 호흡이 완전히 정지될 것이며, 때로는 자음을 발음하기 위해 더 많은 호흡이 필요할 것이다. 원한다면 이 연습을 하는 동안 복부벽의 움직임을 살펴보며 가사로 노래를 할 때 얼마나 유연한 호흡의 사용이 필요한지 점검해 보자.
6. 5단계에서 불렀던 소절을 원래 음정으로 노래하자. 가사로 노래할 때 어떻게 호흡을 운용해야 하는지 알고 있기 때문에 보다 효과적인 호흡의 사용을 느낄 수 있을 것이다.

음을 지속하는 힘이 부족하거나 지나친 바이브레이션(흔들림)은 호흡관리 면에서 또 다른 문제가 될 수 있다. 다음의 노래 과제는 4장의 응용 연습이다.

노래 과제 7 • 'I've never been in love before' - 음을 지속하는 힘의 부족 해결하기

이 노래는 많은 클래식 뮤지컬처럼 전통적 노래기법인 레지트legit 가창이 요구된다. 먼저 풍부하고 서정적인 음색을 사용하여 한 호흡으로 첫 프레이즈를 노래해야 하기 때문에 소리를 지탱하는 힘이 필요하다.

1. 첫 소절을 입술 털기lip trill이나 말린 'R'rolled 'R'을 사용하여 노래하자. 호흡기관의 측면 움직임을 느낄 수 있도록 허리에 손을 대자(4장 61~62쪽 참고).
2. 숨을 들이 마시고 싶을 때는 허리주변근육의 긴장을 풀자. 다시 다음 소절을 입술 털기나 말린 'R'로 부르면서 측면의 허리근육을 사용하자. 탄성반동과 허리근육을 잘 연결 지어 사용하고 있다면 처음의 네 소절을 잇달아 부를 수 있는 정도의 충분한 숨을 빠르게 들이 쉴 수 있을 것이다('before', 'safe', 그리고 'score' 단어 뒤에서 숨쉬기).

   어떤 뮤지컬 연출가는 아래의 소절을 한 호흡으로 부르라고 하지만 이러한 요구를 실행하는 게 쉬운 일만은 아니다.

3. 말린 'R'이나 입술 털기를 계속하자. 가사 'wine'의 3박자 길이 음정을 노래할 때는 긴 음정을 유지하기 위해 허리 근육을 확실히 사용할 수 있도록 하고 이 소절이 끝날 때까지 이 느낌을 유지하도록 하자.

노래 과제 8 • 자유곡 – 지나친 바이브레이션 해결하기

때때로 과다호흡은 지나친 바이브레이션(흔들림)의 원인이기도 하다. 이 같은 경우에는 날숨의 양을 줄이고 앵커링 근육의 활동을 증가시켜 소리의 지나친 흔들림을 개선할 수 있다.

1. 7장(126쪽, 128쪽)의 성도 앵커링 연습을 소리 내지 않고 실행해 보자.
2. 앵커링 근육을 계속 사용하며 노래 가사를 소리 내지 않고 발음하자. 발성기관의 조임을 풀기 위한 연습처럼 이 단계에서는 숨을 내쉬면서 소리 없이 말해야 한다.
3. 앵커링 근육을 사용하며 자유곡의 멜로디를 싸이러닝하자.
4. 앞과 동일하게 앵커링 근육을 사용하여 가사와 멜로디로 노래하자.

목소리의 전달과 강약의 조절

목소리의 성량을 증가시키기 위해선 성대모양과 주변근육의 움직임 등에 변화가 필요하다. 7장 137쪽의 메싸 디 보체messa di voce 연습은 소리의 볼륨을 증가시키고 줄이는 데 효과적이다.

호흡관리 면에서 앵커링의 정도는 어떤 소리를 만드느냐에 따라 다르다. 앵커링은 기어 변경 수행, 길게 지속해야 하는 음정, 고음, 쉴 틈 없이 계속되는 소절, 그리고 목소리를 더 '전달'해야 하는 경우에 필요하다. 다음 과제는 로저스 앤 해머스타인의 'If I loved you'이며, 사색적이고 풍부한 표현력과 함께 강약의 조절을 잘 해야 하는 노래이기 때문에 소화하기 힘든 곡일 수 있다.

노래 과제 9 • 'If I loved you' – 앵커링 근육 사용하기

다음은 큰 소리로 노래할 때 목소리의 안정화를 찾기 위한 방법이다.

1. 한 소절씩 노래를 부르자. 처음에는 '긴장을 풀고 편안히', 그 다음에는 앵커링

한 근육을 사용하여 각 소절의 첫 번째 음정을 길게 부르며 노래하도록 하자. 소리적으로나 느낌상으로 처음 노래했을 때와 두 번째 노래했을 때 어떠한 차이가 있는지 살펴보자. 곡의 마지막까지 앵커링에 유의하며 남은 소절을 가창하자. **분리 체크리스트**(124쪽)를 사용하여 불필요한 긴장이 있는지 점검하자.

2. 상체 앵커링에서도 동일한 원리를 적용하자. 알아둘 것은 평소 자신의 목소리가 크다면 항상 상체 앵커링을 어느 정도 하고 있다는 것이다. 그렇지 않다면 필요한 만큼의 상체 앵커링을 반드시 사용해야 한다.
3. 노래를 몇 번 더 반복해 연습하면 앵커링 근육이 좀 더 자동적으로 작동하게 될 것이다.

노래 과제 10 • 'If I loved you' – 성대 두께 변경하기

성대 두께를 바꾸는 훈련은 노래의 강약과 전반적인 목소리의 전달력을 조절하는 데 도움이 된다.

1. 소리 크기를 키우려면 성대의 두께와 호흡의 압력을 증가시켜야 한다. 7장의 137쪽의 메싸 디 보체messa di voce 훈련 중 앞부분을 활용하자.
2. 노래의 전체 음역을 메싸 디 보체로 하나씩 연습하고 난 후, 악보에서 조금 더 큰 소리가 필요하다고 생각되는 부분에 이를 적용하자.
3. 성대를 더 강하게 사용해야 할 때는 가성대 역시 더 뒤로 물러나야 한다는 것을 명심하자. 가성대가 방해되지 않도록 침묵웃음(소리 없이 웃기)을 사용하자.
4. 소리 크기를 키우는 메싸 디 보체를 할 때는 성도 앵커링을 실시하자. 목소리가 더 안정되는 느낌이 들 것이다. 그리고 음색 또한 좋아지는 것을 느낄 수 있다.

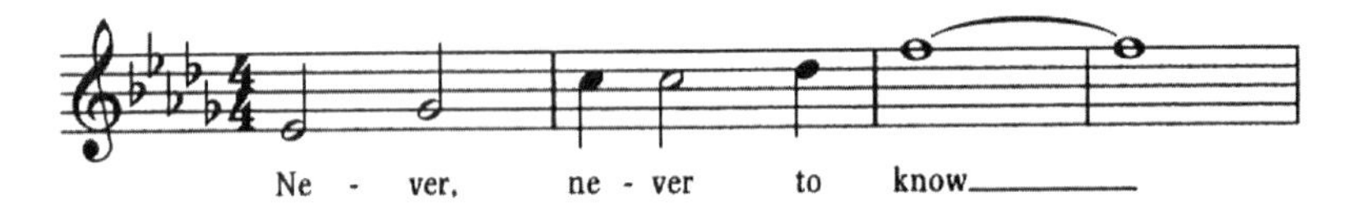

5. 위의 발췌된 악보를 보자. 일반적으로 이 부분을 노래할 때는 크레센도 crescendo(소리 크기 높이기)를 한다.

(1) 첫 번째와 두 번째 'never' 사이를 크레센도 하고, 'know'를 부를 때 다시 한 번 크레센도 하자.

(2) 'know'에 긴 음정이 배치되어 있기 때문에 메싸 디 보체로 소리 크기를 서서히 점차적으로 증가시킬 수 있다.

(3) 다음 소절('How I') 직전까지 상승된 볼륨을 유지하자.

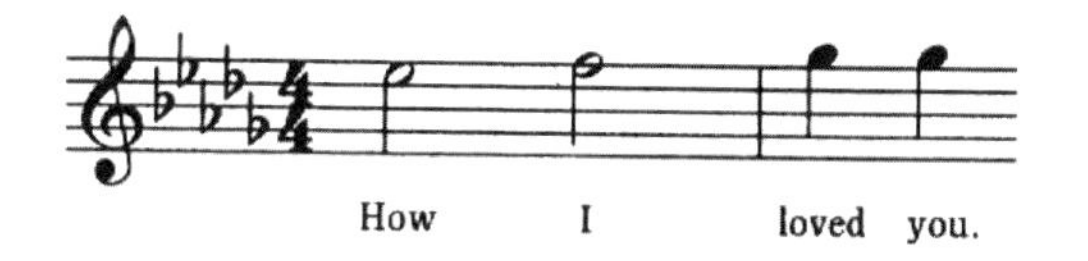

6. 두 번째 발췌악보를 보자. 디크레센도decrescendo(소리 크기 줄이기)가 필요한 부분이며, 서브 텍스트(내재된 의미) 상으로도 암시되어 있다.

(1) 소리의 크기를 작게 하려면 성대의 두께를 얇게 만들고 호흡의 압력을 줄이는 것이 필요하다. 메싸 디 보체의 뒷부분을 이용하여 디크레센도 하도록 하자.

(2) 소리의 크기를 줄일 때도 성도 앵커링을 약간 사용하면 목소리가 더 안정적이게 느껴질 것이다. 노래의 가장 고음부분이 여기에 포함되어 있기 때문에 특히 적절한 성도 앵커링이 중요하다 하겠다.

소리를 크게 하거나 작게 하는데 상승된 성대면의 위치는 좋지 않으므로 주의하자.

노래 과제 11 • 자유곡 – 가창자의 포먼트singer's formant를 활용한 전달력 있는 목소리 만들기

이것은 성대의 두께나 앵커링을 증가시키는 대신에 사용 가능한 방법이지만 상급 단계의 가창테크닉을 위해서는 이 세 가지 요소를 모두 포함해야 한다.

1. 노래의 모든 음정을 '니에아오우nyeeow /nji : ea : ɔ : u : /'나 '니얘nyae /njæ/'

로 노래하며 트웽 음색을 섞어보자.

2. 굉장히 짜증스럽다고 느껴지는 트웽의 소리를 사용하여 노래 가사를 말해 보자. 트웽 소리를 내기 위해선 평소보다 높은 소리로 말하는 것이 도움이 되지만, 노래의 음정에 가깝게 가사를 읽는 것이 더 바람직하다.
3. 음성에 가깝게 말을 하기 위해서는 먼저 애처롭게 울듯이 가늘고 높은 목소리(얇은 성대로 말하기)로 말하자. 어린 아이가 '엄마'를 부르는 청각적 신호를 사용한다면 조금 더 쉽게 이 과정을 넘어갈 수 있을 것이다.
4. 트웽을 좀 더 첨가하기 위해선 좀 더 징징거리고 안달하는 아이의 목소리를 흉내 내도록 하자.
5. 이제 가사로 노래하자. 소리 크기와 감정을 증폭시키기 원하는 부분에 트웽을 첨가시켜 보자.

두꺼운 성대로 트웽을 하는 상급단계의 가창테크닉을 사용할 때는, 이 단계에 적합한 앵커링과 가성대의 후퇴가 균형을 이루어야 하며, 또한 분리 체크리스트를 반드시 활용해 진행해야 한다.

트웽을 '혼합mix'하여 사용하기

여러분은 자신의 음역에서 공명이 부족하다고 생각되는 부분에 트웽을 사용하여 소리의 크기를 증가시킬 수 있다.

'믹싱mixing'은 보컬 레지스터vocal registers; 성역(聲域) 간에 음색이나 볼륨의 차이를 최소화하기 위해 가창자가 사용하는 모든 방법을 말한다. 전통적으로 성악classical singing에서는 두성과 흉성의 레지스터를 섞고 혼합하여 전체 음역에 걸쳐 통일된 소리와 느낌을 주도록 훈련의 초점이 맞춰져 있다. 모든 가창자는 알고 하든 모르고 하던 간에 어떤 식으로든 모두 믹싱을 사용한다. 우리의 목소리는 음향학적으로 불완전한 악기이기 때문에 음역 내의 어떤 소리는 다른 소리에 비해 공명이 약하다. 이러한 단점을 극복하기 위해 우리는 믹싱을 무의식적으로나 의식적으로 하게 되는 것이다. 다음의 두 노래 과제는 트웽을 소리혼합의 용도로 사용하는 예이다. 원래 이 노래는 메조 소프라노와 테너가 부르는 노래지만 기본적인 원리는 같기 때문에 자신의 음역에 적합하도록 조성key을 옮겨도 상관없다.

노래 과제 12 • 싸이 콜맨CY Coleman과 데이비드 지펠David Zippel의 'With every breath I take'의 오프닝 부분

'There's not a morning that I open up my eyes'로 시작하는 오프닝 소절을 불러보자. 'morning'의 첫 모음은 후설모음이며 음정도 낮아 이중으로 '소리내기'가 어렵다.

1. '니이nyEE'를 사용하여 morning을 노래하자. 'There's not a '니이nyEE'-'니이nyEE' that I open…'
2. 그 다음은 가사의 모음을 사용하자. 'There's not a '뇨오nyor-니이nyi-잉ng' that I open…'
3. 마지막으로, 트웽어(모뿔덮개조임근)의 긴장을 유지하면서 원래 가사대로 노래하자. 거의 대부분 저음이 더 좋아진 것을 느낄 수 있을 것이다.

노래 과제 13 • 쇤베르그Schönberg과 부빌Boublil의 'Empty chairs at empty tables'의 브릿지 부분

'From the table in the corner'로 시작하는 브릿지 부분을 살펴보자. 이 노래는 보통 테너가 부르며, 테너의 음역대에서 가장 낮은 음정일 수 있는 낮은 라low A가 포함된 'From the table in the corner'를 크레센도로 노래해야 한다.

1. 아직은 후두를 내리지 말자. 저음을 잘 내기 위한 구조를 먼저 만들지 않고 후두만을 내린다면 목소리는 작아지고 이 소절에 나타난 감정의 고조를 표현

하는 크레센도를 만들 수 없게 될 것이다. 노래하기 바로 직전까지도 후두를 올릴 수 있도록 하자(3장의 훈련을 적용해 보자).

2. 트웽어를 단단히 조이자.
3. 혀의 뒷부분을 높게 유지한 채 '뇸nyom-녜nye 냐블nyable 니인nyin'과 같은 방식으로 마지막 'corner'까지 가창하자. 소리가 더 잘 날 것이다. 소절을 계속 부르는 동안 약간의 앵커링을 첨가하면 힘들이지 않고 좋은 크레센도를 만들 수 있을 것이다.

균형 잡힌 공명

공명의 균형을 위해서는 비강 통로, 턱, 그리고 모음 중설화라는 세 가지 사항을 고려해야 한다. 이번 연습은 6장과 8장의 응용훈련이라고 할 수 있다. 노래의 짧은 발췌 부분을 이용해 각각의 테크닉을 연습해 보자.

비강 통로

연구개는 코와 입 사이의 문과 같은 역할을 한다. 모음을 정확하게 발음하고 좀 더 밝은 소리의 울림을 원한다면 이 문을 꼭 닫아야 하며, 비강 자음 'ㄴ'('n' /n/), '잉'('ng'/ŋ/), 'ㅁ'('m'/m/)을 발음할 때만 이 통로를 열어야 한다. 다음은 비강통로를 인지하기 위한 방법이다.

1. 코 테스트(6장 107쪽 참고)를 하며 비강 통로를 확인하자. 모음만을 뽑아 노래할 수 있도록 하자.

2. 모음으로 노래할 때 손으로 코를 잡고 비강 통로가 닫혀 있는지 확인하자(6장 115쪽 참고).

3. 비강 자음을 발음할 때는 의식적으로 코 안으로 소리가 향하도록 하며 통로를 열자(6장 101쪽 참고). 이것이 잘 안 되는 경우에는 입술을 다문 채 코로 숨을 내쉬자.

4. 가사의 자음을 포함하여 소리 내자. 그리고 비강자음 'ng'과 'n'에서는 열린 비강통로의 느낌을 유지하며 입을 열자.

노래 과제 14 • 멀트비Maltby와 셔Shire의 뮤지컬 〈스타팅 히어, 스타팅 나우*Starting here, starting now*〉 중 'Autumn' (1)

다음의 짧은 부분을 노래하자.

1. 가사의 끝에 있는 'm'을 노래할 때는 반드시 비강 통로를 열어야 한다. 코를 잡고 비강 통로가 열려 있는지 확인해 보자.
2. 비강 자음은 잘 안 들리기 때문에 강하게 'm'을 발음하여 코에 진동이 느껴지도록 하자.

이 노래는 'autumn'이라는 단어가 계속해서 반복적으로 나오기 때문에 비강통로를 열고 닫기 위한 연습에 효과적이다.

노래 전체를 부를 때는 비강자음에서 다른 자음(비강자음 제외)이나 모음으로 움직일 때 비강통로를 반드시 다시 닫아야 한다.

턱

어떤 사람들은 턱으로 노래하는 것처럼 보인다. 턱은 다른 중요한 구조들과 연결되어 있기 때문에 턱의 움직임은 다른 부분에 연쇄반응을 일으킬 수 있다. 다음의 테크닉을 복습해 보자.

1. 입 안에 손가락을 넣고 노래하자. 거울을 보거나 턱 관절의 움직임을 느껴보자.

2. '턱 매달기' 자세를 취하며 노래하자. 먼저 '이'('EE' /i : /)로 노래한 다음 가사의 모음만을 뽑아 노래하자.

3. 고음에서 습관적으로 턱을 아래로 내리고 있지 않은지 살펴보자. 일반적으로 이러한 행동은 후두와 혀를 누르게 되어 고음을 내는데 도움이 되지 않는다.

4. 자음을 포함하여 가사로 노래하자. 이때 편안한 턱의 위치를 유지하도록 하자.

모음의 중설화

모음을 중설화하는 이유는 모음 사이의 균형 잡힌 공명감을 얻기 위해서이다. 다음은 개인연습 시 적용 가능한 몇 가지의 테크닉에 대한 설명이다.

1. '녜트'('nyet' /njet/)(8장 162쪽 참고)를 사용하자. 평모음과 후설모음을 발음할 때 혀의 앞부분이 오목해지는 것을 느끼자.

2. 리듬에 맞추어 가사를 읽자. 이때 긴 음가를 가진 모음이 있다면 박자에 맞추어 길게 늘려 말하도록 한다.

3. 모음을 중설화시키며 가사를 읽자. 필요하다면 거울을 보며 체크하자.

4. 혀의 양 옆이 위쪽 뒤어금니에 닿는 것을 느끼며 혀의 뒷부분이 올바른 위치에 있는지 확인하자.

5. 모음을 중설화하며 한 음정만으로 가사를 노래하자.

6. 노래하기 어려운 가사가 있다면 먼저 음정에 맞추어 '이'('EE' /i:)로 노래한 후 원래의 모음이나 음절을 사용해 노래하자.

브릿지 부분에서 발췌한 다음의 마디를 노래해 보자.

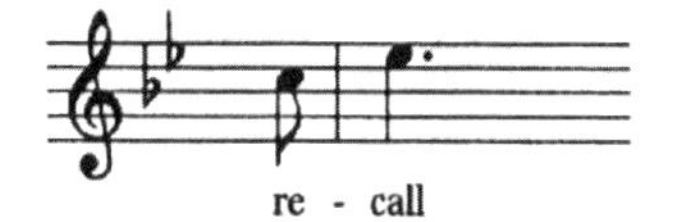

여기서 음악은 점점 더 강해지고 음정은 상승한다. 이 노래의 가장 높은 음정(E flat)을 일반적인 모음배치도에서 가장 낮은 혀의 위치를 가진 모음 긴(열린) 오('AW' /ɔ : / 또는 표준 미국어의 /ɑ : /)로 불러야 한다. 많은 사람들에게 두 번째 기어 변경이 일어나는 E flat 음정은 낮은 혀의 위치 때문에 소리 내기가 어려울 수 있다. 모음의 중설화는 모음의 고유성을 잃지 않으면서도 이러한 문제를 해결하는 데 도움을 줄 것이다.

1. '이'('EE' /i : /)로 고음을 불러보자.
2. 이제 가사로 노래하는데, 이번에는 '리'-'키'('rEE'-'rEE' /riki : /)로 부른 후 '리'-'코'('rEE'-'kAW' /rikɔ : /)로 바꿔 부르자. 그리고 마지막으로 어두운 'l'[15]을 삽입하자.
3. 혀의 뒷부분이 위쪽 뒤어금니에 닿아 있는지 항상 살펴보자. 그리고 '열린 오'('AW' /ɔ : /)를 만들기 위해선 혀의 앞부분이 조금 더 오목해야 한다.

성도관을 더 길게 혹은 더 짧게 만들기

여러분은 또한 성도관의 길이를 변경함으로써 공명의 질을 바꿀 수 있다. 물론 모음의 중설화를 대신하진 못하지만 음색을 깊게 하거나(관의 길이를 길게

[15] 'dark l'은 연구개음화한 'ㅣ'를 말하며 음성기호로는 / ɫ /라고 쓴다. 'l'이 종성에 올 때 주로 'dark l'이 되며 초성에 올 때는 'light l'로 발음되지만 지역에 따라 다르다. ■옮긴이 주

하기)나 밝게 하는(관의 길이를 줄이기) 효과를 줄 수 있다.

성도관을 늘이거나 줄이는 방법을 사용할 때는 공명감에 따라 적절한 발성기관과 근육의 사용이 고려되어야 한다. 즉, 높은 음정에서 높은 후두, 낮은 음정에서는 낮은 후두, 어떤 조정도 필요하지 않을 때는 후두를 중립 또는 휴식의 위치에 두어야 한다. 다음의 테크닉을 연습에 적용해 보자.

1. 후두 낮추기

(1) 하품을 하거나 한숨을 쉬며 후두를 내리자(3장 46쪽 참고).

(2) 단계를 발전시켜, 깊고 조용히 흐느끼듯이 호흡을 내쉬자. 숨을 들이쉴 때도 후두가 낮게 유지되도록 신경 쓰며 잠시 동안 흐느낌을 지속하자.

(3) 후두의 위치를 내리고 노래를 불러보자. 이처럼 낮은 위치에 후두를 잡아두려면 상당한 노력을 기울여야 한다. 후두를 내리고 노래를 하면 좀 더 어둡고 감싸는 듯한 음색이 만들어진다.

2. 후두 올리기

(1) 자신의 가장 높은 음역에서 조용히 싸이러닝하며 이 위치에 후두를 고정한다.

(2) 다른 방법으로는, 무언가를 삼키는 동작을 할 때 후두가 올라가게 되는데, 이때 후두의 가장 높은 지점에서 동작을 멈추자(3장 46쪽 참고). 침묵웃음을 사용하여 가성대가 진성대를 가로막지 않도록 하자.

(3) 이와 같이 높은 후두의 위치를 유지하면서 여러분이 선택한 노래의 한 부분을 원음으로 반복하여 부르자.

후두가 올라갈 때는 마치 더 작은 공간(실제로도 그러함)에서 노래하는 것처럼 느껴지지만 고음은 훨씬 더 쉽게 난다고 느껴질 것이다. 작은 악기일수록 더 높은 음정을 낸다는 것을 기억하자.

여러분 고유의 악기인 목소리는 굉장히 유연하며 길이를 변경할 수 있다. 단지 후두를 높이고 낮추는 것은 정도의 문제이다. 어떤 한 위치에 후두를 고정시키는 것은 불필요할 뿐만 아니라 바람직하지 못하다. 후두의 높이에 따라 음색이 달라지며 그에 관해서는 12장에서 보다 자세히 살펴보도록 하겠다.

모든 노래는 기술적으로나 해석에 있어 하나의 새로운 도전이다. '무엇을 어떻게 연습할지 파악하기' 위한 다섯 가지 주제는(191쪽 참고) 새로운 노래를 공부할 때 유용한 체크리스트가 될 것이며, 여러분이 좀 더 경험이 쌓이게 되면 의식하지 않고도 이러한 원칙들을 적용할 수 있게 될 것이다. 모든 문제점에는 해결책이 있다는 것을 명심하자. 무엇이 문제인지 알아내기만 한다면 이러한 문제들은 쉽게 해결될 것이다. 문제점을 인지하고 판단하는 것, 본질적으로 이것이 연습의 목적이다.

Chapter 11.

가사로 노래하기

Singing the text

필자는 오랜 보컬 트레이닝 과정을 통해 노래하기 어렵다고 느껴지는 상황이 목소리 때문이 아니라 가사를 어떻게 처리해야 할지 모르는 경우에 자주 발생한다는 것을 알게 되었다. 여러분은 노래를 하는 배우로서 가사를 명료하게 관객에게 전달해야 하는 책임이 있다. 발라드를 노래할 때조차도 말이다. 우리가 음악에 맞춰 음정을 길게 끌어야 하거나 정해진 리듬 패턴을 표현할 때 노래 가사의 단어나 의미를 쉽게 놓칠 수 있기 때문에 가사에 대한 신중한 처리가 필요하다. 더불어 모음과 자음의 구성 원리에 좀 더 신경을 쓴다면 여러분은 노래의 가사와 스토리에 좀 더 몰입하게 될 것이다.

노래를 한다는 것은 지속적으로 음정을 내는 것이라고 말할 수 있다. 성도의 방해 없이 생성되는 모음에 의해 음정과 멜로디 라인의 대부분이 전달되며, 이러한 이유 때문에 많은 소리훈련이 모음을 중심으로 구성되어 있다. 반면에 자음은 성도를 가로막는 특징이 있다. 자음을 발음하려면 성도 전체를 완전히 막거나 혹은 부분적인 방해를 성도에 가해야 한다. 또한 자음의 종류에 따라 발생하는 문제도 다르다. 이번 장에서는 자모음의 종류에 대해 알아보고, 노래 가사의 표현에 필요한 모음훈련 및 자음훈련을 추가적으로 실행하여 가사의 의미를 잘 전달할 수 있는 방법에 대해 배울 것이다. 그리고 보다 심도 있는 텍스트 작업에 관해서는 13장에서 다루도록 하겠다.

올바른 가사의 전달

음악은 노래의 텍스트를 관객에게 전달하는 중요한 역할을 하며 이를 통해 관객은 여러 가지 단계의 정보를 처리하게 된다. 리듬, 멜로디 그리고 오케스트라의 구성은 모두 이 과정에 기여한다. 배우의 할 일은 이 구조 안에서 가사를 전달하는 것이다. 노래를 실제로 불러야 할 뿐만 아니라 노래의 가사를 관객이 알아들을 수 있도록 해야 한다. 이것은 단순히 소리를 크게 하는 문제가 아니기 때문에 말처럼 쉽지 않다. 간단히 말하면, 모음은 자음보다 더 잘 들리며 음정을 유지하기도 더 쉽다. 즉 노래를 단지 들리게 하는 관점에서 본다면 자음은 모음을 따라갈 수 없다. 하지만 노래하는 배우는 관객이 텍스트를 명료하게 들을 수 있도록 자음과 모음의 사이의 균형을 찾아야만 한다. 다음 과정은 가사를 전달함에 있어 발생하는 몇 가지 일반적인 문제와 그 해결책에 관한 것이다.

모음이 가진 고유성 유지하기

등장인물의 세상 속에서 그 인물이 말하듯이 노래하자. 우리는 사회적 지위나 역사적 배경처럼 등장인물의 상황을 암시하는 말투(사투리)나 억양을 분석하려고 한다. 예를 들어 로저스 앤 해머스타인Rodgers and Hammerstein의 <카루셀*Carousel*>에서 배역을 맡은 배우는 뉴 잉글랜드New England 악센트를 사용해야 한다. 그리고 스티븐 손드하임Stephen Sondheim의 <스위니 토드*Sweeney Todd*>에서 스위니는 지방사투리가 어울리지만, 판사처럼 높은 지위의 배역에는 사투리가 어울리지 않는다. 이러한 사항은 우리가 배역을 준비할 때 반영해야 하는 부분이다.

전통적인 '벨 칸토bel canto' 훈련에서는 소리공명의 특성 때문에 이탈리아어의 모음을 발성의 기본으로 사용한다. 그러나 대부분의 뮤지컬이 영국식이나 미국식 영어, 그리고 이와 관련된 억양이나 사투리로 쓰여 있기 때문에 이탈리아어의 모음은 뮤지컬 레퍼토리에 거의 적합하지 않다. 그럼에도 불구하고 '벨 칸토' 기반의 교육을 하는 첫 번째 이유는 모음의 변경이나 수정을 쉽게 할 수 있도록 도와주기 때문이며, 두 번째 이유는 발성이 쉽기 때문이다(이태리어의 몇 가지 모음은 다른 모음에 비해 특정 음역대에서 더 쉽게 발성됨). 그리고 세 번째는 쓰인 음가대로 모음을 부르는 가창방식 때문이다. 전통적인 클래식 가창과 합창 훈련에서는 일반적으로 전체 음가를 모음으로 소리 내고 자음을 그 음의 전이나 뒤에 붙이도록 가르친다. 그렇지만 반드시 이러한 자모음의 관계를 고집할 필요는 없다.

77, 78쪽의 모음발음기호표를 보자. 표준 영국 영어와 표준 미국 영어에는 20개의 모음이 있다. 20개의 모음 중에서 12개는 단순모음simple vowel이며 8개는 복합모음compound vowel(이중모음, 삼중모음)이다. 단순모음은 장모음long vowel과 단모음short vowel을 모두 포함한다. 중설화는 단어의 성격을 바꾸지 않고 발성에 방해를 주지 않으면서, 단모음, 장모음에 상관없이 명확하게 노래할 수 있도록 돕는다. 중설화는 모든 영어에 사용할 수 있으며, 필자의 경우 일본어, 스페인어, 독일어에서도 성공적으로 중설화를 적용하고 있다.

표준 영국 영어 모음: 단모음Monophthongs

대문자는 어휘집합의 단어를 표시하고, 굵은 글씨는 모음의 위치를 나타낸다.

장모음Long Vowels

/ɑː/ 개모음, 후설모음, 장모음, 평순음

open back long unrounded: PALM r**a**ther, m**ar**k

/ɜː/ 중모음, 중설모음, 장모음, 평순음

mid central long unrounded: NURSE, b**ir**d, conf**er**

/ɔː/ 반개모음, 후설모음, 장모음, 원순음

open-mid back long rounded: THOUGHT, w**al**ker, l**aw**

/iː/ 폐모음, 전설모음, 장모음, 평순음

close front long unrounded: FLEECE, m**ea**n, f**ee**d

/uː/ 폐모음, 후설모음, 장모음, 원순음

close back long rounded: GOOSE, cr**u**de, b**oo**ts

단모음Short Vowels

/ɪ/ 반폐모음, 전설모음, 단모음, 평순음

close-mid front short unrounded: KIT, st**i**ll, w**i**cked

/æ/ 개모음, 전설모음, 단모음, 평순음

open front short unrounded: TRAP, b**a**nned, spl**a**shed

/e/ 중모음, 전설모음, 단모음, 평순음

mid front short unrounded: DRESS, t**e**nth, s**e**ction

/ʌ/ 반개모음, 중설모음, 단모음, 평순음

open-mid central short unrounded: STRUT, w**o**rried, w**o**nders

/ɒ/ 반개모음, 후설모음, 단모음, 원순음

open-mid back short rounded: LOT, s**o**ft, c**o**stly

/ʊ/ 반폐모음, 후설모음, 단모음, 원순음

close-mid back short rounded: FOOT, c**ou**ld, p**u**t

/ə/ 중모음, 중설모음, 단모음, 평순음

mid central short unrounded: COMMA, **a**lone, moth**er**

표준 미국 영어 모음: 단모음Monophthongs

대문자는 어휘집합의 단어를 표시하고, 굵은 글씨는 모음의 위치를 나타낸다.

장모음Long vowels

/ɑː/ 개모음, 후설모음, 장모음, 평순음
open back long unrounded: PALM, sovereign, marathon

/ɜː/ r-음화음, 중모음, 중설모음, 장모음, 평순음
rhotic mid central long unrounded: NURSE, p**er**fect, ref**er**

/ɔː/ 반개모음, 후설모음, 장모음, 원순음
open-mid back long rounded: THOUGHT, wr**o**ng, s**aw**

/iː/ 폐모음, 전설모음, 장모음, 평순음
close front long unrounded: FLEECE, m**ea**n, f**ee**

/uː/ 폐모음, 후설모음, 장모음, 원순음
close back long rounded: GOOSE, cr**u**de, b**oo**ts

단모음short vowels

/ɪ/ 반폐모음, 전설모음, 단모음, 평순음
close-mid front short unrounded: KIT, st**i**ll, w**i**cked

/æ/ 개모음, 전설모음, 단모음, 평순음
open front short unrounded: TRAP, BATH, spl**a**shed

/ɛ/ 중모음, 전설모음, 단모음, 평순음
open-mid front short unrounded: DRESS, t**e**nth, s**e**ction

/ʌ/ 반개모음, 중설모음, 단모음, 평순음
open-mid central short unrounded: STRUT, w**a**s, wh**a**t, **u**nder

/ʊ/ 반폐모음, 후설모음, 단모음, 원순음
close-mid back short rounded: FOOT, c**ou**ld, p**u**t

/ə/ 중모음, 중설모음, 단모음, 평순음
mid central short unrounded: COMMA, th**e**, **a**lone, tak**e**n

/ɚ/ r-음화음, 중모음, 중설모음, 단모음, 평순음
rhotic mid central short unrounded: LETTER, int**er**national, sug**ar**

표준 영국 영어 모음: 이중모음Diphthongs

중모음으로 끝남Centring

/ɪə/ NEAR, weird, rear
/eə/ SQUARE, hair, fair
*/ʊə/ CURE, poor, lure

폐모음으로 끝남Closing

/eɪ/ FACE, say, away
/aɪ/ PRICE, time, comply
/ɔɪ/ CHOICE, android, ploy
/əʊ/ GOAT, sew, ago
/aʊ/ MOUTH, allow, vow

표준 영국 영어 모음: 삼중모음Triphthongs

/eɪə/ player, conveyor, slayer
/aɪə/ science, violet, fire
/ɔɪə/ lawyer, royal, toil
/əʊə/ lower, mower, blower
/aʊə/ power, sour, flower

표준 미국 영어 모음: 이중모음Diphthongs

중모음으로 끝남Centring

/ɪɚ/ NEAR, weird, appear
/ɛɚ/ SQUARE, dare, fair
/ɑɚ/ START, sardine, tar
/ɔɚ/ FORCE, Orpheus, pore
/ʊɚ/ CURE, endure, contour

폐모음으로 끝남Closing

/eɪ/ FACE, say, away
/aɪ/ PRICE, time, comply
/ɔɪ/ CHOICE, android, ploy
/oʊ/ GOAT, vogue, ago
/aʊ/ MOUTH, loud, vow

표준 미국 영어 모음: 삼중모음Triphthongs

/eɪɚ/ player, conveyor, slayer
/aɪɚ/ dire, admire, fire
/ɔɪɚ/ lawyer, foyer, employer
/oʊɚ/ lower, mower, blower
/aʊɚ/ power, sour, flower

*현대 표준영국어에서는 THOUGHT처럼 모음 /ɔː/로 발음, 분류하기도 한다.

1. 단순모음Simple vowels

다음의 세 가지 예시는 가사에 쓰인 모음을 변경하는 방법에 관한 것이다. 세 가지 예시 모두 가사 때문에 생기는 문제점에 대한 것이며 쉽게 그 해결방안을 찾을 수 있다. '니예트'('nyet' /njet/)로 노래한 다음, '니이' - '녜' - '냐아' - '뇨오' - '뉴우'('nyEE' - 'nyeh' - 'nyAH' - 'nyAW' - 'nyOO'/nji : / - /nje/ - /nja : / - /njɔ : / - /nju : /)(8장 162쪽 참고)를 이용하여 모음중설화 테크닉을 복습해 보자.

1. 로저스 앤 해머스타인Rodgers and Hammerstein의 <카루셀*Carousel*> 중 'If I loved You'의 첫 소절을 불러보자. 단어 'love'를 부를 때 발생하는 모음의 문제점에 대해 살펴보고 그에 대한 수정방안을 찾아보자. 이 단어에 사용되는 모음은 중설모음 '어'('UH'/ʌ/)이다. 중설화 테크닉을 사용하여 'love'의 음정을 '니이' - '녜' - '녀'('nyEE' - 'nyeh' - 'nyUH' /nji : / - /nje/ - /njʌ/)로 불러보자. 보통 이 부분을 부를 때 '라 - 브'('lAHv' /la : v/)나 '로브'('lawv' /lɒv/)로 노래하는 것을 듣게 되는데 중설화는 이와 같이 다른 모음을 동원하지 않고도 공명된 소리를 찾는데 도움을 준다.

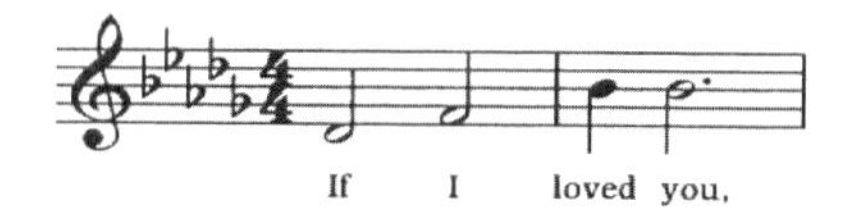

2. 폐모음close vowel인 '이'('EE' /i : /)나 '우'('OO' /u : /)로 고음을 부르는 것이 어려울 수도 있다. 다음은 모리 예스톤Maury Yeston의 <나인*Nine*> 중 'A call from the Vatican'과 앤드류 로이드 웨버Andrew Lloyd Webber, 찰스 하트Charles Hart, 리차드 스틸고Richard Stilgo의 <오페라의 유령*Phantom of the opera*> 중 'Music of the Night'의 한 부분이다. 낮은 음역대의 가창자인 경우에는 3도 아래로 조옮김해서 부르도록 하자.

(1) 성대를 얇게 하고 후두를 올리는 테크닉을 사용하여 위의 음정을 싸이러닝으로 편안하게 불러보자(두 발췌곡에 모두 해당됨).

(2) 턱 매달기 자세를 취하고 있는지 살펴보자.

(3) 위의 음정을 중설화를 사용하여 '녜'('nye' /nje/)로 부른 다음 '니이'('nyEE' /nji : /)로 노래하자. 혀의 중간부분이 평소 '이'('EE' /i : /)로 노래할 때보다 낮아질 것이다. 또한 높은 음정을 노래하는 데 필요한 공간을 더 많이 확보하기 위해 좀 더 오목한 혀의 모양이 된다.

(4) 원래의 가사를 사용하여 노래하자.

3. 스티브 손드하임Stephen Sondheim의 'Send in the Clowns'을 살펴보자. 시작 소절의 'rich'에 가장 긴 음가가 배치해 놓았다. 문제는 '이'('i' /ɪ/)가 짧은 단모음이라는 것이다.

(1) 하나의 모음이 아닌 전체 단어의 음가를 분할한 형태를 생각해 보자.

(2) 'ch'/ʧ/에 적어도 한 박 이상을 배정하자. 이런 식의 연습은 뮤지컬에서 자주 사용되는 방법이며, 단지 긴 음가라고 해서 모음을 늘려 'reach' /ri : ʧ/라고 발음하는 것을 방지해 줄 것이다.

(3) 훨씬 더 긴 음가(4박 이상)를 불러야 하는 상황이라면 음정의 길이를 자르는 것도 생각해 볼 수 있다.

2. 복합모음Compound Vowels

몇 년 전에 필자는 뛰어난 합창 지휘자를 레슨한 적이 있다. 그는 자신의 합창

단원에게 도움을 주기 위해 목소리를 좀 더 잘 사용할 수 있는 방법을 배우길 원했다. 또한 필자는 보컬코치로서 그의 합창 단원 두 명에게 노래를 가르치기도 했다. 그때는 『노래하는 배우*Singing and the Actor*』 초판이 이미 출판되었을 때였는데, 그 지휘자는 자음은 고사하고 이중모음으로 노래하는 것에 대해 어느 정도 충격을 받은 것 같았다. 왜냐하면 영국 대성당 합창훈련의 방법과는 완전히 반대였기 때문이다. 우리는 적절한 때에 딕션에 대한 대화를 가졌고 딕션에 대한 내 방식을 그에게 설명하였다. 마침내 그는 우리가 토론했던 내용을 자기 합창단에 시도하였다. 그리고 18개월 정도 지났을 때 필자는 영국의 대표적인 합창 경연 대회의 최종 라운드에 참석하였는데, 대회에는 그가 지도하는 어린이 합창단 중 하나가 경쟁에 참가하였다. 그 합창단은 곡에 담긴 정서적인 내용을 합창단원과 관객에게 모두 전달하는 흠잡을 때 없는 딕션을 구사했으며 그 해 그 부문 1위를 차지했다. 이것은 합창에 대한 이야기지만 혼자서 노래할 때도 마찬가지로 적용된다.

복합모음으로 쓰인 가사를 노래하는 것이 어려울 수 있겠지만 이 또한 영어라는 언어의 한 부분이라는 것을 알아야 한다. 영어로 노래하고 싶다면 가창훈련의 한 부분으로써 복합모음을 다루는 방법을 배울 필요가 있다. 대체적으로 복합모음의 발음은 타이밍의 문제이다. 복합모음 발음을 위한 다음의 체크리스트를 살펴보자.

1. 노래하기 전에 노래 가사를 크게 소리 내어 읽는 것이 좋다.

2. 영어철자는 발음기호와 대충 비슷하다. 단어가 복합으로 나는 소리인지 아닌지 확실치 않다면 77쪽의 모음발음기호표를 참고하자.

3. 복합모음에서 들어 있는 모든 소리를 발음하자. 이중모음을 발음하는 데 있어 두 모음 사이의 소리변화는 관객이 내용을 파악하는 데 있어 중요한 신호임을 명심하자.

4. 표준 영국 영어의 삼중모음을 발음할 때는 예외사항이 생길 수 있다(예를 들어 'lawyer' /lɔɪə/ and 'power' /paʊə/). 근래에는 세 개의 모음을 두 개의 모음

으로 사용하는 것이 허용된다. 물론 다른 단어와 혼동되지 않는다면 말이다. 하지만 만약 여러분이 노엘 카워드Noel Coward 뮤지컬처럼 시대극을 공연해야 한다면 삼중모음의 세 가지 소리를 모두 명확하게 발음해야 할 것이다.

5. 복합 모음에서 모음 간의 전환 타이밍을 결정하기 위해서는 뮤지컬의 양식적인 요소를 고려해야 한다. 다음의 양식적 특징에 따른 발음방법을 살펴보자.

(1) 러너Lerner와 로우Lowe의 <마이 페어 레이디*My fair Lady*> 중 'I could have danced all night'처럼 고전적인 소재의 뮤지컬을 노래할 때는 첫 모음을 두 번째 모음보다 더 길게 소리 내야 하며, 두 모음 사이의 전환 역시 천천히 느리게 해야 한다.

(2) 와일드혼Wildhorn과 브리커스Bricusee의 <지킬 앤 하이드*Jekyll and Hyde*>처럼 좀 더 현대적인 뮤지컬에서는 모음간의 전환을 다른 방식으로 할 필요가 있다. 근본적인 차이는 전환의 시점이 음 길이의 중간이나 3분의 2 지점에서 일어나며, 그 변화가 빠르고 좀 더 급작스럽다는 것이다. 이러한 모음 간의 전환은 보다 극적인 느낌을 준다.

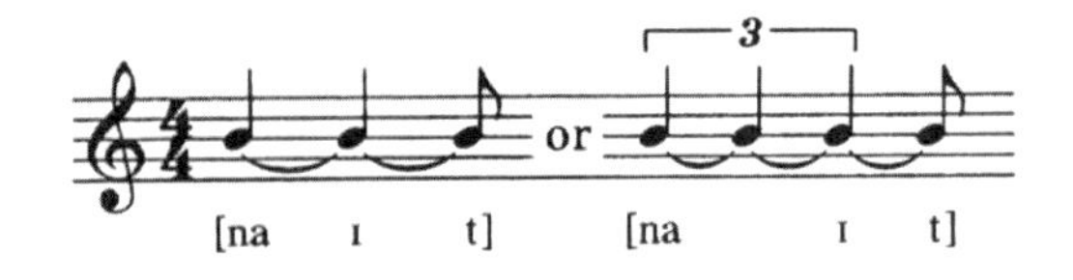

(3) <스모키 조스 카페*Smokey Joe's Cafe*>같은 로큰롤 스타일에서 모음이 전환되는 방식은 또 다르다. 대중음악의 모음은 당연히 대중음악의 발생지인 미국 남부의 모음과 가장 가깝다. 이 경우에는 첫 번째 모음만을 가지고 노래하기 때문에 모음간의 전환이 전혀 이루어지지 않는다. 또한 마지막 't' /t/ 역시 무기음으로 부른다.

공연을 할 때는 음악감독과 연출가의 협의를 통해 위와 같은 결정이 내려질 것이며, 그 다음 과정에서 복합모음의 처리는 이제 타이밍의 문제가 된다. 여러분은 주어진 음가 내에서 얼마나 많은 발음을 해야 하는지 그리고 어디서 모음을 전환할지 생각하고 그것을 실행하기만 하면 된다.

자음을 명확하게 발음하기

다음의 그림은 성도를 가로막을 수 있는 구조와 위치를 나타내고 있다. 그 다음의 도표는 '표준 영국 영어 자음'의 분류표이다. 도표에는 자음의 발음위치와 방법, 발음기호 그리고 그에 따른 예시 단어를 포함하고 있다. 자음은 파열음(폐쇄음), 마찰음, 접근음(활음), 비음의 네 가지로 구분된다.

이러한 분류는 자음이 어떻게 만들어지는지 말해주며, 배치도에서는 자음이 어디서 만들어지는지(222쪽 그림) 보여준다. 장소에 따른 분류방법 외에 무성인지 유성인지에 따라 자음을 구분하기도 한다.

자음을 명료하게 발음하기 위해 여러분이 사용해야 하는 근육이 어떤 것인지 그림을 통해 확인할 수 있을 것이다. 소리에 대한 시각적, 청각적 기억과 함께 근육기억을 발달시키도록 다음의 도표에 적힌 단어를 크게 소리 내어 읽어보자.

전반적으로 자음은 모음에 비해 노래하기 어렵기 때문에 노래를 훈련하는 과정에 있어 생략되기도 한다. 예를 들면 폐쇄음 'ㅌ'('t')로는 노래할 수 없으며 오직 폐쇄음의 앞이나 뒤에서만 노래할 수 있다. 'ㅌ'('t')를 발음하기 위해서는 소리를 멈추어야 하며 따라서 공기흐름에 변화가 생기게 된다. 이처럼 자음으로 인해 노래하기가 어려움에도 불구하고 자음의 가청도가 중요한 이유는 화자와 듣는 사람 사이의 의사소통에 영향을 줄 수 있기 때문이다.

배치도placement

성도를 막을 수 있는 방해물을 숫자로 표시했다.

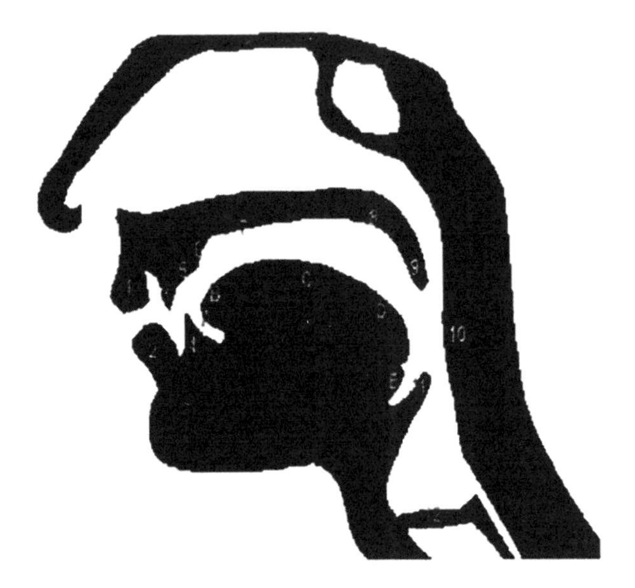

1. 윗입술
2. 아랫입술
3. 위쪽 앞니
4. 아래쪽 앞니
5. 치경(치조 융선(隆線))
6. 치경 뒷부분
7. 경구개
8. 연구개(목젖)
9. 인두
10. 후두덮개
11. 성문(声門)

평소 말을 할 때 사용하는 부분은 1, 2, 3, 5, 6, 7, 8, 12이다.

알파벳은 혀의 각 부분을 나타낸다. 혀 끝(A), 혀 날(B), 혀 앞(C), 혀 뒤(D), 혀뿌리(E)

표준 영국 영어 자음General English Consonants

양순음Bilabial

/p/ 무성 양순 폐쇄음

voiceless bilabial plosive: **p**eel, a**pp**roach, stoo**p**

/b/ 유성 양순 폐쇄음

voiced bilabial plosive: **b**ell, tri**b**ute, tu**b**e

/m/ 유성 양순 비음

voiced bilabial nasal: **m**arry, ca**m**paign, handso**m**e

순치음Labiodental

/f/ 무성 순치 마찰음

voiceless labiodental fricative: **f**ellow, a**f**ter, stu**ff**

/v/ 유성 순치 마찰음

voiced labiodental fricative: **v**ery, a**v**erage, gi**v**e

양순 연구개음 Labial-velar

/w/ 유성 양순연구개 접근음

voiced labial-velar approximant: **w**estern, stal**w**art, a**w**ay

치음Dental

/θ/ 무성 치(간) 마찰음

voiceless dental fricative: **th**ink, a**th**lete, tru**th**

/ ð / 유성 치(간) 마찰음

voiced dental fricative: **th**is, ra**th**er, soo**th**e

치경음Alveolar

/t/ 무성 치경 파열음

voiceless alveolar plosive: **t**ime, fu**t**ile, ha**t**

/d/ 유성 치경 파열음

voiced alveolar plosive: **d**eep, a**dd**ition, be**d**

/s/ 무성 치경 마찰음

voiceless alveolar fricative: **s**ip, a**ss**ume, bli**ss**

/z/ 유성 치경 마찰음

voiced alveolar fricative: **z**est, pre**s**ume, head**s**

/l/ 유성 치경 설측 접근음

voiced alveolar lateral approximant: **l**ast, f**l**our, simi**l**ar

/n/ 유성 치경 비음

voiced alveolar nasal: **n**either, a**n**tique, fu**n**

후치경음 혹은 경구개치경음 Postalveolar or palate-alveolar

/ʃ/ 무성 후치경 마찰음

voiceless postalveolar fricative: **sh**ift, vi**c**ious, po**sh**

/ʒ/ 유성 후치경 마찰음

voiced postalveolar fricative: mea**s**ure, fu**s**ion, vi**s**ion

/ʧ/ 무성 후치경 파찰음

voiceless postalveolar affricate: **ch**est, a**ch**ieve, lur**ch**

/ʤ/ 유성 후치경 파찰음

voiced postalveolar affricate: **j**ump, a**dj**acent, ba**dg**e

/r/ 유성 후치경 접근음

voiced postalveolar approximant: **r**ed, a**rr**ow, **r**u**r**al

경구개음Palatal

/j/ 유성 경구개 접근음

voiced palatal approximant: **y**esterday, can**y**on, vine**y**ard

연구개음Velar

/k/ 무성 연구개 파열음

voiceless velar plosive: **k**ept, sil**k**en, sha**ck**

/g/ 유성 연구개 파열음

voiced velar plosive: **g**uest, be**g**otten, bi**g**

/ ŋ / 유성 연구개 비음

voiced velar nasal: si**ng**, li**n**k, Li**n**coln

성문음Glottal

/h/ 무성 성문 마찰음

voiceless glottal fricative: **h**ave, a**h**ead, **h**uge

자음연습

우리는 모음연습과 함께 자음 역시 연습해야 한다. 아래의 연습 1, 2는 필자가 자주 사용하는 자음 훈련 방법이며, 이 두 가지 자음연습을 한 후에 가사를 사용한 인지 훈련도 해보자.

연습 1 • 자음발성과 근육강화

첫 번째 연습은 조음에 필요한 근육의 조절능력과 유연성을 발달시키고 유성자음을 익숙하게 소리 낼 수 있게 하는 훈련이다.

1. 각각의 자음에 다섯 가지 기본 모음을 붙여 노래하자. 223~224쪽에 나열된 모든 자음을 가지고 훈련하자('w', 'r', 'y'는 생략).
2. 필요한 만큼 천천히 상승스케일을 진행해 나가자.

/di:/ /de/ da:/ /dɔ:/ /du:/
/di:/ /de/ da:/ /dɔ:/ /du:/
/di:/

3. 자음이 만들어지는 조음위치에 신경을 쓰며 노래하자.
4. 유성자음(예: 'm', 'v', 'z')으로 연습할 때는 각 음정의 박자에 맞추어 소리를 내자.
5. 무성자음(예: 'p', 't', 'f')은 음정 바로 직전에 미리 발음하고 모음으로 주어진 음가를 부르며 스케일을 진행하자. 시간이 없기 때문에 모음으로 노래할 때 입을 크게 벌리지 않도록 한다.
6. 1박자를 3박으로 쪼개어 박자의 수를 늘리고 점점 속도를 높여 노래하자.

3 3 3 3 3 3
/di: di: di: de de de da: da: da: dɔ: dɔ: dɔ: du:/
/di: di: di: de de de ...

셋잇단음표 중 맨 앞의 음정에 호흡과 에너지를 싣는다면 조금 더 쉽게 이 스케일을 할 수 있을 것이다. 다른 두 소리는 첫 음정의 에너지에 대한 반동으로 쉽게 소리 날 것이다.

이제 자음이 생성되는 방법과 위치에 대해 살펴보자.

(1) 'f'는 입술을 사용하며 날숨과의 마찰을 필요로 한다.

(2) 'k'는 연구개와 혀를 움직여 만든다. 처음에는 호흡을 잡고 있다가 호흡을 뱉으며 소리 낸다.

(3) 'z'를 발음할 때는 혀가 치경에 붙고 날숨과의 마찰이 생긴다.

(4) 'l'을 발음할 때는 혀를 치경에 대고 호흡이 끊이지 않도록 하자.

7. 연습을 하는 동안 아무 때나 원하는 곳에서 숨을 들이 쉬자. 호흡반동에 의해 쉽게 숨을 쉴 수 있을 것이다.

8. 후두에 긴장이 일어나는지 살피고 침묵웃음을 사용하자.

연습 2 • 유성자음 발음하기

유성자음은 방해물, 성대 그리고 호흡에 의해 만들어진다. 유성자음으로 끝나는 단어나 음절을 확실히 발음하기 위해서는 다음의 세 가지 모두 조화를 이루어야 한다.

1. 쌍을 이룬 유성마찰음(예: v-v, th-th, z-z)을 사용해 연습하자.

2. 마찰음 사이의 전환이 이루어질 때는 소리를 멈추어야 하는 데 이를 위해서는 정지된 호흡, 열린 성대, 방해지점(혀와 경구개, 입술과 이, 혀와 이)의 이완이 필요하다.

3. 한음씩 상승하는 스케일을 실행하자. 이때는 'maybe this time'(비강 자음으로 끝남), 'the autumn leaves'(유성마찰음으로 끝남)와 같이 유성마찰음, 비음 그리고 설측 접근음 'l' /l/로 끝나는 단어나 소절을 이용하도록 한다.

(1) 음정을 노래하는 동안 자음을 만드는 조음기관(방해물)의 모양을 유지하자.

노래가 끝나기 전에 조음기관을 풀어버린다면 단어의 끝이 모음으로 발화될 것이다.

(2) 성대를 열어 소리를 정지시키도록 하자.

(3) 복부에 반동을 주어 호흡을 멈추자.

인지 훈련 • 빠른 템포의 패터 송

단조로운 가사와 리듬으로 빠르게 부르는 패터 송patter song은 자음발음을 연습하는 데 있어 상당히 유용하다. 이 연습을 하는 동안 자음이 어떻게 그리고 어디서 만들어지는지 주의 깊게 살펴보자. 필요한 경우에는 222~224쪽의 그림과 표를 참고해도 좋다. 다음은 손드하임의 뮤지컬 <애니원 캔 휘슬*Anyone can Whistle*> 중 'Everybody says don't'의 처음 부분이다. 원한다면 멜로디를 사용해 다음 단계를 진행해도 된다.

Everybody says Don't,
Everybody says Don't,
Everybody says Don't, it isn't right,
Don't, it isn't nice.

1. 평소 말하는 속도로 가사를 읽자.
2. 자음만('v'-'r'-'b'……)을 뽑아 소리 내어 읽자. 이 단계에서는 시간을 충분히 가지도록 한다. 자음을 발음하다 보면 자연스럽게 모음도 소리 나겠지만 모음을 발음하지 않도록 신경 쓰며 모음에 시간을 할애하지 않도록 하자(여기에서 철자 'y'는 모음임에 유의).
3. 이번에는 자음간의 구분이 잘 되도록 자음을 좀 더 강하게 발음하면서 다시 한 번 읽어보자. 이 과정에서 턱을 잡거나 지나치게 사용하지 않도록 주의해

야 한다. 그리고 각각의 자음을 발음할 때 사용되는 근육에 대해서만 집중할 수 있도록 하자.

(1) 'v', 'z', 's'을 포함한 모든 마찰음을 발음할 때는 두 배의 시간을 더 할애하자.

(2) 't'와 같은 폐쇄음을 발음할 때는 좀 더 오랫동안 소리를 멈추도록 하자.

(3) 'n'과 같은 비강 자음은 볼륨을 두 배로 높여 발음하도록 한다.

4. 이제 멜로디로 노래하자. 두 배 느린 속도로 하고 필요한 경우에는 더 느리게 해도 된다. 모음으로 노래할 때보다 소리 크기가 작아져도 걱정하지 말고 자음발음에만 집중하며 노래하도록 하자.

자음 발음을 위한 다양한 조건

자음을 붙여 노래하기 시작하면 어떤 일들이 벌어지는가? 음악적으로나 소리적으로 특별한 문제가 발생하는가? 필자의 경험에 비춰보건 데 아주 다양한 문제점들이 이 자음 때문에 발생하게 된다. 모든 문제에 다 신경 쓸 필요는 없지만 문제점이 무엇인지는 잘 인식해야 한다. 다음의 목록은 자음으로 인해 발생되는 문제와 그 해결방안에 관한 것이다.

1. 턱의 움직임

자음발음을 위해서는 어느 정도 턱의 움직임이 필요하지만 턱에 의해 자음이 만들어지는 것이 아님을 기억하자. 자음발음에 필요한 근육을 효율적으로 사용하기 위해서는 턱의 움직임을 살펴보는 것이 도움이 된다.

(1) 6장 103쪽에서 설명한 것처럼 거울을 보거나 턱에 손가락을 대어 보자. 몇 가지 자음은 턱을 닫고 발음해야 될 것이다. 여러분이 모음 중심의 노래연습을 해왔다면 턱을 닫는 발음에 익숙해져야 할 필요가 있다.

(2) 배치도 그림(222쪽)을 보면서 각각의 자음이 만들어지는 위치를 확인해 보자. 자음발음에 대한 연습 1과 2를 통해 명확한 자음발음과 턱의 지나친 사용을

점검할 수 있다.

2. 호흡의 사용

(1) 여러분은 숨을 언제 어떻게 들이 쉴지 생각함과 동시에 공기의 흐름과 압력의 변화에도 주의를 기울여야 한다. 마찰음에서는 더 많은 호흡의 사용이 필요하고 파열음에서는 호흡을 멈추어야 한다.

(2) 'ㅌ'('t' /t/), 'ㅍ'('p' /p/), 'ㅋ'('k' /k/), 'ㅅ'('s' /s/), 'ㅊ'('CH'/ʧ/) 같은 무성폐쇄음 다음에는 기식음이 따라 나오며 숨을 들이쉴 수 있다.

3. 발성기관의 조임

발성기관을 조이는 증상은 자음이 어디서 만들어지는지 확실치 않을 때 생길 수 있다. 이런 현상은 특히 유성자음을 발음할 때 생기는 데, 소리에 필요한 호흡과 발성 사이의 밸런스가 맞지 않기 때문이다. 예를 들어 'George'와 같이 시작과 마지막이 유성파찰음 'j'/ʤ/(유성마찰음과 유성파열음의 조합)인 경우에는, 성도 안의 여러 공간에 의해 호흡이 방해 받게 된다. 즉, 유성음을 발음하기 위해 성대, 치경 그리고 치경 뒷부분에서 호흡의 방해가 일어난다. 이런 현상은 성도에서 호흡을 미는 원인이 되어 후두의 수축을 가져올 수도 있다. 노래를 부른다는 것은 곧 음정을 유지하는 일이기 때문에 유성 파열음, 마찰음, 파찰음으로 노래할 때는 말할 때보다 더 죄는 경향이 생긴다.

(1) 자음들이 어디서 발음되는지 확실히 알 수 있도록 222쪽과 223~224쪽의 그림과 표를 보자.

(2) 호흡의 사용량을 체크하자. 자음을 명료하게 발음하기 위해서는 충분한 양의 호흡이 필요하지만 호흡을 너무 밀지 않도록 해야 한다.

(3) 침묵웃음을 사용하며 자음을 연습하자. 가성대가 뒤로 물러난 상태를 유지하면서 자음을 먼저 소리 내어 말한 다음 노래하도록 하자.

4. 유성자음 소리내기

자음(유성파열음, 유성마찰음, 비음, 접근음을 포함)을 발음할 때는 음정과 같은 높이에서 소리 내야 한다. 그렇지 않으면 소리를 끌어 올리는 잡음이 발생할 것이다!

(1) 싸이러닝으로 음정을 노래하자. 그 다음, 자음을 같은 음정에서 발성하도록 하자.

(2) 팝처럼 음정을 끌어당기는 노래 스타일의 경우에는 예외일 수 있다.

5. 유성자음의 마무리

유성자음으로 노래하다 보면 단어 사이에 모음을 추가하는 경우가 잘못 발생하기도 한다. 제리 허먼Jerry Herman의 발라드 'Time Heals Everything' 중 'And one fine morning the hurt will end' 부분을 살펴보자. 단어의 마지막까지 소리가 계속되는 경우 다음과 같은 결과가 발생할 수 있다. 'and-uh one fine-uh morning-uh the hurt will mend'. 이런 현상은 전통적인 '벨 칸토' 기법을 훈련한 가수에게, 그리고 빠른 템포보다는 발라드를 노래할 때 더 잘 나타난다.

(1) 이런 현상을 피하기 위해서는 비강자음의 끝에서 성대를 열어야 한다. 숨을 들이 쉴 필요는 없이 그냥 성대만 열면 된다.

(2) 단어의 마지막에 유성자음이 올 때도 같은 방법을 사용하자.

6. 비강 자음의 가청도

비강 자음은 비강에서 소리가 흡수되기 때문에 우리 머릿속에는 크게 들리지만 밖에서는 작게 들린다. 따라서 모음의 소리 크기와 맞추기 위해서는 비강자음에 균형이 필요하다. 파트너와 함께 다음을 연습해 보자.

(1) 손을 귀에 대고 하나의 음정으로 'many many man'을 노래하자. 모음이 자음보다 더 작게 들릴 것이다.

(2) 파트너에게 같은 소절을 부르도록 요구하자. 밖에서는 모음이 자음보다 더 크게 소리 난다는 것을 알 수 있다.

(3) 듣는 사람의 입장에서 소리의 균형을 찾을 때까지 비강자음의 볼륨을 올리도록 지시하자.

(4) 파트너에게 비강자음을 모음의 크기와 같게 하기 위해 어느 정도의 노력을 더 기울였는지 물어보자.

(5) 파트너로부터 피드백을 받으며 (2)에서 (4) 단계를 반복하자.

7. 자음발음의 타이밍

단어나 음절전체의 음가를 모음으로 부르는 것에 익숙한 사람들이 많다. 하지만 자음을 노래하는 타이밍은 가창자가 신경 써야 하는 가장 중요한 문제 중의 하나이다. 여러분이 이러한 자음의 중요성에 대해 인지하기 시작했다면, 이제 리듬이 망가지지 않도록 음의 길이 안에서 자음을 위한 공간을 만들어야 한다.

(1) 맨 처음 자음은 박자 전에 만들어져야 한다.

(2) 마지막 자음은 박자 안에서 만들어져야 한다.

다음은 손드하임Sondheim의 'Anyone can Whistle'에서 발췌한 부분으로 자음발음의 타이밍을 보여주고 있다.

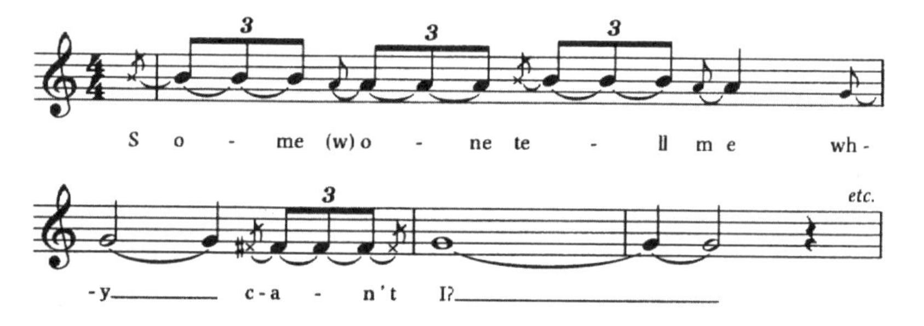

여러분이 '모음으로' 노래하는 게 익숙하다면 처음에는 이렇게 부르는 것이 이상하게 느껴질 수 있다. 근본적으로 여기에서 여러분이 하는 일은 모음으로 모

든 음가를 다 부르는 것이 아니라 자음에 어느 정도의 음가를 배분하는 것이다. 13장의 283~284쪽의 악보를 보면 노래의 박자구조 안에서 자음의 음가분배를 어떻게 해야 하는지 알 수 있다.

8. 접근음 또는 활음 r /r/, w /w/, y /j/

위에 나열된 단어는 표준 영국 영어와 표준 미국 영어의 4가지 접근음 중 3가지로써 방해를 받지 않고 나오는 소리이다. 이 접근음을 노래할 때는 복합모음을 발음하듯이 음정 내 모든 발음의 전환을 노래해야 한다. 이 단계의 진행을 위해 접근음들과 비슷한 '모음'을 생각하는 것이 도움이 될 것이다. 예를 들어 'w' /w/ 는 'OO' /uː/, 'y' /j/ 는 'EE' /iː/, 'r' /r/ 은 'uh' /ə/라고 생각해 보자. (a)의 예를 살펴보자.

(1) 'world'를 천천히 노래하자. 단어의 첫 소리를 'OO' /uː/라고 생각하자.

(2) 'OO' /uː/로 음정을 노래하자.

(3) 그런 다음 'OO' /uː/를 모음 'ER' /ɜː/나 'URR' /ɝː/(미국 영어)로 전환하자.

(4) 'OO' /uː/에서 모음 'ER'/ɜː/나 'URR'/ɝː/(미국 영어)로 바뀔 때는 동그란 입술모양에서 중립적인 입술 모양으로 바뀐다.

(a)는 이와 같은 과정에 필요한 박자 분배의 예이다.

이제 (b)의 예를 살펴보자.

(1) 'romance'를 노래해 보자. 여러분이 'r'을 발음할 때 혀의 움직임을 살펴보자. 표준 영국 영어에서 'r'로 시작하는 단어는 중성모음 'uh' /ə/처럼 발음된다. 'romance'의 'r'을 악보상 박자 바로 앞에서 먼저 소리 낸 후, 원래 음가를 모음으로 노래하자(음정 앞의 짧은 앞꾸밈음 표시는 언제 자음 'r'을 노래해야 하는지 보여주고 있다).

(2) 'r'을 모음처럼 노래한다는 것은 중설화가 가능하다는 얘기임으로 이를 위한 혀의 위치를 만들 수 있도록 하자.

9. 성절 자음Syllabic consonants

표준 영국 영어에서 성절 자음을 포함한 단어로는 'button'이나 'people' 등이 있다. 발음기호는 /bʌtn/, /pi:pɫ/이다. 화법상으로 두 번째 음절에 강세가 없기 때문에 소리 크기나 음 길이는 최소화된다. 하지만 음악의 설정을 어떻게 하느냐에 따라, 이러한 인과관계는 소리의 불균형을 초래 할 수 있다.

다음은 줄 스타인Jule Styne의 <퍼니 걸*Funny Girl*> 중 'People'에서 발췌한 부분이다.

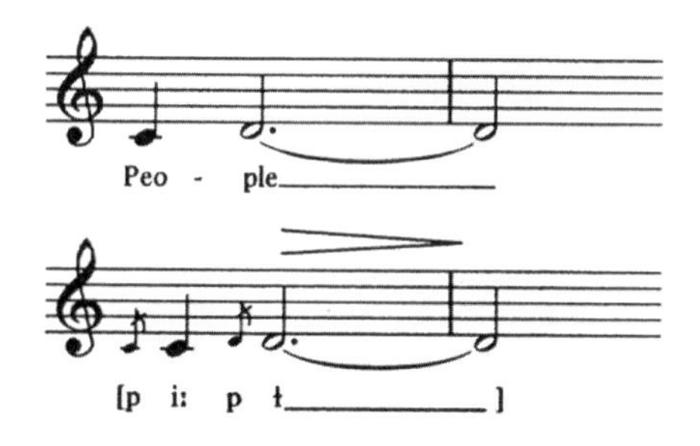

(1) 단어의 두 번째 음절(긴 음정)을 부르는 동안 소리 크기를 줄이도록 하자.

(2) 마지막 'l' /ł/을 기보된 음가로 부르자. 그리고 모음의 삽입 없이 이 자음만으로 전체 음 길이를 노래하자.

말을 할 때는 강세가 있는 음절과 없는 음절 사이에서 소리 크기의 감소가 자연스럽게 일어나지만, 노래를 할 때는 이러한 균형을 맞추어야 한다. 이처럼 강세가 있는 음절과 균형을 맞추기 위해 소리 크기를 줄이는 것을 디케이decay라고 한다.

가사와 의미전달

말할 것도 없이 능숙한 배우는 가사의 음악적인 구성과 함께 의미상의 뜻과 해석상의 뜻 사이에서 균형을 찾는 게 보통이다. 그러나 미숙한 배우는 소리를 내는 데만 집중한 채 가사의 의미를 전달하지 않는 함정에 빠질 수 있다. 이럴 경우에는 정서적인 연결이 전혀 이루어지지 않기 때문에 음악의 구조 안에서 가사를 잘 이해하고 전달할 수 있는 방법을 찾아야 한다.

가사의 억양이나 의미는 다음과 같은 다양한 방식으로 잘못 해석되거나 왜곡될 수 있다.

1. 모음의 변경
2. 단어 사이를 붙여 말하기
3. 음절, 단어 또는 소절과 맞지 않는 강세

이러한 문제점 중 일부는 작곡가가 의도한 음악적 장치에 의해 발생하기도 한다. 하지만 이러한 경우에도 여러분은 가사가 잘 들리도록 음악 텍스트를 연주할 수 있다. 다음은 문제점 2, 3과 그에 따른 해결방안이다(문제점 1에 관해서는 이미 다루었다).

1. 단어 사이를 붙여 말하기

발라드를 부를 때는 단어 사이를 서로 붙여 노래하고 싶은 유혹이 빠진다.

이러한 현상은 여러분이 멜로디에만 너무 집중하거나 노래에 나타난 감성 콘텐츠를 일반화할 때 생길 수 있다. 뮤지컬에서는 소리보다 가사전달이 더 중요하다는 것을 명심하자. 제리 허먼Jerry Herman의 뮤지컬 <맥 앤 메이블*Mac and Mabel*> 중 'Time heals everything'과 같은 강력한 발라드를 부를 때조차도 가사전달의 중요성을 인식해야 한다. 다음은 'Time heals everything'의 처음 부분이다. 간단하지만 인상적인 멜로디가 반복되며 음악적인 상승을 이루고 있다. 관객으로 하여금 어떻게 하면 멜로디만 듣지 않고 여러분이 무엇을 얘기하고 있는지 듣게 할 수 있을까?

Time heals everything, Tuesday, Thursday,
Time heals everything, April, August,
If I'm patient, the break will mend,
And one fine morning the hurt will end.

(1) 평소 말할 때의 어조로 크게 가사를 읽어보자. 의미를 담아 말하도록 하자. 이것이 가능하다면 여러분은 본능적으로 선율의 흐름을 끊는 쉼표를 넣게 될 것이다.

(2) 가장 중요한 단어인 'everything'의 첫 음절에 성문폐쇄음을 넣어 강세를 주도록 하자. 이렇게 하면 앞 단어와도 분리가 될 뿐만 아니라 'everything'이란 단어에 음악적으로나 소리적으로 강세가 생긴다. 또한 이러한 성문음을 통해 메이블의 심리적 상태를 관객에게 전달할 수도 있다.

(3) 이제 노래를 불러보자. 모든 쉼표를 지켜 부르고, 모음으로 시작하는 단어('everything',' April', 'August', 'if' 등) 중 강조하고 싶은 단어에 성문 온셋을 사용하자. 쉼표를 넣은 다음에는 자연스럽게 호흡반동the recoil이 일어나기 때문에 숨을 들이쉬는 것에 대한 걱정은 안 해도 된다. 그리고 잠깐의 침묵은 관객이

가사나 멜로디에 담긴 정서적 의미를 생각할 수 있는 기회를 제공한다.

모음으로 시작하는 모든 단어에 성문 온셋을 사용할 필요는 없다. 좀 더 부드러운 성대의 시작음을 원한다면 동시 온셋을 사용할 수도 있다. 일반적인 화법으로는 강세가 있는 단어나 음절의 모음 앞에 모두 성문음을 넣는 것이 맞지만 강세의 사용은 상대적임을 기억하자. 왜냐하면 모든 것에 강세가 있다는 것은 실제로는 아무것도 강조하고 있지 않다는 것을 의미하기 때문이다. 그러므로 성문 온셋을 사용하여 앞뒤의 가사를 분리할지 말지는 사실상 해석상의 문제이다. 단지 중요하게 생각해야 하는 것은 가사를 서로 붙여 부르면서 'ti-meal-sev'rything'이라고 노래하지 않는 것이다.

2. 강세에 의한 멜로디의 왜곡

작곡가는 단어가 가진 자연스러운 억양을 망치면서까지 강세가 없는 음절에 긴 음정을 배치하기도 한다. 이런 이유 때문에 발라드에서는 가사의 올바른 전달이 힘들다며 발라드를 부르기 싫어하는 사람도 있다. 특히 이러한 부적절한 강세의 사용은 솔로 곡에서 더 잘 나타난다. 프랭크 와일드혼Frank Wildhorn의 뮤지컬 <지킬 앤 하이드*Jekyll and Hyde*> 중 'Someone like you'를 들어보거나 노래해 보자.

I peer through wind<u>ows</u>,
Watch life go by,
Dream of tomor<u>row</u>
And wonder why

(1) 밑줄 친 음절은 음의 길이가 길고 음정이 올라가는 부분이기 때문에 쉽게 두드러진다.

(2) 'wind-ows' 의 두 번째 음절, 'dream'과 'of' 사이, 'tomorr-ow'의 세 번째 음절을 디크레센도하자.

이와 같이 소리 크기를 조절하여 균형을 맞추면 강세가 올바른 음절에 오게 되고, 따라서 관객은 전반적인 감정뿐만 아니라 가사의 의미를 알 수 있게 된다.

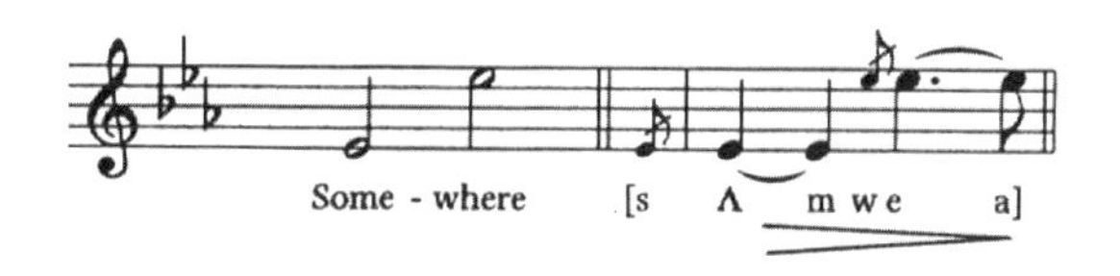

또 하나의 예로 E.Y. 하버그E.Y. Harburg와 해럴드 알런Harold Arlen의 'Over the Rainbow'를 살펴보자. 이 노래는 옥타브 도약으로 시작하며, 이러한 도약은 그리움에 대한 음악적 표현으로써 노래 전체에 걸쳐 나타난다. 높은 음정은 사람의 귀에 더 크게 들리기 때문에 '-where'를 부를 때 소리 조절을 하지 않으면 자동적으로 커지게 된다. 따라서 두 번째 음정을 디크레센도로 불러 가사의 자연스러운 화법에 따른 연주가 이루어지도록 해야 한다. 이제 소리 크기를 줄이는 방법에 대해 알아보자.

(1) 모든 강약의 정도는 상대적이다. 여러분은 이 노래를 전반적으로 크고 즐겁게 부르고 싶을 수 있고, 반대로 좀 더 간절하고 서정적인 스타일로 노래하고 싶을 수도 있다. 뭐든 상관없다. 자기가 원하는 레벨에 맞추도록 하자.

(2) 높은 음정으로 갈 때는 의식적으로 볼륨을 줄일 필요가 있다. 고음에서는 모음을 부르기 전에 소리 크기를 빨리 줄여 소리가 커지는 것을 미리 막아야 한다.

(3) 'some-'에서 'm' 발음을 이용하여 소리 크기를 줄여보자. 비강자음 'm'은 코를 통해 소리가 빠지기 때문에 자동적으로 소리 크기의 감소가 일어난다.

(4) 'm'과 'where'의 소리 크기를 먼저 일치시킨 다음, 나머지 음절 역시 소리를 줄인 상태로 노래하자.

근래 들어 유명해진 에바 캐시디Eva Cassidy의 CD 송버드CD Songbird를 들어

보면 완전히 다른 형식으로 음악을 읽고 있다는 것을 알 수 있다. 가수의 의도에 따라 지극히 개인적인 뉘앙스가 강조되는 재즈 연주곡에서는 이러한 음악적 표현이 필수적이지만, 뮤지컬에서는 음악적인 흐름이나 내용을 진행시키기보다는 지연시킬 수 있다.

하지만 음악 스타일에 따라 가사를 왜곡시켜야 하는 경우도 있다. 예를 들어 <맘마미아*Mamma Mia*>와 같은 헌정 공연tribute show처럼 원곡앨범과 똑같이 가사를 표현해야 하거나, 재즈나 블루스 공연처럼 극적인 구성을 필요로 하지 않은 경우에는 올바른 가사전달의 중요성이 떨어질 수 있다. 이처럼 이유 있는 선택의 결과라면 가사가 왜곡되더라도 크게 상관없다.

뮤지컬 가창에서는 가사에 대한 고려가 반드시 우선시 되어야 하며 소리는 두 번째라는 것을 명심하자. 이 같은 원칙이 바탕이 된다면 여러분은 더 쉽게 원하는 노래를 만들 수 있을 것이다. 이번 장에서 다룬 내용을 원칙에 적용하여 간단히 요약하면 다음의 다섯 가지로 정리할 수 있다.

1. 인물의 세상과 환경 안에서 말하듯이 노래하자.
2. 모음의 고유성을 유지하자.
3. 자음을 명확하게 발음하자.
4. 무엇을 노래하는지 전달하자.
5. 음악적 양식과 전달방식에 대해 의식적인 선택을 하자.

Chapter 12.

음색 창조

Creating voice qualities

우리는 다른 사람의 말이나 노래를 들으면 그 소리가 어떤지 항상 판단하게 된다. 이러한 판단은 개인의 심리적 반응과 더불어 사회적, 문화적 그리고 심미적 관점을 바탕으로 만들어 진다. 우리는 때로 자신과 타인의 목소리를 비교하며 '이렇고 이런 목소리를 가지고 싶다'고 생각하기도 한다. 이럴 때 필자는 다음의 신조를 떠올린다. '목소리는 타고나는 것이 아니라 만들어지는 것이다' 우리가 이제까지 연습했던 것은 자신만의 음색을 만드는 흥미로운 여행을 떠나기 위한 준비과정이었다. 우리는 항상 어떤 소리를 낼 때마다 특정한 음색을 만들어 낸다. 여러분이 명확하게 정의된 어떤 음색을 만들기 위해 음성기관의 근육을 어떻게 사용해야 할지 안다면, 여러분은 자신의 목소리를 훨씬 더 잘 조절할 수 있게 될 것이다. 또한 캐릭터 연구를 위해 보컬 스타일을 바꾸거나 음색을 창조하는 데도 유용하게 쓰일 것이다. 이 모든 것이 음색 연구를 통해 가능하다.

옆의 그림 1은 성도vocal tract를 나타낸다. 성도의 거의 모든 부분이 위아래, 앞뒤, 안팎의[16] 움직임이 가능하며 입천장만 고정되어 있다. 움직임이 가능한 부분의 성도를 조절하여 특징적인 소리의 형태를 만들어 냄으로써 우리는 고유하고 유연한 자신만의 악기를 가질 수 있다.

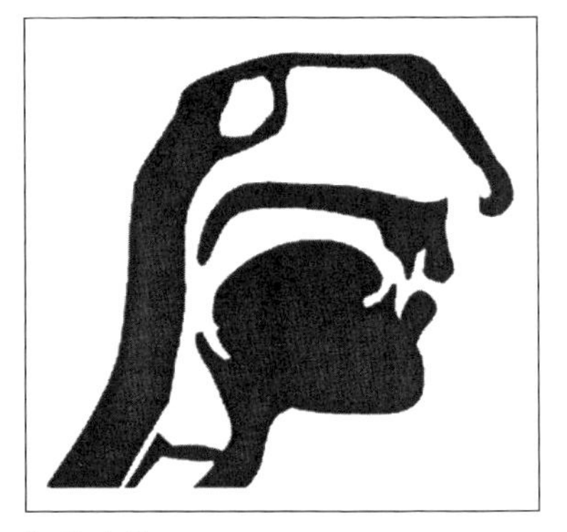

[그림 1] 성도The vocal tract

특정음색에 관한 과학적 연구는 비교적 최근에 이루어졌으며 그 이유는 아마도 음성과학보다는 실제 노래연습을 중요하게 생각하는 경향 때문인 것 같다. 우리는 지난 세기 동안 목소리의 작동원리를 알 수 있는 의학기술의 발전을 이루었지만 보이스 선생이나 노래교사가 음성과학연구에 따른 정보를 활용할 수 있게 된 것은 비교적 최근의 일이다. 요즘에는 많은 협회와 기구가 있어 목소리의 다학제적 연구를 장려하고, 교사와 공연예술인에게 음성과학에 대한 정보를 제공한다. 이번 장의 전반부에서 다룰 내용은 미국의 음성 연구학자인 조 에스틸Jo Estill의 음색에 관한 이론 모형에 기반을 두고 있다. 에스틸은 가수이자 선생님이었으며, 중년의 나이에 들어서면서부터 음성과학에 관심을 가지게 되었다. 그녀는 다양한 연구 프로젝트를 통해 스피치, 팔세토, 크라이, 트웽, 오페라 그리고 벨트라는 여섯 가지 서로 다른 음색을 발견하였다. 뮤지컬을 노래할 때는, 순수한 형태로써 하나의 음색만을 사용하기도 하고 다양한 음색을 서로 섞어 사용하기도 한다. 자, 이제 서로 다른 음색들이 언제 그리고 어떻게 사용되는지 살펴보자.

[16] 모든 구조가 이와 같은 방향으로 모두 움직인다는 뜻은 아니다. 각각의 구조는 고유한 움직임의 범위를 가지지만 이러한 논의는 이 책의 주제에 벗어남으로 다루지 않기로 한다.

음색의 사용

스피치 음색Speech quality

역사적으로 이 음색은 운문 파트를 노래할 때 사용되었으나 지금은 훨씬 더 광범위하게 사용된다. 스피치 음색은 말 그대로 자연스럽고 직접적인 소리이며 뮤지컬 레퍼토리뿐만 아니라 대중음악에 널리 사용되는 음색이다. 스피치 음색은 이야기풍의 노래와 패터송patter song,[17] 포인트 넘버point numbers, 재즈와 팝 뮤지컬, 그리고 <미스 사이공*Miss Saigon*>과 <지킬 앤 하이드*Jekyll and Hyde*>같은 통절 형식의 작품through-composed work[18]에 사용된다.

다음의 레코딩을 들어보자.

(1) 'Looking at the World Through Rose Coloured Glasses'

프랭크 시나트라Frank Sinatra가 부름. The Count Basie Orchestra, Valiant VS 144. 이 곡은 거의 노래의 전반에 걸쳐 스피치 음색이 나타난다. 특히 마지막 부분의 음정을 잘 들어보자.

(2) 'The American Dream'

알란 부빌Alan Boublil과 끌로드-미쉘 쇤베르그Claude-Michel Schönberg의 뮤지컬 <미스 사이공*Miss Saigon*> 중. 조나단 프라이스Jonathan Pryce가 부름. The Original London Cast recording, First Night Records, WX 329 7599-24271-1, 1998.

(3) 'Imagine My Surprise'

뮤지컬 <퍼스널*Personals*> 중, 크레인Crane, 페이드만Feidman, 카우프만

17 희극적인 가사와 빠른 리듬이 특징이다. ■옮긴이 주

18 시의 각 절에 다른 선율을 붙이는 형식으로 1, 2절의 선율이 같은 유절가곡과는 상반된다. 통절형식의 음악은 각 절마다 내용이 진행되기 때문에 이야기풍의 노래에 사용된다. ■옮긴이 주

Kauffman(원작 및 가사). 드레스킨Dreskin, 페이드만Friedman(JP and S), 멘켄Menken, 슈바르츠, 스클로프트Schwarz and Skloft(작곡). 서머 로늘리에Summer Rognlie가 부름. The Original London Cast recording. Jay Productions CD, ISBN 05288 13192. 처음부터 'You'까지 들어보자.

(4) 'At the End of the Day'

알란 부빌Alain Boublil과 끌로드-미쉘 쇤베르그Claude-Mchel Schönberg의 뮤지컬 <레 미제라블*Les Misérables*> 중. The Original London Cast recording. 코러스가 부름. First Night Records, ISBN 014636 100121. 스피치 음색을 앙상블에 사용한 좋은 예이다.

팔세토 음색Falsetto quality

팔세토는 애정과 상처, 또는 불명확함을 표현하는 데 효과적인 음색이며, 남녀 모두 사용 가능하다. 팔세토는 명확한 전달력을 가진 음색은 아니지만, 뮤지컬에서는 마이크와 앰프 등의 음향시설을 사용하기 때문에 소리 전달에는 문제가 없다. 다음은 팔세토 음색이 사용된 뮤지컬 넘버의 레코딩이다.

(1) 'Bring Him Home'의 시작부분과 마지막 두 마디

알란 부빌Alain Boublil과 끌로드-미쉘 쇤베르그Claude-Mchel Schönberg의 뮤지컬 <레 미제라블*Les Misérables*> 중. The Original London Cast recording. 콤 윌킨슨Colm Wilkinson이 부름. First Night Records, ISBN 014636 100121.

(2) 'Squeeze me'의 마지막 6마디

팻츠 월러Fats Waller 작곡. 뮤지컬 <에인트 미스비해븐Ain't Misbehavin'> 중. The Original Broadway Cast recording. RCA BL82965(2).

(3) 'Stay with Me'

스티븐 손드하임Stephen Sondheim의 뮤지컬 <인투더우즈*Into the woods*> 중. The Original Cast recording. 버나뎃 피터Bernadette Peter가 부름. RCA Victor, ISBN 7863-56796-1. 'Don't you know what's out there in the woods?'로 시작하는 부분을 들어보자.

크라이 음색Cry quality

여러분이 발라드를 부를 때 사용하는 따뜻하고 친밀감을 주는 목소리, 이것이 크라이 음색이다. 크라이는 '레지트'[19] 가창의 기초가 되며, 전통적인 북 뮤지컬book musical[20]의 발라드를 부르는 데 필수적인 음색이지만 굳이 장르를 한정지어 생각할 필요는 없다. 크라이는 로맨틱한 열정의 표현, 깊은 감정이 요구되는 모든 뮤지컬 장르에 사용된다. 다음 레코딩에서 크라이 음색을 들어보자.

(1) 'A Dream is a Wish Your Heart Makes'

작곡, 작사 데이비드 맥David Mack, 알 호프만Al Hoffman, 제리 리빙스턴Jerry Livingston. 디즈니 만화 <신데렐라*Cinderella*> 중. 바바라 쿡Barbara Cook이 부름. *Barbara Cook the Disney Album* MCA Records, 76732-6244-2.

(2) 'I'll Tell the Man in the street'

로저스, 하트Rodgers and Hart 곡, 크리스틴 체노웨스Kristin Chenoweth가 부름, *CD Let yourself Go*. Sony 2001-01-01.

19 레지트(legit)는 legitimate의 줄인 말로, 뮤지컬에서는 좀 더 클래식 발성에 가까운 노래 스타일을 일컫는다.
20 기승전결이 뚜렷한 스토리와 대본을 바탕으로 하며, 미국뮤지컬의 초창기에 인기를 끌었던 장르이다. 대표적으로 Rodgers and Hammerstein II의 작품이 있다. ■옮긴이 주

(3) ‘Send in the Clown’

스티븐 손더하임Stephen Sondheim의 뮤지컬 <리틀 나이트 뮤직*A Little Night Music*> 중에서 맨디 파틴킨Mandy Patinkin이 부름, *Mandy Patinkin Sings Sondheim*. Nonesuch 79690-2. 브릿지 부분 중 ‘just when I’d stopped opening doors’를 들어보자.

트웽 음색Twang quality

트웽은 모든 타입의 목소리에 화려함과 강렬함을 더해주기 때문에 공연에서 매우 유용하게 사용된다. 또한 트웽은 코믹하거나, 광적인 또는 신경질적인 배역을 표현하는 데 자주 쓰인다. 다음 레코딩에서 트웽 음색을 들어보자.

(1) ‘Take back your Mink’

프랭크 로서Frank Loesser의 뮤지컬 <아가씨와 건달들*Guys and Dolls*> 중. 킴 크리스웰Kim Criswell이 부름. Guys and Dolls, Selected Highlights, Show, CD 034.

(2) ‘Sit Down, You’re Rocking the Boat’

프랭크 로서Frank Loesser의 뮤지컬 <아가씨와 건달들*Guys and Dolls*> 중. 돈 스티븐슨Don Stephenson이 부름. Guys and Dolls, Selected Highlights, Show, CD 034.

(3) ‘The Girl in 14g’

지니 테서리Jeanine Tesori와 딕 스캘런Dick Scanlan 작곡. 크리스틴 체노웨스Kristin Chenoweth가 부름. CD Let yourself Go. Sony 2001-01-01. 시작 부분부터 ‘a perfect nook…’까지 들어보자. 여자 목소리로 트웽을 했을 때는 날카로움의 표현뿐만 아니라 사랑스러움도 나타낼 수 있다는 것을 알 수 있다.

오페라 음색Opera quality

뮤지컬에서 오페라 음색은 특정한 배역이나 특정 노래를 표현할 때 사용된다. 오페레타 혹은 뮤지컬 코미디로 구분되는 <쇼보트*Showboat*>나 <비터 스위트*Bitter Sweet*>, 그리고 뮤지컬 <카르멘 존스*Carmen Jones*>는 오페라 음색을 확실하게 사용하는 예이다. 다음의 레코딩을 들어보자.

(1) 'Music of the Night'의 구절

앤드류 로이드 웨버Andrew Lloyd Webber, 찰스 하트Charles Hart, 리차드 스틸고Richard Stilgoe의 뮤지컬 <오페라의 유령*Phantom of the Opera*> 중. 앤서니 월로우Anthony Warlow가 부름. Centre Stage, Polydore 847 4342

(2) 'My Joe'

오스카 해머스타인 2세Oscar Hammerstein II와 조르주 비제Georges Bizet의 <카르멘 존스*Carmen Jones*> 중. 카렌 팍스Karen Parks가 부름. The Original London Cast recording, EMI CDC7543512.

(3) 'Springtime for Hitler'

멜 브룩스Mel Brooks와 토마스 미한Thomas Meehan의 뮤지컬 <프로듀서스*The Producers*> 중. 에릭 군후스Eric Gunhus가 부름. The Original Broadway Cast recording, Sony Classical ISBN 099708 964627. 오페레타 형식의 처음 독창부분을 들어보자.

벨트 음색Belt quality

전통적으로 벨팅은 재미있고, 변덕스럽거나 활기찬 여자 캐릭터에 특징적으로 사용되었다. 현재는 좀 더 널리 일반적으로 사용되는 음색이며 남녀 모두 사용 가능하다. 벨팅은 '강렬한' 감정 상태나 상황에 대한 음성적 표현이며, 기쁨,

절망, 분노, 좌절, 충만함 등의 고조된 감정을 표현할 때 쓰인다. 락 뮤지컬과 가스펠 뮤지컬에서도 벨팅은 음성적, 음악적 양식의 한 부분으로써 사용된다. 다음은 벨팅의 예이다.

(1) 'Our Kind of Love'

앤드류 로이드 웨버Andrew Lloyd Webber와 벤 엘톤Ben Elton의 뮤지컬 <뷰티풀 게임*The Beautiful Game*> 중. 조시 워커Josie Walker가 부름. The Original London Cast recording Telstar TCD3160. 'I will strive for peace with all my might'부터 'that's what's right'까지 들어보자.

(2) 'I'm Always True to You Darlin'in my Fashion'

콜 포터Cole Porter의 뮤지컬 <키스 미 케이트*Kiss me Kate*> 중. 에이미 스팽거Amy Spanger가 부름. DRG Records CD 12988,2000.

(3) 'Over the Rainbow'

해럴드 알런Harold Arlen 작곡, 에드가 이프 하버그E.Y. Harburg 작사. 샘 해리스Sam Harris가 부름. Mowtown Records 6103 MCLP, 1984. 마지막 'somewhere'부터 코다 'why can't I?'까지 들어보자.

(4) 'Oh, Had I a Golden Thread'

피트 시거Pete Seeger 작곡, 에바 클래시디Eva Classidy가 부름. *Songbird*. Didgeridoo G2-10045. 'Won't you show my brothers and sisters'부터 ''cos I will bind up the worry world'까지 하이 벨팅을 들어보자.

(5) 'Heaven On Their Minds'

앤드류 로이드 웨버Andrew Lloyd Webber와 팀 라이스Tim Rice의 뮤지컬 <지저스 크라이스트 슈퍼스타*Jesus Christ Superstar*> 중. 클라이브 로우Clive Rowe가 부름. TER CD MUS C N29, 1995. 'Jesus!'부터 'your talk of God is true'까지 들어보자.

(6) 'When You Got It, Flaunt It'

멜 브룩스Mel Brooks의 뮤지컬 <프로듀서스*The Producers*> 중. 캐디 허프만Cady Huffman이 부름. The Original Broadway Cast recording Sony ISBN 5099708964627. 'Now Ulla belt'부터 들어보자.

음색을 바꾸기 위한 필수조건

각각의 음색은 성도 안의 근육과 구조의 배치상태, 즉 보컬 셋업vocal set-up에 따라 달라지며 이 셋업을 바꾸기 위해선 다음의 구조를 변경해야 한다(책의 앞부분에서 여러분은 각각의 구조를 제어하는 법에 대해 이미 배웠다).

보컬 셋업

후두

성대활동: 두껍거나 얇음, 상승된 성대면의 위치 (7장과 3장 참고)

후두의 위치: 높낮이, 기울이기 (3장 참고)

공명기관

비강통로: 열림, 닫힘, 반개 (6장 참고)

모뿔연골과 후두덮개근육: 이완 또는 수축 (9장 참고)

혀의 위치: 중앙이거나 낮은 혓몸, 높거나 낮은 후설 (8장 참고)

지지의 메카니즘

몸: 이완되거나 앵커링된 성도, 이완되거나 앵커링된 상체 (7장 참고)

호흡의 사용: 빠르거나 느린 공기의 흐름, 더 높거나 더 낮은 성문하압 (4장 참고)

각 음색의 구체적인 특징과 함께 음색표현에 가장 적합한 음역대에 대한 설명은 아래에 기술되어 있다. 원한다면 5장의 음역에 관한 훈련을 참고하여 음역 내의 기어 변경을 복습하자(88~90쪽).

스피치 음색은 두꺼운 성대와 중립적인 후두의 위치가 특징이다. 스피치 음색에서는 성문하압이 높기 때문에 호흡의 관리가 중요하다. '두껍고', '강하고', '무거운' 소리이며 잘 전달되는 특성을 가지고 있다. 여자와 남자 모두 첫 번째 기어 변경지점 아래에서 가장 소리가 잘 나지만, 연습을 통해 더 높은 음정에서도 스피치 음색을 무리 없이 낼 수 있다.

팔세토 음색은 상승된 성대면의 위치가 특징이며, 성대가 열린 상태에서 진동을 하기 때문에 전달력이 좋지 않다. 후두는 스피치 음색과 마찬가지로 중립위치에 있다. 팔세토 음색에서는 성문하압이 최소화되기 때문에 호흡이 효율적이지 않으며, 스피치 음색에 비해 퍼지고 호흡이 새는 소리가 많이 난다. 팔세토 음색은 기어 변경 지점 위의 중고음 음역에서 가장 쉽게 소리 난다.

크라이 음색은 기울어진 후두(방패연골이 앞으로 기울어짐)와 얇은 성대가 특징이다. 후두는 음정에 따라 휴식 위치나 높은 위치에 놓인다. 성문하압은 스피치 음색보다는 낮지만 팔세토보다는 높다. 호흡은 안정감이 있고 '관리가' 잘 되는 느낌일 것이다. 조용하고, 명확하며 동그란 느낌을 주는 음질이며 보통 바이브레이션을 동반한다. 일반적으로 크라이 음색은 첫 번째 기어 변경 지점 위에서 잘 나지만 낮은 음역대에서도 효과적으로 사용할 수 있다. 크라이 음색의 변형은 흐느낌sob 음색이다. 흐느낌 음색은 낮은 후두의 위치를 필요로 하기 때문에 머리와 목의 안정화가 필요하다. 음질은 어둡고 조용하며 강렬하다.

트웽 음색은 모뿔덮개조임근의 수축, 높은 후두, 높은 혀가 특징이다. 방패연골을 기울이거나 중립위치에 두어 성대를 얇게 그리고 두껍게 만들 수 있다. 모뿔덮개조임근의 수축은 성대상의 저항력을 증가시킴으로 트웽 음색을 낼 때는 호흡을 밀지 않는 것이 중요하다. 트웽은 비강 트웽과 구강 트웽으로 나뉘며 날카롭고, 화려하며 찌르는 소리가 특징이다. 또한 트웽에서 발생하는 가창자의 포먼트singer's formant는 다른 음색의 음역전반에 걸친 전달력을 높이기 위해 활용할 수 있다.

위의 네 가지 음색은 모두 단순한 설정만으로도 발성 가능하지만 다음의 두 가지 음색은 복잡한 보컬 셋업이 필요하다.

벨팅은 스피치와 트웽의 혼합음색으로 높은 후두와 기울어진 반지연골을 특징으로 한다. 기울어진 반지연골(후두연골부의 아래 부분)은 두꺼운 성대로 고음을 불러도 목소리에 손상을 주지 않게 돕는다. 성대의 양쪽 면이 서로 더 오래 붙어있기 때문에 성문하압이 높다. 따라서 벨팅을 할 때에는 공기를 밀지 않는 것이 중요하다. 벨팅은 남녀 모두 중간 미나 파Middle E or F(330–349 Hertz) 이상의 음정에서 만들어진다.

오페라 음색은 스피치와 트웽의 혼합형이지만 기울어진 방패연골과 낮은 후두를 특징으로 한다. 경사진 방패연골은 성대의 두께를 어느 정도 줄여주는 역할을 하며, 낮은 후두로 인한 깊고 '감싸는covering' 소리가 트웽의 밝은 소리와 균형을 이룬다. 뮤지컬 가창에서는 '레지트' 가창의 기본이 되는 크라이 음색이 오페라 음색과 가장 비슷하다. 오페라 음색을 위한 보컬 셋업은 여러 반대 성향의 움직임을 가진 근육군을 사용해야 하기 때문에 가장 어려울 수 있다. 성문하압은 소리 크기에 따라 달라지며, 음역 전반에 걸쳐 음색을 일치시키기 위해 기어 변경에 주의를 기울여야 한다.

지금까지 여섯 가지의 분류 가능한 음색에 대해 설명하였다. 여러분은 메인 음색을 만들거나 구분하기 위한 평가기준으로써 이 여섯 가지 음색을 활용할 수 있다. 각각의 음색은 모두 다른 음색과 혼합하여 사용할 수 있으며, 이러한 혼합의 형태는 실제 공연에서 가장 많이 사용하는 방법이기도 하다. 그러나 섞이지 않은 순수한 형태의 음색을 만드는 훈련은 여러분 자신의 목소리에 대한 이해도를 높일 뿐만 아니라 각 음색에 필요한 근육이 올바르게 사용될 수 있도록 도와준다. 다음은 뮤지컬에서 가장 많이 사용되는 스피치, 팔세토, 크라이, 트웽 그리고 벨팅에 대한 연습이다. 이 장의 마지막 부분에서는 13장의 노래 연기에 대한 준비 단계로서 음색을 해석적인 도구로 사용하는 방법에 대해서도 다룰 것이다.

인지 훈련 • 자신의 보컬 셋업 점검하기

필자는 많은 공식 워크숍과 개인레슨을 통해 노래훈련에 앞서 실제 말할 때의 보컬 셋업 변화를 파악하는 것이 매우 중요하다는 것을 알게 되었다. 다음은 자신의 습관적인 목소리 패턴에 대한 인식을 높이는 훈련이며 두 명 이상의 파트너와 함께 연습하도록 하자.

1. 신문이나 책을 큰 소리로 읽는다. 단 본문은 극적인 요소가 없는 평이한 산문을 사용하도록 한다.
2. 큰소리로 읽은 다음, 바로 텍스트의 첫 번째 줄을 노래하거나 음정을 붙여 말하자.
3. 말할 때의 음높이와 최대한 비슷하게 노래할 수 있도록 하자.
4. 음정을 붙이는 것만 다를 뿐 말할 때의 느낌이나 음색과 같도록 해야 한다.

점검하기

(1) 자신의 말소리와 느낌을 설명한다면?

(2) 노래를 하면서 어떠한 변화가 일어났나?

(3) 특정한 소리를 내려고 했는가?

(4) 말소리와 노랫소리가 얼마나 비슷했는지 다른 사람에게 물어보자.

(5) 247쪽의 보컬 셋업 표를 보면서, 성도에 변화가 일어난 부분이 어디인지 추측해 보자.

(6) 전반적인 몸의 자세와 얼굴 표정에는 어떠한 변화가 있었는가?

5. 다시 연습으로 돌아가서, 여러분이 원하는 노래를 몇 소절 불러보자. 그러고 나서 노래할 때와 같은 목소리를 사용하며 다시 말을 해보자.
6. 함께한 모든 사람들이 1에서 5의 과정을 다 마친 후 서로 느낀 점에 대해 토론하자.

연습 1 • 스피치 음색 만들기

성문 온셋은 스피치 음색을 만드는 데 도움을 준다. 청각적인 신호는 '어-오'('uh-oh')나 단조로운 목소리 톤이다. 'Amazing Grace'를 연습곡으로 사용하자.

1. 말할 때의 목소리로 몇 차례 성문 온셋을 하자. 처음에는 '어-오'로 하고, 그 다음에는 다른 모음을 사용하여 성문 온셋을 하자. 이때 두 번째의 모음은 길게 소리 내도록 한다. 말할 때의 음높이 안에서 높은 음과 낮은 음을 넘나들며 자유롭게 성문 온셋을 시도해 보자.
2. 평상시 말할 때보다 가사를 조금 더 길게 늘리며 단조로운 톤으로 말하자.
3. 아래의 악보와 같이 각 소절을 부를 때마다 처음 두 음절이나 단어는 말로 하고, 나머지 부분은 음정으로 노래하자.

A - maz - ing grace, how sweet the sound

음정에 가깝게 말로 하면 더 쉽게 3단계를 할 수 있다.

점검하기

(1) 방패연골이 기울어지지 않도록 하자. 위에서 아래로 싸이러닝하고 자신의 가장 낮은 음역대에 도달했을 때는 의도적으로 소리를 놔버리자. 낮은 음정을 내기 전에, 삐걱거리는 문소리a creaky door를 흉내 낸다고 생각하며 긴장을 풀고 소리내보자. 느낌은 매우 게으르며 편안해야 한다. 이렇게 하면 기울어진 방패연골을 다시 원래대로 되돌릴 수 있다.

(2) 성문 온셋을 하기 전에 호흡을 쌓아 높은 성문하압을 만들자. 몇 개의 유성마찰음을 소리 내어 연습한 후, 긴 음정에 온셋을 넣는 연습을 반복하자. 스피치 음색을 내는 동안 충분한 호흡의 압력을 유지하기 위해 지지의 다이아몬드를 사용하자.

(3) 스피치 음색이 익숙하지 않은 경우 억지로 소리를 내는 느낌일 수 있으니 가성대가 뒤로 물러나도록 소리 없이 웃기(침묵웃음)를 사용하여 훈련하자.

스피치 음색의 변형은 기식성 스피치로써 소리에 호흡이 일부 섞이지만 성대면은 올라가지 않는다. 팔세토에서 낮은 음역으로 움직일 때 기식성 스피치로 갈 가능성이 높다.

연습 2 • 팔세토 음색 만들기

아래의 곡은 제롬 컨Jerome Kern 작곡 도로시 필즈Dorothy Fields 작사 'The way you look tonight'의 앞부분이다. 프레드 아스테어Fred Astaire나 빙 크로스비Bing Crosbie

의 스타일로 노래를 불러보자.

Some day when I'm awf'ly low,
When the world is cold,
I will feel a glow just thinking of you,
And the way you look tonight.
Oh, but you're lovely, with your smile so warm,
And your cheek so soft,
There is nothing for me but to love you,
Just the way you look tonight.

기식 온셋은 팔세토 음색을 만드는데 도움이 된다. 청각적인 신호는 '유-후 Yoo-hoo'나 올빼미의 울음소리이다.

1. 올빼미의 울음소리를 흉내 내거나 포쉬영어[21]를 하듯이 '유-후'라고 불러보자 (영국 시트콤 Keeping Up Appearances에서 Hyacinth Bucket을 본 적이 있다면 무엇을 해야 하는지 정확하게 알 수 있다).
2. 남녀에 관계없이 모두 소녀같이 명랑한 음색을 내도록 하자.
3. 위와 같은 느낌과 소리를 유지하며 노래의 가사를 읽자. 아마 평소 말할 때의 목소리보다 톤이 높을 것이다. 원한다면 음을 약간 낮추어서 말해도 된다.
4. 같은 보컬 셋업을 유지하면서 번갈아가며 한 줄은 말로 하고 그 다음 한 줄은 노래를 부르자. 여자의 경우 처음 기어 변경이 일어나는 근처나 그 위 음역에서, 남자의 경우 두 번째 기어 변경지점 위의 음역에서 팔세토 음색이 잘 만들어진다.

[21] Posh English: 영국의 왕족이나 상위계층에서 사용하는 정통영어 ■옮긴이 주

점검하기

(1) 성대면의 위치가 올라가 있는지 확인하자. 소리의 크기가 일정하도록 신경 쓰며 노래의 가장 높은 음정에서부터 아래로 미끄러지듯 내려오자. 낮은 음역으로 갈 때 목소리가 꺾인다면 상승된 성대면의 위치 때문일 것이다. 그렇지 않은데도 음 이탈이 일어난다면 3장의 연습 6을 복습하자.

(2) 팔세토의 호흡은 효율적이지 않다. 공기를 너무 많이 민다거나, 숨소리가 너무 많이 들리거나, 목구멍이 건조하다고 느껴지면 호흡을 좀 더 천천히 내뱉으며 날숨의 양을 줄여야 한다.

(3) 팔세토를 오랫동안 사용하는 것은 좋지 않다. 녹음 스튜디오 같은 곳에서는 괜찮을지 몰라도 다른 상황에서는 음성적인 피곤함을 느낄 수 있다. 그러므로 팔세토를 사용할 때는 노래하는 공간이 이 음색에 적합한지 아닌지 확인해야 한다.

팔세토는 방패연골 기울이기를 사용한 팔세토와 트웽을 혼합한 팔세토 등 그 종류가 굉장히 다양하다. 최근에 많은 대중음악 가수들은 대중음악양식의 기교 중 하나로 성대면을 다양하게 활용한 팔세토, 스피치 그리고 기식성 스피치를 혼합해 사용한다(디도Dido, 앨라니스 모리셋Alanis Morissette, 그리고 크레이그 데이빗Craig David의 음악을 들어보자).

연습 3 • 크라이 음색 만들기

'Amazing Grace'로 크라이 음색을 연습하자.

동시 온셋은 크라이 음색을 만드는 데 도움이 된다. 청각적인 신호는 '어린 소녀 같은 목소리'와 '우는 듯한 목소리'이다.

1. 잠시 동안 위 아래로 싸이러닝하며 얇은 성대를 만들어 보자. 반드시 조용히 싸이러닝을 하도록 한다.

2. 모음을 사용하여 흐느껴 울거나 신음하는 듯한 소리를 내보자. 첫 번째 기어 변경지점 위에서 더 쉽게 소리 날 것이다.
3. 흐느껴 울거나 신음할 때와 비슷한 음 높이, 소리, 느낌을 가지고 가사를 읽자. 여러분이 평소 내는 말소리와는 다르다는 것을 알 수 있다.
4. 여러분의 중간 음역대에서도 크라이 빛깔을 잘 낼 수 있도록 음정을 점차적으로 낮추면서 소리 내는 훈련을 해보자.
5. 같은 셋업을 유지하면서 노래를 짧게 불러보자.

점검하기

⑴ 이런 식의 말하기는 평소 보컬 셋업의 형태가 아니기 때문에 꾸미는 것같이 느껴질 수 있지만 크라이 음색의 연습에는 이상적이니 신경 쓰지 말고 연습하자.
⑵ 성도의 안정화가 필요함으로 7장 126쪽의 머리를 가볍게 두드리기를 사용하며 1, 2번 경추 관절을 정렬하자.
⑶ 얇은 성대를 하고 있기 때문에 공기흐름의 관리와 균형이 중요하다. 상체 앵커링을 사용한다면 호흡의 운용에 도움이 될 것이다.

6. 싸이러닝으로 전체 노래를 부르자.
7. 그 다음 마이러닝으로 노래하자. 이때 입 안의 뒷부분에서 'ng'으로 싸이러닝하며 동시에 가사를 입 모양으로 발음하자.
8. 비강통로를 확실히 닫고 모음만을 사용해 노래하자.
9. 마지막으로 가사로 노래하자.

여러분이 '레지트' 가창에 익숙하지 않다면 크라이 음색을 내기가 상당히 힘들 수 있다. 순수한 크라이 음색는 조용하며, 고음을 작게 부르거나 다른 음색에 감미로움을 더하는 데 사용된다.

크라이의 변형은 흐느낌sop 음색이다. 흐느낌 음색은 얇은 성대, 기울어진 방패연골 그리고 낮은 후두의 위치가 요구되며, 후두의 안정화를 위해 앵커링을 강화해야 한다. 흐느낌 음색은 소리의 깊이를 더하기 위해 일부 형식의 클래식 가창에 사용된다.

연습 4 • 트웽 음색 만들기

마찬가지로 'Amazing Grace'를 사용하자.

트웽의 준비단계는 크라이의 단계와 비슷하게 얇은 성대와 동시 온셋을 사용한다. 그러나 트웽은 후두의 위치가 높다. 청각적인 신호는 어린아이가 비웃으며 놀리는 듯한 소리 '네-네-네-네-네nyea-nyea-nyea-nyea-nyea', 낄낄대는 마녀소리, 꽥꽥 우는 오리 혹은 울부짖는 고양이 소리이다.

1. 후두와 혀를 높이고 방패연골을 기울이면서 자신의 고음역대까지 싸이러닝하자. 코로 숨을 쉴 때는 조용히 이 상태를 유지하도록 한다.
2. 불쌍하게 우는 새끼 고양이처럼 작은 울음소리를 내보자. 턱을 거의 열지 않고 소리 낼 수 있을 것이다. 얇은 성대를 만들어 성대에 가하는 긴장을 최소화시키며 계속해서 작게 고양이 울음소리를 내자.
3. 이제 고양이가 큰 소리로 우는 흉내를 내며 볼륨을 높이자. 코 뒤에 압력이 높아지는 것을 느끼자.
4. 고양이 울음소리를 조금 더 긴 '니에아오우nyeeow'로 바꿔 소리 내자. 소리의 시작을 'm' 대신 'n'으로 하는 것이 혀를 높게 하는데 도움이 된다.
5. 모음을 바꿔가며 자신의 음역 내의 다른 음정으로 소리 내자. 음정과 모음을 변경할 때 어떤 조정이 필요한지 그리고 소리를 내는데 필요한 노력상의 변화가 있는지 살펴보자.
6. 고양이의 울음소리를 내듯이 가사를 읽어보자. 평소 여러분의 말투가 이렇지 않다면 지금 소리는 얇고 작게 느껴지거나 날카롭고 새된 소리로 들릴 수 있다.
7. 밝고 트웽적인 소리의 느낌을 가지며 전곡을 '니에아오우'로 노래하자.

8. 가사의 모든 모음 앞에 'ny'를 삽입해 노래하자.
9. 원곡을 트웽을 사용하여 노래하자.

점검하기

(1) 트웽은 성대 위에서 수축이 일어나는 형태의 소리이다. 따라서 트웽에서는 가성대가 반드시 뒤로 물러나야 한다.
(2) 트웽 음색을 낼 때는 혀와 후두 모두 높게 유지되어야 하며 그 감각은 '작은 공간'에서 소리가 만들어지는 느낌이다. 3장의 인지 훈련 3(46쪽)과 8장의 모음 중설화 연습 3, 4는 트웽의 구조를 만드는 데 도움이 된다.
(3) 트웽은 비강통로가 반개방 상태일 때 가장 소리가 잘 난다. 구강 트웽을 위해서는 9장의 연습 6(182쪽)을 복습하자.

트웽은 그 자체를 하나의 음색으로써 사용할 수 있다. 그리고 크라이, 스피치, 팔세토를 포함한 다른 음색의 소리 크기를 증가시키는 데도 유용하게 쓰인다. 트웽은 음역대에 상관없이 소리 나지만 여성의 가장 높은 목소리soprano high A 880 Hertz 위에서는 보통 소리를 키울 필요가 없기 때문에 트웽을 거의 사용하지 않는다. 또한 위아래 방향에 상관없이 기어 변경을 할 때 유용하게 사용되며, 특히 보컬 레지스터vocal registers(다음을 참고) 사이에서 소리가 잘 혼합되도록 돕는다. 트웽은 미국식 영어를 표현하는데 필요한 하나의 요소이며, 이러한 사실이 어쩌면 많은 뮤지컬에서 트웽을 사용하는 현상을 설명할 수 있을지도 모른다.

음색, 레지스터 그리고 음역

여러분이 '흉성'이나 '두성' 레지스터라는 용어에 익숙하다면 스피치 음색과 흉성 레지스터, 그리고 크라이 음색과 두성 레지스터 사이의 연관성을 발견할 것이다. 그러나 다른 음색과 레지스터간의 연결은 쉽지 않다. 트웽은 어떤 레지스터일까? 흉성 레지스터에 더 가까울까 아니면 두성 레지스터에 더 가까울까? 그리고 팔세토는 또 어떻게 규정지을 수 있을까?

대략적으로 말하면, '레지스터register'는 음색이나 음질이 지속되는 음정의 범위를 말할 때 사용하는 용어이다. 이러한 의미에서 각 음색은 서로 다른 보컬 레지스터라고 말할 수 있다. 그러나 노래를 할 때 레지스터의 개념은 대체로 음성적 메커니즘의 변화로 인해 특정 음정에서 소리의 질이 변하는 것과 관계가 있다. 우리는 5장과 7장에서 이러한 변화를 관찰하고 음역 훈련을 통해 해결방안을 모색하였다[5장 연습 3과 4(85~88쪽), 7장 연습 6에서 9(140~143쪽)]. 음색 훈련을 할 때도 기어 변경은 중요하지만 다른 방법을 사용하거나 어쩌면 다른 음역에서의 기어 변경이 가능할지도 모른다.

소리의 혼합을 의미하는 '블렌딩blending' 또는 '믹싱mixing'은 일부 음악 장르에서 꼭 필요한 요소이다. 우리의 목소리는 음향학적으로 불완전한 악기이기 때문에 음역전체의 느낌이나 소리가 같지 않다. 하지만 특정 음역에서 음색간의 혼합을 신중하게 함으로써 보컬 레지스터 사이에 발생하는 음색의 변화를 숨길 수 있다. 성악은 음역전반에 걸쳐 목소리에 통일성을 부여해야 하기 때문에 블렌딩이 중요하지만 뮤지컬 가창에서는 별로 중요하진 않다. 오히려 음색을 변경함으로써 인물의 심리적인 변화를 관객이 읽을 수 있기 때문에 대본 중심의 뮤지컬에서는 음색의 차이가 유리하게 작용할 수 있다.

보컬 레지스터로써의 벨팅

자신의 음역이 두성과 흉성 혹은 두성과 팔세토 레지스터로 나눠진다고 생각했다면 또 하나의 보컬 레지스터로 벨팅을 생각해보면 좋을 것이다. 여러분은 벨팅을 '흉성'과 혼동해서는 안 된다. 왜냐하면 벨팅은 일반적으로 흉성 레지스터의 음역 위에서 만들어지기 때문이다. 잠시 후에 벨팅에 대해 더 자세히 살펴보기로 하자.

음색의 심화 훈련

지금까지 우리는 혼합되지 않은 음색에 관해 배웠으며 이를 통해 네 가지 기본 '색colours'이라고 할 수 있는 스피치, 팔세토, 크라이 그리고 트웽에 대한 감각과 소리에 익숙해졌다. 또한 우리는 각 음색의 보컬 셋업이 어느 특정한 음역대에서 더 자연스럽게 이루어진다는 것도 알게 되었다. 음색의 심화훈련이란 여러 음역에 걸쳐 음색을 사용하고 그에 따른 기어 변경을 하는 것을 의미한다. 지금부터는 음색의 심화훈련과 더불어 혼합음색을 만들어내는 복합적인 보컬 셋업의 방법에 대해 다루도록 하겠다.

스피치 음색의 심화훈련

스피치 음색에 대한 심화훈련을 하기 전에, 먼저 여러분은 이 음색에 필요한 성대의 두께를 능숙하게 만들 수 있어야 한다. 7장의 인지 훈련 1(119쪽)을 다시 한 번 살펴보고 두꺼운 성대에 필요한 감각을 근육이 기억할 수 있도록 하자.

음역 전반에 걸쳐 스피치 음색을 가지기 위해서는 다음과 같은 조율이 필요하다.

1. 첫 번째 기어 변경을 할 때 후두를 올리자. 남녀 모두 보통 때보다는 조금 이른 후두의 상승이 될 것이다. 이처럼 미리 상승된 후두는 높은 음정까지 계속해서 스피치 음색이 나도록 도와준다.
2. 성도의 안정화를 위해 성도의 측면과 후면으로부터 앵커링을 실시하자.
3. 호흡의 압력을 줄이며 '더 작게' 소리 내자.
4. 후두를 조이지 않는지 확인하자(더 높은 음정일수록 더 많이 웃는 것이 필요하다).
5. 스피치를 트웽이나 크라이와 혼합하자.

혼합하기

(1) 트웽은 고음에서 스피치 음색을 낼 때 발생하는 음량의 손실을 채워 주고, 고음에 필요한 높은 후두를 만드는 데 도움을 준다. 스피치와 트웽을 혼합할 때는 성대상의 긴장도를 줄일 필요가 있다. 인지 훈련 2(120쪽), 7장 연습 4(137쪽)을 복습하여 얇은 성대를 만들자. 트웽과 스피치의 혼합음색은 '레지트' 음색과는 다르며, 대중음악이나 전체적으로 밝고 선명한 소리를 만드는 데 사용된다.

(2) 크라이와 스피치의 혼합음색은 성도의 안정화를 바탕으로 방패연골을 약간 더 기울여 만든다. 이 형태의 혼합음색은 긴 음정에서 바이브레이션을 만들고 전체적인 소리의 톤을 '둥글게' 한다.

(3) 일반적으로 뮤지컬의 드라마틱한 발라드를 노래할 때는 스피치, 크라이 그리고 트웽이 함께 사용된다. 안전하게 이 음색들을 혼합하기 위해서는 성도와 상체 앵커링이 필요하다.

(4) 기식성 스피치는 스피치 음색의 변형이며 상승된 성대면의 위치에서 만들어지는 팔세토와는 다르다. 기식성 스피치를 만드는 방법은 먼저 순수한 스피치음색을 낸 다음 긴장을 충분히 풀어 조금 더 많은 양의 호흡을 성대 밖으로 내보내야 한다. 이러한 음색은 재즈, 현대대중음악 그리고 뮤지컬에서 사용된다. 기식성 스피치는 성대가 충분히 닫히지 않기 때문에 전달력 있는 음색은 아니다.

이처럼 다양한 방법들을 이용하여 첫 번째 기어 변경지점 위에서도 스피치 음색을 사용할 수 있으며, 듣는 사람의 입장에서는 기어 변경을 하지 않은 소리처럼 들리게 된다. 간단히 기어 변경을 해결하는 다른 방법이나, 목소리 타입에 따른 스피치의 음역에 관한 더 많은 정보를 원한다면 필자의 저서 *Successful singing Auditions*[22]을 참고하자.

[22] *Successful Singing Auditions*, Kayes G, Fisher J, A&C Black Pubs. Ltd. 2002

팔세토 음색의 심화훈련

팔세토 음색의 심화훈련에서 가장 중요한 요소는 상승된 성대면의 위치를 유지하는 것이다. 상승된 성대면의 위치에 대해 확실하지 않을 때는 3장의 인지 훈련 8(52쪽)과 7장의 인지 훈련 3(122쪽)을 복습하자.

음역전반에 걸쳐 팔세토 음색을 가지기 위해서는 다음과 같은 조율이 필요하다.

1. 고음을 내기 위한 높은 후두를 만들자.

2. 보통 '아래로' 기어 변경이 일어나는 낮은 음역에서 팔세토를 내고 싶다면 상승된 성대면의 위치를 유지해야만 한다. 그러나 이러한 구조는 음성적으로 불안정하며 소리의 전달력 또한 약해질 수 있음으로 자신의 음역에서 가장 낮은 1/3 지점에서는 기식성 스피치를 사용하는 것이 더 낫다.

3. 필요에 따라 호흡의 양을 조절하자. 호흡을 너무 밀어 소리 내지 않도록 하자. 너무 많은 날숨의 양은 음정을 원음보다 높게 만든다.

혼합하기

(1) 팔세토에 크라이를 혼합한 음색은 팔세토의 호흡 소리를 어느 정도 줄여주고 바이브레이션을 만들어준다. 이 혼합음색을 만들기 위해서는 먼저 상승된 성대면의 위치를 만든 후 흐느끼거나 신음소리를 내면서 방패연골이 약간 기울어지도록 한다. 이때는 공기의 흐름이 순수한 크라이 음색에 비해 더 강하기 때문에 상승된 성대면의 위치를 잘 유지하고 있는지 알 수 있다.

이 혼합음색은 음정이 높은 여자 재즈곡이나 순수하고 감미로운 소리를 필요로 하는 옛날 디즈니 스타일을 노래할 때 유용하게 쓰인다('When You Wish Upon a Star'에 어울리는 음성을 상상해 보자). 남자의 경우에는 팔세토에 숨소리를 없애기 위해 팔세토와 크라이를 섞어 쓸 수 있다.

(2) 트웽과 팔세토의 혼합을 위해서는 크라이와 팔세토를 만들 때처럼 제일

먼저 상승된 성대면의 위치에서 방패연골을 약간 기울이자. 그런 다음 트웽을 약간 더하자. 이 혼합음색은 팔세토에 힘을 실어주고 소리를 더욱 강하게 만든다. 이러한 방식의 가창은 많은 대중가수뿐만 아니라 일부 남자 팔세티스트(남자 가성 가수)에 의해 사용된다.

팔세토는 선택의 문제이지만 어떤 가수는 성대를 열게 만드는 후두 뒷부분의 근육을 이완하지 못하기 때문에 팔세토를 하지 못한다. 성대를 효율적으로 열고 닫을 수 있는 능력, 그것이 아마도 음색의 선택보다 더 중요한 일일지 모른다.

크라이 음색의 심화훈련

크라이의 심화학습을 위해서는 방패연골을 능숙하게 기울일 수 있어야 하며 그와 관련된 감각을 체득해야 한다. 방패연골 기울이기에 관한 3장의 인지 훈련 5(49쪽)를 복습하자.

(1) '전달력'이 강한 크라이 음색을 위해 성대 두께를 조절하거나 앵커링을 추가하여 크라이 음색을 더 크게 혹은 더 부드럽게 만들 수 있다.

(2) 크라이 음색의 볼륨을 키우기 위해 트웽을 첨가할 수도 있다. 그리고 크라이와 트웽의 혼합음색에서 후두의 위치를 약간 낮추는 실험도 할 수 있다.

여러분은 아마 이런 궁금증이 생길 것이다. '크라이를 스피치와 섞은 경우 내가 스피치를 위한 셋업을 하고 있는지 크라이를 위한 셋업인지 어떻게 알 수 있나?' 아쉽게도 아직까지는 이런 질문에 정확한 해답을 줄 수 있는 음색에 관한 연구가 충분히 이루어지지 않았다. 하지만 여러분이 지금까지 음색에 대한 훈련을 했다면 음색창조에 필요한 데이터를 여러분 자신의 내적인 피드백을 통해 스스로에게 제공하고 있을 것이다. 궁극적으로 이것이 여러분이 믿고 의지해야 하는 것이다.

벨트 보이스 찾기

필자는 공개 워크숍에서 벨팅의 셋업에 관해 하루 종일 가르치곤 한다. 그럼에도 어떤 사람들은 벨팅을 하지 못한다. 벨팅을 하는 데 필요한 것이 무엇인지 아주 잘 알고 있고 하루 종일 연습을 하는 데도 말이다. 벨팅은 성대근육과 그것을 지지하는 구조물의 역동적인 사용을 필요로 한다. 이러한 점 때문에 벨팅을 이질적으로 생각하고 사용하기 꺼려하는 사람도 있다. 반대로 벨팅을 쉽게 내는 사람은 벨팅에 유리한 말 습관을 가진 경우가 많다. 두꺼운 성대로 말하는 습관이 있거나 트웽으로 말하는 습관이 있는 경우, 아니면 두 가지 다 가지고 있다면 벨트 보이스를 찾기가 더 쉽다. 사회적 환경에 따라 이러한 말투에 대한 시각이 다르다. 어떤 환경에서는 이 소리를 '시끄럽다' 혹은 '날카롭다'고 생각하지만 다른 곳에서는 평소 쉽게 들을 수 있는 일상적인 목소리이다.

벨팅을 하기 어려워하는 사람은 조용하고 호흡 섞인 소리로 말하거나, 낮은 후두의 위치에서 위와 같이 말하는 습관이 있기 때문이다. 하지만 무엇보다 벨팅을 저해하는 가장 큰 요소는 큰 소리를 내면 안 된다는 여러 사회적 관행이다.

벨팅을 '행복한 외침happy yelling'이라고 묘사하는 데는 다음과 같은 타당한 이유가 있다. 가창자가 벨팅을 할 때의 느낌은 목소리를 높여 멀리 있는 사람을 부르거나 고함치는 감각과 비슷하다. 그런 의미에서 벨팅은 매우 자연스러운 것이며 건강한 목소리를 가진 사람이라면 당연히, 누구나 할 수 있다. 그리고 역시 다른 음색과 마찬가지로 벨팅 고유의 보컬 셋업이 필요하다.

벨팅의 핵심 요소

벨팅은 스피치와 트웽의 혼합음색을 기반으로 한다. 그러나 이 혼합음색과 벨팅은 다음의 세 가지 핵심 사항에서 구별된다.

1. 다음의 그림 2, 3, 4는 방패연골과 반지연골간의 위치변화를 보여준다. 그림 4와 같이 기울어진 반지연골은 벨팅 목소리를 만드는 필수조건 중 하나이다.

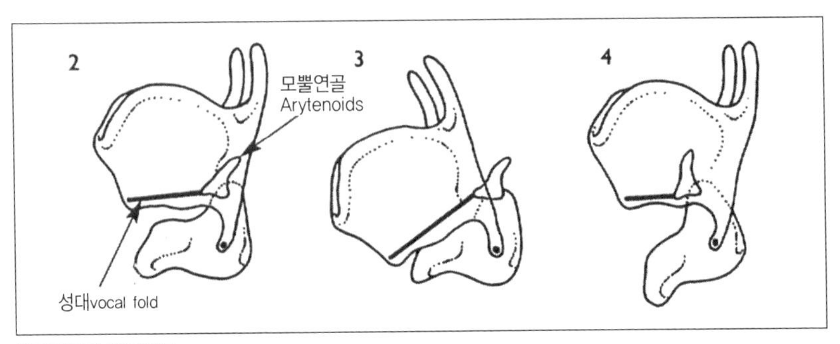

방패연골과 반지연골
[그림 2] 중립위치 혹은 휴식위치 [그림 3] 앞으로 기울어진 갑상연골 [그림 4] 앞으로 기울어진 반지연골

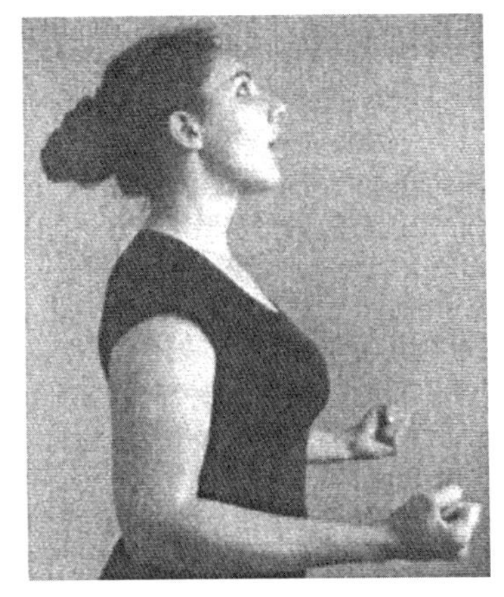
벨팅의 자세: 신을 우러러보기

2. 이제 전체적인 자세를 살펴보자. 벨팅을 하기 위해서는 옆의 사진과 같이 머리와 목의 자세를 조정하는 것이 필요하다. 또한 이러한 '신을 우러러보는' 자세는 벨팅을 노래하는 사람들의 특징이기도 하다.

3. 벨팅은 성대를 강하게 닫은 상태에서 만들어지는 음색이기 때문에 다른 음색에 비해 높은 강도의 성대사용이 요구된다. 연구에 따르면 벨팅을 할 때는 성대가 닫힌 상태로 진동하는 시간이 열린 상태보다 더 긴 것으로 나타났다. 따라서 큰 소리로 벨팅을 할 때에도 성대에 무리가 가지 않도록 적은 호흡을 사용해야 한다. 깊은 복식 호흡보다는 얕은 호흡이 벨팅에 도움이 될 것이다.

연습 5 • 벨팅 음색 만들기

힘 있는 성문 온셋이나 'y'/j/를 이용한 시작음은 벨트 음색을 만드는데 도움이 된다. 높은 음정에서는 더 얇은 호흡과 함께 쥐가 작게 찍찍거리는 듯한 소리를 내보자. 고음에서의 벨트를 준비하는 데 도움이 될 것이다. 청각적인 신호는 행복한 외침[‘에이!’(‘Eh!’), ‘오이!’(‘Oy!’)], 그리고 우리 팀이 게임에서 이겼을 때 지르는 소리[‘예스!’(‘Yes!’)] 등이 있다. 기식음 ‘h’는 성대를 서로 떨어지게 하는 경향이 있으므로 피하도록 한다.

1. 평소 말할 때의 음높이에서 성문 온셋을 실시하자.
2. 가성대가 뒤로 물러나 있는지 그리고 소리를 내기 위한 노력의 수준이 적절한지 확인하자. 그리고 이를 위해 호흡의 압력이 충분한지 살피자.
3. 스피치의 음역 내에서 다양한 음정으로 소리 내 보자. 음정이 올라갈 때는 후두의 상승을 동반해야 한다. 또한 음정이 올라갈수록 침묵웃음을 강화하여 가성대의 수축이 일어나지 않도록 해야 한다.
4. 후두의 측면과 후면을 안정화하기 위해 성도 앵커링을 추가하고 에너지 있는 성문 온셋을 실시하자. 상체 앵커링은 호흡의 안정화를 위해 사용하자.
5. 활음 ‘y’를 성문 온셋 대신 사용해 보자. ‘y’는 혀의 위치를 높게 유지시키는 데 도움이 되기 때문에 어떤 사람들은 ‘y’를 사용하는 것을 더 선호하기도 한다.
6. 고음으로 ‘예’(‘Yeah’), ‘예스’(‘Yes’), 또는 ‘에이’(‘Eh’), ‘오이’(‘Oy’)라고 크게 외치자. 시끄러운 거리나 붐비는 술집에서 다른 사람의 주의를 끌기 위해 소리친다고 생각하자. 힘 있는 스피치 음색과 트웽을 혼합하여 볼륨을 증가시키자.
7. 위와 같은 에너지의 사용을 필요로 하는 노래를 불러보자. 큰 소리에 대한 여러분의 청각적인 기억을 불러일으키는 ‘There’s No Business like Show Business’와 같은 전형적인 벨트 곡이나 락, 가스펠, 뮤직홀이나 보드빌 노래 등을 이용하자. 이 단계에서 모방은 벨팅의 셋업에 도움을 줄 수 있다.

여러분은 소리는 아직까지 스피치의 음역 안에서 움직이고 있지만 벨팅의 세계에 점점 가까워지고 있다. 벨트 보이스를 만들기 위해서는 일반적으로 팔세토로 넘어가는 음정 이상까지 '기어의 상승'이 요구되지만, 지금은 가성대가 뒤로 물러나도록 하면서 '신을 우러러보는' 자세가 되도록 머리와 목을 정렬하는 데만 신경 쓰자.

머리와 목의 자세 점검하기

(1) 목뼈를 길게 그리고 곧게 펴기 위해 7장(127쪽)의 머리 두드리기를 하자.

(2) 양손으로 뒤통수 뼈 바로 아래 근육을 만져보자.

(3) 7장의 연습 1(126쪽) '외부 앵커링external anchoring'에서 설명한 것처럼 'SCMs'(목빗근)의 수축과 함께 측면으로부터 성도를 안정화시키자. 벨팅을 할 때에는 목의 측면에서 느껴지는 감각이 강해야 한다.

(4) 앵커링된 머리자세를 유지하고 목의 뒷부분과 측면에 신경을 쓰며 부드럽게 고개를 위아래로 끄덕이자.

(5) 고개를 위로 들 때 턱이 약간 올라가는 것을 느낄 수 있다. 하지만 턱을 앞으로 빼면 뒷목이 무너질 수 있음으로 주의해야 한다.

(6) 목 뒷부분을 계속해서 유지하며(떠받치거나 들고 있는 느낌이 들 것이다) 턱을 약간 올리자. 가장 높은 객석을 바라보며 무대에 서 있는 모습을 그려보자. 이것이 벨팅을 위한 자세이며 감각은 '위로 그리고 뒤로'이다.

(7) 이와 같이 떠받치는 자세를 유지하려면 몸의 더 아래쪽으로부터의 뒷받침이 필요하다. 7장 연습 3(132쪽)의 상체 앵커링 방법을 이용하여 '넓은 등근lats; 활배근'의 사용을 체크하자. 벨트를 하기 전에 쉽게 이 자세를 취할 수 있도록 조용히 전체 과정을 반복해 연습하자.

후두의 위치 점검하기

(1) 후두에 손을 얹고 방패연골과 반지연골을 모두 느껴보자(3장 44쪽 참고).

(2) 침을 삼키자. 삼키기 시작할 때 후두가 올라가는 것을 확인할 수 있다.

(3) 이제 기니피그나 생쥐가 찍찍거리는 소리를 흉내 내면서 자동적으로 후두가 올라가도록 하자. 청각적인 신호는 '이-크!EEK!'이다(흐느끼는 소리와는 다름). 이 소리를 낼 때 후두는 일반적으로 아주 빠르게 위로 움직이며 후두를 만지고 있는 손가락을 빠져나가는 것처럼 느껴진다. 작은 성문 온셋으로 첫 소리를 시작하면 '기울어진 반지연골'을 만들 수 있다.

(4) 이때의 모든 움직임은 매우 작게 느껴진다.

(5) 이 과정에서는 후두를 올리고 성대를 닫을 뿐 소리를 내기 위한 숨을 들이쉬지 말자. 많은 공기가 필요하지 않다.

(6) 다시 '이-크!' 소리를 내자. 이번에는 흉식 호흡으로 적은 숨을 들이쉬고 온셋을 하기 전에 일초 간 정지하자. 이를 통해 여러분은 벨트를 하는 데 필요한 후두의 위치를 알게 될 것이다.

앵커링 없이 높은 후두로의 전환을 연습하자. 후두를 다른 위치로 옮기는 것에만 집중하자. 자, 이제 다음 단계로 넘어가 보자.

8. 1에서 5의 단계를 반복하자.
9. 전과 같이 '에이Eh'나 '예이Yeh'로 외치거나 큰소리로 부르자. 이때 단어의 마지막을 유지하며 길게 끌도록 한다.
10. 계속해서 외치거나 큰 소리로 부르면서 단어의 끝 음정을 유지하도록 하자. 소리 지를 때와 같은 음정으로 단어의 마지막을 계속해서 소리 내자.
11. <카바레*Cabaret*> 중 'It's gotta happen, happen sometime', <남태평양*South Pacific*> 중 'I'm in love with a wonderful guy'(women), 그리고 <더 라이프*The Life*> 중 'I'm gonna get it, I'm gonna get it soon'(men)과 같이 벨팅을 연상시키는 구절을 불러보자.

벨팅의 정확한 셋업을 찾기만 하면 벨팅이 얼마나 내기 '쉬운' 소리인지 알게 될 것이다. 모든 좋은 발성은 균형 잡힌 근육의 사용에 대한 것이며 벨팅 또한 예외이지 않다. 벨팅을 하고자 하는 심리적인 충동과 함께 올바른 벨팅의 셋업을 구사하고 있다면 벨팅은 쉽고 자연스럽게 느껴질 것이다.

벨팅의 음역

벨팅은 '극단적인 상황'의 음성적 표현이다. 벨팅은 스피치 음색보다 높은 음역에서 사용되며 '최고조'의 감정으로 여러분을 이끌 것이다. 일반적으로 우리는 전체 노래에서 한 음정 내지는 두 음정만을 벨트로 부른다. 가스펠 가수는 여자인 경우 최고 high A까지, 남자인 경우 최고 middle C의 9도 위 D까지 벨트를 사용한다. 뮤지컬에서는 여성인 경우 middle C보다 한 옥타브 위 C, D, E까지, 남자는 바리톤이라면 middle C위의 G까지, 테너라면 high B와 C 사이를 벨트로 할 수 있어야 한다. 남성이라면 다른 방법보다 벨트를 사용할 때 목소리가 더 높이 올라가는 경우가 많다. 요령 있게만 사용한다면 벨팅은 전적으로 건강한 발성의 형태이다. 벨팅은 목소리를 사용하는 방법이 완전히 다르기 때문에 '두성 레지스터를 망친다'는 걱정은 안 해도 된다. 여러분이 훈련된 가창자라면 이 두 가지를 모두 배우는 데 아무 문제가 없을 것이며, 필자의 레슨생 중에도 '레지트'와 벨트를 모두 훌륭하게 내는 사람이 많다.

벨팅의 위험성

1. 스피치음색으로 기어 변경지점 위의 음정을 자유롭게 낼 수 있기 전까지는 벨팅을 시도하지 말아야 한다. 벨팅을 하기 전에 스피치와 트웽 음색을 먼저 모두 마스터해야 한다.

2. 장기공연이나 테크 리허설 주간에 벨트를 해야 할 때는 여러분의 에너지

상태가 어떤지 주의를 기울여야 한다. 피곤할 때는 육체적인 뒷받침 없이 무의식적으로 소리내기 쉽다는 것을 명심하자.

3. 여성의 경우 월경을 시작하기 바로 전에는 벨팅을 하지 않는 것이 좋다. 왜냐하면 성대가 약간 부어오르는 부종이 이 시기에 생길 수 있기 때문이다. 이 기간 동안 벨트를 할 수 없다면 트웽이나 스피치와 트웽의 혼합음색을 사용하자. 이런 경우 노래의 극적인 클라이맥스의 표현을 위해 다른 부분의 소리 크기를 줄여야 할 수도 있다.

4. 어떤 이유건 간에 목소리의 상태가 평소보다 안 좋을 때는 누구든 벨팅을 해서는 안 된다. 다시 한 번 말하지만 벨팅은 건강한 신체와 소리상태를 필요로 하는 높은 에너지의 음색이다.

벨트 연습을 위한 레퍼토리

한두 개의 음정만을 벨트로 부르는 곡을 찾아보자. 벨팅에 익숙하지 않다면 벨팅이 많이 사용되지 않는 곡을 선택해 연습하는 것이 특히 중요하다. 벨팅이 사용된 레퍼토리는 다음과 같다.

- 메조 소프라노: <남태평양*South Pacific*> 중 'I'm in love with a wonderful guy'. 노래의 마지막 부분을 벨팅으로 연습하자.
- 메조 소프라노: <스모키 조스 카페*Smokey Joe's Café*> 중 'Don Juan'. 후렴을 연습하자.
- 메조 소프라노: <팔세토랜드*Falsettoland*> 중 'Holding to the Ground'. 'Holding to the ground..'부터 'Yes, that's my life'까지 연습하자.
- 소프라노: <래그타임*Ragtime*> 중 'Your Daddy's Son'. '…only darkness and pain'부터 'I buried my heart in the ground'까지 연습하자.
- 소프라노: <스타팅 히어, 스타팅 나우*Starting Here, Starting Now*> 중 'I Think I

May Want to Remember'. 'Albert'를 반복해 부르며 고조되는 부분을 연습하자.

- 소프라노: <드림걸즈*Dream Girls*> 중 'One Night Only'. 'I've got one night only'로 시작되는 부분을 연습하자.
- 테너: <미스 사이공*Miss Saigon*> 중 'Bui-Doi'. '…they're called Bui-Doi'로 시작되는 두 개의 단락을 연습하자.
- 테너: <컴퍼니*Company*> 중 'Being Alive'. 끝까지 고조되는 마지막 씨퀀스를 연습하자.
- 하이 바리톤 혹은 테너: <클로서 댄 에버*Closer Than Ever*> 중 'What am I Doing?'. 마지막 두 페이지를 연습하자.
- 바리톤: <래그타임*Ragtime*> 중 'Make them Hear You'. 마지막 15마디를 연습하자.
- 베이스: <스타팅 히어, 스타팅 나우*Starting Here, Starting Now*> 중 'I don't remember Christmas'. 마지막 상승 지점부터 끝까지 연습하자.

벨팅 혼합하기

벨트는 그 자체가 이미 혼합음색이기 때문에 벨트를 혼합하여 쓰는 또 다른 음색이 있는지는 잘 모르겠다. 하지만 위에서 설명한 벨트의 셋업을 변경한 형태는 분명히 존재하며 이것을 두고 많은 사람들이 혼합된 벨트라고 말하는 것 같다. 다음은 필자가 '하울 벨트howl belt'라고 부르는 음색의 구사방법에 관한 설명이다. 하울 벨트는 슬픔과 상실 그리고 강렬한 갈망의 표현에 적합하며 조금 더 둥근 벨트 음색을 만들어 낸다.

하울 벨팅의 청각적인 신호는 크고 높은 비탄의 음성 '오-Oh', '아-Ah' 혹은 길게 내는 '노오-No-'와 같은 소리이다.

연습 6 • '하울 벨트' 만들기

1. 스피치 음역 안에서 신음소리를 내보자. 일반적으로 신음소리를 낼 때는 얇은 성대를 사용하지만 스피치 음색의 심화 훈련을 했다면 두꺼운 성대로 신음소리를 낼 수 있을 것이다.
2. '벨팅 음색 만들기'(263~264쪽)의 1~3단계를 복습하자. 높은 음정일 때는 후두가 상승되도록 해야 한다.
3. 하울 벨트를 할 때는 방패연골이 약간 기울어져 있지만 이것과는 상관없이 성문 온셋의 사용이 가능하다. 신음소리에서 강한 비탄의 소리로 넘어갈 때는 좀 더 에너지 있는 성문 온셋을 사용해 첫 소리를 내자(원하는 경우, 성문 온셋 대신 청각적 신호 '노오-No'를 사용하자).
4. 트웽을 혼합하여 볼륨을 높이자.
5. 이전처럼, '이-크!' 소리를 작게 내며 후두를 상승시키자.
6. 측면에서 성도를 앵커링하는 근육과 상체 앵커링에 필요한 근육을 사용하자.
7. 목이 떠받쳐지는 감각을 느끼며 이전처럼 '신을 우러러보는' 자세를 취하자.
8. 모음 '아-'('AH' /a : /), '오-'('AW' /ɔ : /) 그리고 '어우'('oh' /əʊ/)를 사용하여 강한 신음과 비탄의 소리로 노래를 불러보자.

어떤 사람들은 하울 벨팅을 할 때 복부 벽을 더 많이 사용한다고 말한다. 아마도 전형적인 브로드웨이 벨팅보다 약간 낮은 위치에서 호흡을 하며 허리부분에서 더 많은 활동이 이루어지기 때문에 그런 느낌이 드는 것 같다.

노래 과제 • 모든 음색 사용하기

이 연습은 상상력, 듣기 그리고 소리 조절에 대한 것이다. 다른 사람들과 함께 다음의 단계를 실행해 보자.

1. 같은 노래를 차례대로 돌아가며 불러보자. 이때는 음정과 가사를 확실히 숙지해야 하고 될 수 있으면 악보를 보지 않는 것이 좋다.
2. 노래를 쭉 듣고 난 후 다른 특정한 음색으로 바꾸도록 지시하자.
3. 적절한 지점에서 음색을 다시 바꾸라고 말하자. 또 다른 부분에서 음색변경을 지시하자. 이 과정을 노래가 끝날 때까지 반복하자.
4. 음색변경의 효과나 결과에 대해 논의하고, 이 노래에 적합하다고 여겨지는 음악적 양식과 캐릭터가 음색적으로 표현되었는지에 대해서 토론하자.

다음 사항도 시험해 보자.

5. 다른 스타일로 노래를 부르도록 지시하자. 나이, 신분, 인물의 전사前事를 바꾸고 다른 극적 의도를 가지고 노래하도록 요구하자.
6. 배우로서의 상상력과 본능을 발휘하여 음색을 선택하고 노래하자. 파트너는 인물의 변화를 나타내기 위해 상대방이 어떠한 음색을 사용하였는지 알아 맞춰보자.

상업적 음색

여기에서 '상업적'이라는 의미는 기존의 대중 음악을 기반으로 만든 뮤지컬을 말한다. 상업적 음색의 뮤지컬은 <버디*Buddy*>, <스모키 조스 카페(로큰롤)*Smokey Joe's café* (rock and roll)>, <토요일 밤의 열기(비지스)*Saturday Night Fever* (the Bee Gees)>, <맘마미아(아바)*Mamma Mia* (Abba)>, <위 윌락유(퀸)*We Will Rock You* (Queen)> 그리고 <투나이츠 더 나잇(로드 스튜어트)*Tonight's the Night* (Rod Stewart)> 등이 있다. 이 모든 아티스트나 그룹은 자신만의 독특한 음색이 있다. 여러분은 음색에 관한 지식을 모두 동원하여 위와 같은 뮤지컬의 배역을 생동감 있게 만드는 '혼합음색'을 창조할 수 있을 것이다. '대중음악'을 일반화하기는 어려우며 사실 정의하기조차 불가능하다. 그러나 높은 후두, 스피치, 기식성 스피치, 트웽 그리고 헤비락에 사용되는 벨팅은 확실히 대중음악의 일반적인 특징이다. 대중음악에서는 음색간의 이동이 아주 빨라 음의 중간이나 소절 내에서 잦은 음색변경이 일어나며, 목소리는 하나의 악기로써 상당히 많이 사용되는 반면 가사는 덜 중요하게 다뤄진다. 그리고 이러한 상업적 음색으로 노래할 때는 주로 표준 남부 미국 영어의 모음 발음을 사용한다.

음색의 남용

어떤 음색을 일주일에 여덟 번 이상 사용한다면 여러분은 그 음색을 남용하고 있는 것이 분명하다. 소리의 남용은 귀에 거슬리는 소리, 성대와 가성대의 수축, 그리고 호흡으로 소리를 미는 것과 관계가 있다. 우리는 이러한 음색을 뮤지컬형태의 만화영화나 코미디 그리고 '악역'을 표현할 때 흔히 듣게 된다. 이런 형태의 쇼를 무대 버전으로 해야 하는 경우에는, 반드시 소리의 일정 부분을 수정해야만 한다. 목소리의 외상을 유발하지 않고 소리를 변형시키는 방법이 있지만 테크닉과 판단력을 바탕으로 사용해야 한다. 여러분이 이런 스타일의 음색을 가진 배역을 준비해야 한다면 믿을만한 보컬 선생님에게 조언을 구하도록 하자. 뛰어난 보컬 전문가는 연습이나 긴 공연 기간 동안 여러분의 목소리가 상하지 않도록 방법을 가르쳐 줄 것이다.

여러 해 동안 필자는 수많은 워크숍과 일대일 레슨을 통해 음색을 가르치는 일을 즐기고 있다. 여러분 역시 이러한 음색의 연구와 활용이 즐거운 일이 되길 바란다. 음색에 대한 훈련은 여러분의 목소리를 개발할 뿐만 아니라 청음능력도 향상시킬 것이다. 그리고 배우에게 가장 중요한, 확실하면서도, 계속 사용할 수 있는 넓은 음역대의 소리 표현을 가능하게 할 것이다.

Chapter 13.

노래 연기

The act of singing

여러분이 가사로 노래할 때는 음악과 가사를 모두 주의 깊게 살펴보아야 한다. 그리고 공연을 하면서 여러분이 내려야 하는 결정은 결국 이 둘 사이의 균형에 관한 것이 될 것이다. 이번 장에서는 음악과 가사 사이의 균형을 맞추기 위해 여러분이 어떠한 선택을 해야 하는지, 또 이러한 선택이 이제까지 여러분이 공부한 것을 바탕으로 노래에 어떻게 적용될 수 있는지 살펴보자. 다음의 텍스트와 서브텍스트에 대한 분석은 여러분이 연기 훈련을 어느 정도 받았으며, 인물 분석이 가능하다는 것을 전제로 한다. 이러한 분석 외에도 음악의 스타일, 인물의 신체적 상태 그리고 극적인 노래 '연주' 등의 고려사항을 점검해야 한다. 이러한 주제에 대해 심도 있게 다루고 싶다면 *Successful Singing Auditions*[23]과 *On Singing*

[23] *Successful Singing Audition*, Kayes G, Fisher J A&C Black, 2002

on Stage[24]를 읽어보길 추천한다.

다음의 5단계는 극적인 노래 텍스트를 만드는 과정이다.

1. 전달하려는 의미, 텍스트text와 컨텍스트context[25]를 주의 깊게 살펴보자. 여러분의 노래 속으로 여행을 떠날 수 있도록 해줄 것이다.
2. 음악 스타일과 구조에 대해 생각해 보자.
3. 노래 가사의 발음기호를 적자. 가사를 노래하는 데 도움이 된다.
4. 음성적인 성격구축을 위한 방안을 모색하자.
5. 사고의 변화와 음색의 선택을 나타내는 '노래 지도song map'를 준비하자.

손드하임의 'Anyone Can Whistle'을 가지고 위의 과정을 세세하게 다루어보자. 그리고 여러분이 혼자 새로운 노래를 준비할 때도 이와 같은 과정을 적용할 수 있도록 하자.

극적인 노래 텍스트를 만들기 위한 조건

의미, 텍스트와 컨텍스트

여러분이 연설문을 쓴다고 생각하고 텍스트를 상세히 준비해 보자. 그러기 위해선 전체 뮤지컬의 컨텍스트 안에서 이 노래가 어떠한 역할을 하고 있는지 살펴보아야 한다. 텍스트를 분석하는 방법은 매우 다양하다. 그 중 '5W'는 아주 간단한 분석법으로 누구나 활용 가능하다.

24 *On Singing on Stage*, Craig, D Applause, 1990
25 맥락, 전후 사정 등 텍스트와 관계되는 모든 상황을 일컬으며, 텍스트가 문자 그 자체의 뜻이라면 컨텍스트는 문맥상의 뜻이나 숨겨진 뜻이라고도 할 수 있다. ■옮긴이 주

1. 누가WHO? 당신은 누구인가? 나이, 신분, 성별 등을 파악하자.

2. 왜WHY? 당신은 왜 이 노래를 부르는가? 노래의 마지막까지 당신이 얻고자 하는 것은 무엇인가? 연극이나 뮤지컬의 전체 여정 속에서 이 노래는 어떤 역할을 하고 있는가?

3. 무엇을WHAT? 이 노래에서 당신이 말하고 있는 것은 정확히 무엇인가?

4. 어디서WHERE? 노래를 할 때 당신은 어디에 있는가? 최대한 구체적으로 정하자.

5. 언제WHEN? 언제 이 노래를 부르는가? 이 노래 전과 후에 무슨 일이 일어나는가?

여러분이 이러한 질문에 대답할 수 있다면 배역과 노래를 준비함에 있어 중요한 토대를 마련한 것이다. 여러분이 뮤지컬 넘버를 준비한다면 뮤지컬 작품의 전후 문맥 안에서 질문에 답해야겠지만, 여러분 자신의 경험을 바탕으로 좀 더 독자적이며 색다른 답변을 할 수도 있다. 특히 오디션에서는 여러분의 스토리가 반영된 작품 분석을 통해 심사위원에게 자신을 어필할 수 있기 때문에 이러한 분석법이 더 효과적일 수 있다.

손드하임의 'Anyone Can Whistle'의 텍스트를 사용하여 '5W'를 살펴보자.

Anyone can whistle, that's what they say—Easy.
Anyone can whistle, any old day—Easy.
It's all so simple: relax, let go, let fly.
So someone tell me why can't I?
I can dance a tango, I can read Greek—Easy.
I can slay a dragon any old week—Easy.
What's hard is simple.

What's natural comes hard.
Maybe you could show me how to let go,
Lower my guard, learn to be free.
Maybe if you whistle, whistle for me.

다음은 여러분이 이 텍스트를 접할 때 생기는 질문들일 수 있다.

1. '그들they'은 누구를 말하는가?
2. 나는 누구에게 이야기하고 있나?
3. 다른 사람이 나에게 얘기한 때는 언제이며 그것에 대답한 시기는 언제인가?
4. 가사가 일인칭 시점으로 언제 바뀌는가? (이것은 중요한 변화이다)
5. 노래하는 동안 가수에게 어떤 변화가 일어나는가?
6. 노래하는 동안 관객에게 어떤 변화가 일어나는가?
7. 시작할 때 감정은 어떠한가? 마지막에는?
8. 휘파람은 삶, 사랑 혹은 찾기 힘든 특별한 어떤 것에 대한 상징인가?

음악과 가사의 표현

노래를 하다 보면 가끔씩 가사와 음악의 표현 사이에 주도권 싸움이 생긴다. 이러한 현상은 작곡가가 긴 음정을 예상치 못한 부분에 넣거나, 함께 할 수 없는 생각들을 하나의 악절 안에 엮어 놓았을 때 발생한다. 이러한 줄다리기는 가사와 음악 간의 흥미로운 역동성을 창조해낸다. 여러분은 이러한 역동성을 활용하여 노래 전체에 극적인 흐름을 만들어야 하는 의무가 있다. 구두점과 강세는 노래의 의미와 서브텍스트를 말해주는 중요한 신호이기 때문에 글을 읽을 때처럼 구두점을 따르도록 하자.

'Anyone can whistle'을 살펴보면 다른 사람들의 말을 인용할 때나 자기 자신에 대해 말할 때 구두점이 매우 정확하게 나타난다. 음악과 가사의 표현을 비교하고, 다른 부분이 어디인지 찾아보자. 여러분이 악보를 잘 읽지 못하는 경우라도 가사를 말로 전달하는 방법과 음악적 장치로 전달하는 방법이 일부 일치하지 않는다는 것을 알 수 있다.

1. 'Relax, let go, let fly'를 살펴보자. 한 번에 쉬지 않고 이 부분을 노래하는 것은 어렵지 않다. 하지만 '말하듯이 노래하라'는 원칙을 생각하며 가사에 나타난 쉼표마다 짧은 정지를 주며 노래하자. 이때는 단지 소리를 정지하는 것이기 때문에 숨을 들이 쉴 필요는 없다. 관객은 이러한 음정 사이의 간격으로 하여금 텍스트의 의미를 파악할 수 있다.

2. 'whistle', 'simple', 'easy'와 같이 강세는 없지만 긴 음가가 배치된 음절을 확인하자. 여러분은 길게 끌어야 하는 마지막 음정의 모음을 디크레센도 시키거나, 모음의 음가 일부를 마지막 자음에 분배함으로써 텍스트의 균형을 맞출 수 있다.

자 이제, 작곡가가 단어 'easy'를 배치한 다양한 방식에 대해 살펴보자. 작곡가는 의도적으로 'easy'라는 단어의 어미를 올리거나 내리고 있다. 어떤 부분에서는 옥타브를 넘어 도약하기도 한다. 여러분이 생각하는 것이 어떤 것인지에 따라 '예'나 '아니오'라고 말하는 것처럼, 'easy'가 뜻하는 것이 무엇인지에 따라 단어의 어미를 표현하는 다양한 방법이 존재할 것이다. 예를 들어 보자.

(1) 'Easy': 나는 일생 동안 그것을 하고 있어요!

(2) 'Easy': 내가 어떻게 해야 할지 알았다면 쉬웠겠죠.

(3) 'Easy': 정말 당신을 감동시키고 싶어요.

(4) 'Easy': 당연히 모든 사람들이 그것을 알지요!

그렇다면 'Easy'의 마지막 긴 음가를 어떻게 음악적으로 해석할 수 있을까? 여러분은 마지막 음정의 볼륨을 줄이거나, 일정하게 유지하거나 혹은 볼륨을 높이는 선택을 할 수 있을 것이다. 그리고 여러분은 노래가 전개되는 동안 이 방법 중 하나 이상을 사용하게 될 것이다. 명심할 점은 소리적인 것보다는 드라마적인 상황을 먼저 고려해야 한다는 것이다.

음악 스타일과 구조

1964년에 쓰인 이 곡은 같은 이름의 뮤지컬 <애니원 캔 휘슬*Anyone Can Whistle*>의 타이틀곡이다. 줄거리가 너무 복잡하기도하고 또 여러분이 원한다면 쉽게 내용을 찾아볼 수 있기 때문에 여기서는 언급하지 않도록 하겠다. 이 노래는 현대적인 작곡기법으로 쓰였으며 특정 음악 스타일을 추구하지는 않는다. 그리고 1, 2절과 코다(종결부)의 구조로 되어 있다. 그러나 이 노래는 1, 2절의 반복이라기보다는 통절 형식의 느낌을 주며 곡이 마무리된다는 느낌이 전혀 들지 않는 상황에서 노래가 끝난다.

음성대본 만들기

이번에 다룰 내용은 11장의 응용 과정이라고 할 수 있다. <애니원 캔 휘슬*Anyone Can Whistle*>은 미국 뮤지컬이기 때문에 표준 미국 영어를 기준으로 한 텍스트 작업이 필요하다. 먼저 각 단어마다 어떤 식으로 발음할 것인지 생각해 보자. 그리고 노래를 할 때 발음하기 어렵거나 예외적이라고 느껴지는 단어를 체크해두자. 예를 들어 'Natural'은 구어상으로 두 음절로 발음되는 경우가 있지만 손드하임은 음성학적으로 정확하게 이 단어를 세 음절로 구성했다.

다음을 통해 11장의 중요 내용을 복습하고 노래에 적용시켜 보자.

1. 서로 다른 단어를 붙여 발음하지 않도록 한다. 예를 들어 'it's all so simple'을 'it's allso simple'(also simple)'로 발음하면 텍스트의 의미가 달라진다.

2. 여러분이 평소 말하는 방식으로 모음을 노래하자. 모음의 발음이 헷갈리는 부분이 있다면 78쪽의 모음발음기호표를 확인하도록 한다.

3. 모음 중설화를 사용하자. 모음 사이의 균형을 이룰 수 있다.

4. 강세를 주고자 하는 단어에 체크하고 성문 온셋을 사용하자. 그리고 구두점과 의미를 표현할 수 있도록 소리를 정지해야 하는 부분을 체크해두자. 자신만

의 기호를 사용하여 표시하자.

5. 유성자음으로 노래할 때는 소리를 끌어당기는 잡음이 생기지 않도록 음정 위에서 정확히 발음하자. 고음에서는 특히 주의를 기울이도록 한다.

6. 무성폐쇄음을 노래할 때는 음가를 나누어 정확하게 발음되도록 시간을 할애해야 한다.

다음의 두 가지 자료를 살펴보자. 하나는 'Anyone Can Whistle'의 가사를 표준 미국 영어의 발음기호로 나타낸 것이며(282쪽), 나머지는 모음과 자음을 음악적 텍스트 안에서 어떻게 부를 건지 나타낸 악보이다(283~284쪽).

(1) 이 노래에서 'let go'와 'let fly'의 't'/t/는 기식음이 아니다. 발음기호로는 '˥'이라고 표시한다. 그리고 맥락 상 보통 'let'과 그 뒤의 단어를 붙여 말하게 되는 데 손드하임은 이러한 자연스러운 말의 억양과 조화를 이루기 위해 'let'을 짧은 음가로 설정해 놓았다.

283~284쪽의 악보를 보자. 가사 작업을 어떻게 해야 하는지 자세히 나와 있다. 279쪽의 원래의 단어와 멜로디를 비교해 보자.

(1) 모든 자음과 모음의 발음기호를 적을 자리가 필요하기 때문에 좌우로 더 많은 자리가 사용되고 있음을 알 수 있다.

(2) 발음기호가 적힌 텍스트를 큰 소리로 읽자. 왼쪽에서 오른쪽으로 악보를 읽으며, 악보 내에서 자음과 복합모음의 발음기호를 쓰는데 얼마만큼의 공간을 할애했는지 확인하자.

(3) 이제 편안한 키(조성)로 노래하자. 이때 발음기호가 적힌 악보를 보고 노래할 수 있도록 충분한 시간을 가지자.

(4) 필요하다면 이 과정을 반복하자.

(5) 속도를 올려 원키로 노래하자.

Anyone Can Whistle

ɛniwʌn kən hwɪsəɫ
ðæts hwʌt˺ ðeɪ seɪ iːzi
ɛniwʌn kən hwɪsəɫ
ɛni ouɫd deɪ iːzi
ɪts ɑːɫ soʊ sɪmpəɫ
rɪlæks lɛt˺ goʊ lɛt˺ flaɪ
soʊ sʌmwʌn tɛɫ miː hwaɪ kænt aɪ

aɪ kən dæns ə tæŋgoʊ
aɪ kən riːd griːk iːzi
aɪ kən sleɪ ə drægən
ɛni ouɫd wiːk iːzi
hwʌts hɑɚd ɪz sɪmpəɫ
hwʌts nætʃɚrəɫ kʌmz hɑɚd
meɪbi juː kəd ʃoʊ miː
haʊ tə lɛt˺ goʊ
loʊɚ maɪ gɑɚd lɜːn tə biː friː
meɪbi ɪf juː hwɪsəɫ
hwɪsəɫ fɔɚ miː

다음의 악보는 발음기호를 매우 상세하게 기술해 놓았다. 매우 드물기는 하지만 어떤 작곡가는 자신의 의도에서 한 치의 오차도 생기지 않도록 연기자에게 지시한다. 사실, 작곡가가 이런 태도를 보이면 연기자는 노래할 때 경직되기 십상이다. 그럼에도 불구하고 배우는 관객에게 가사가 잘 전달되도록 단어의 배치 및 음가의 배분 등 여러 가지 결정을 내려야만 한다. 해결방안을 찾고 결정을 내리는 일, 바로 그것이 여러분 '자신만의' 노래를 만드는 과정이 될 것이다.

ɛn – i –w ʌ n kə-n hwɪs - ə ɫ ð ætshwʌt˥ ð e ɪ s -e - ɪ
i: z - i
ɛn – i – w ʌ n k ə n hwɪs – ə ɫ ɛ n–i o–ʊ–ɫ–d d–e —ɪ
i: - z - i
ɪ ts ɑ: —— ɫ s–o – ʊ
s - ɪ - m p ə ɫ r - ɪ l – æ — k s l - ɛ - t˥ g - o ʊ l ɛ t˥
fl - a —— ɪ s - o – ʊ s - ʌ – m w-ʌ – n t-ɛ – ɫ m-i:
hw-a —— ɪ k-æ – n t a —— ɪ
a – ɪ k ə – n d-æ – n – s ə t -æ – n g–o —— ʊ

a- ɪ k-ə-n r-i: - d gr-i: — k i: z -i
a-ɪ k ə n sl e-ɪ ə dræ g- ə - n ɛ n-i o-ʊ-ɫ-d w–i:—k
i: z—i hw ʌ — ts
h ɑɚ —— d ɪ — z s – ɪ— m p əɫ hw ʌ —ts
n – æ ʧ-ɚ -r ə ɫ —— k -ʌ – m - z h – ɑɚ —— d
m -e -ɪ b-i j -u: k-ə-d ʃ-o-ʊ m–i: h -a- ʊ t-ə l -ɛ - t̚ g -o— ʊ
l - o - ʊ ɚ m -a – ɪ g ɑɚ —— d l— ɝ:-n t- ə b -i: fr -i:
m -e ɪ b-i ɪ -f j-u: hw-ɪ- s ə - ɫ hw-ɪ - s ə -ɫ f - ɔ ɚ-m - i:

음성적 성격구축

노래의 각 부분에 나타난 심리상태를 관객에게 가장 잘 전달하기 위해서는 어떤 음색을 사용하는 것이 좋을까? 아마도 다음의 세 가지 사항을 고려해야 할 것이다. 연습을 하는 도중에 질문에 대한 답이 바뀔 수도 있겠지만 반드시 노래를 준비하는 시작 단계에서 다음의 질문에 답하도록 하자.

1. '5W' : **나는 누구인가?** 내가 원하는 것은 무엇인가? 그것을 얻기 위해 나는 무엇을 하는가? 나만의 방식은 무엇인가? 내가 있는 곳은 어디인가? 왜 여기에 있는가? 언제인가? 나는 무엇을 하고 있나? 나는 어떤 행동을 하는가?

2. **내적 요소: 어떤 바람과 욕구가 있나?** 나의 사회적인 배경은 무엇인가? 민족적 가치관은? 생리적 특징은? 특징적인 심리적 상태나 인물이 생각하는 방식은?

3. **외적 요소: 다른 인물과의 관계나 다른 사람들에 대한 태도는 어떠한가?** (노래에서 언급된 사람과의 관계만으로 노래를 해석할 수도 있다) 사회적 환경은 어떠한가? 물리적 환경? 참작해야 하는 어떤 특별한 상황에 당면해 있는가?

다음은 두 가지 서로 다른 노래의 여정을 대한 설명이다. 노래를 해석하는 방식에 따라 어떤 음색을 사용할지가 결정된다. 음색의 선택은 주관적인 것임을 명심하자. 여러분은 자신의 경험에 비추어 해석하고 생각의 전환이 일어나기 때문에 필자가 제시한 것과 여러분의 해석이 상당히 다를 수 있지만 전혀 상관없다. 이 연습의 요점은 어떠한 결정을 내리는 데 있다.

여정 1

시작 부분 화가 나며 냉소적이다('누굴 놀리는 거야?'라고 자문해 보자).

두 번째 부분 허세를 부린다(이것도 저것도 나는 다 할 수 있다고 사람들에게 말한다).

마지막 부분 'maybe'라는 단어로 인해 큰 감정의 변화가 생기며 점점 생각이 많아지고 불안해진다. 그러나 어차피 내가 감당할 수 없는 부분이라 생각하며 냉소적인 심리 상태로 노래를 마무리 한다.

287쪽의 악보를 살펴보자. 위와 같은 심리적인 여정에 어울리는 음색의 변화를 제시하고 있다.

여정 2

시작 부분 간절히 바라고 있지만 확신이 없다(나도 이룰 수 있을 것 같은 바람에 대해 생각한다).

두 번째 부분 자신을 격려하고 응원한다(내가 할 수 있는 것에 대해 생각한다).

마지막 부분 좀 더 긍정적, 희망적인 태도와 함께 마음을 열게 된다(기대했던 삶과는 다르지만 나를 도와줄 사람들이 있다는 것을 알게 된다).

288쪽의 악보를 살펴보자. 다른 방식의 음색 설정을 통해 이 여정을 표현하고 있다.

Speech and twang
A -ny-one can whis-tle, that's what they say. Ea-sy.
(Speech)
A -ny-one can whis-tle, a -ny old day, Ea -sy. It's
Falsetto
Speech
all so sim - ple: Re - lax, let go, let fly. So
some -one tell me why can't I?
Speech
I can dance a tan -go, I can read Greek, Ea -sy.
Speech and twang
I can slay a dra -gon a -ny old week, Ea - sy. What's
Cry
Speech
Cry
hard is sim - ple. What's na - tu - ral comes hard.
Speech and cry
Cry
Falsetto
May- be you could show me how to let go, low-er my guard, learn to be free,
Speech
Speech and cry
May -be if you whis -tle, whis -tle for me.

Speech and cry
Falsetto
Speech and cry
A -ny-one can whis-tle, that's what they say, Ea-sy.
Speech and cry
Speech
Speech and cry
(Speech)
A -ny-one can whis-tle, a -ny old day, Ea -sy. It's
Cry
(Speech) Falsetto
Cry
all so sim -ple: Re - lax, let go, let fly. So
some -one tell me why can't I?
Speech
Speech and cry
I can dance a tan -go, I can read Greek, Ea -sy.
Speech and twang
Twang
I can slay a dra -gon a -ny old week, Ea -sy. What's
Falsetto
hard is sim -ple. What's na -tu -ral comes hard.
Speech and cry
Falsetto
Cry
May- be you could show me how to let go, low-er my guard, learn to be free,
Speech
Speech and cry
Cry
May -be if you whis -tle, whis -tle for me.

노래지도 만들기

새로운 악보를 익힐 때는 사고의 변화, 강약의 조절, 음색, 강세, 숨 쉬는 곳을 표시한 완벽한 노래지도를 만들어야 한다. 그리고 서브 텍스트도 노래지도에 포함시킬 수 있다. 혼자 연습하는 과정에서 또는 공연 연습을 하면서 다른 배우들, 음악 감독, 연출과 함께 내린 결정사항을 노래지도에 표시하자.

다음의 노래 과제 1, 2는 노래의 여정과 그에 맞는 음색의 변화를 나타내고 있다. 노래에 대한 해석은 지극히 개인적이며 최종적인 것이 아님을 밝혀둔다. 다음의 작업들은 선택에 대한 연습이다. 여러분이 필자가 해석한 것에 대해 동의하지 않는다면 그 이유를 먼저 파악하고 여러분이 텍스트를 해석한 방법을 반영하여 결정해도 좋다.

노래 과제 1 • 'With every breath I take'

다음은 싸이 콜맨Cy Coleman 작곡, 데이비드 지펠David Zippel 작사, 뮤지컬 <시티 오브 엔젤*City of Angels*>의 넘버 중 하나이다. 공연에서는 여자가 이 노래를 부르지만 텍스트 상에서는 특정 성별을 제안하고 있지 않기 때문에 맥락상 남자가 노래해도 상관없다. 또한 이 노래는 실제 뮤지컬 장면처럼 솔로 카바레 넘버로 불리기도 한다. 이 곡의 텍스트는 다음과 같다.

A section

There's not a morning that I open up my eyes
And find I didn't dream of you.
Without a warning, though it's never a surprise,
soon as I awake,
thoughts of you arise
with ev'ry breath I take.

Bridge section

At any time or place I close my eyes and see your face
and I'm embracing you.
If only I believed that dreams come true.
Darling,

A section

You were the one who said forever from the start and I've been drifting since you've gone,
out on a lonely sea that only you can chart.
I've been going on
knowing that my heart will break
with every breath I take.

이 노래는 매우 전통적인 ABA 형식으로 쓰였으며, 이유를 알길 없이 떠나버린 사랑에 대한 토치 송[26]의 한 형태로 해석되기 쉽다. 하지만 다른 식의 해석도 가능하다.

예를 들어, 'if'라는 가사가 나오기 전까지는 상황이 좋지 않다는 것을 관객이 알 필요는 없다. 마지막 단락에서 갑자기 그가 없음을 깨닫기 전까지 그에 대한 생각으로 즐거움을 느끼며 행복에 가득 찬 감정으로 노래할 수 있다. 싸이 콜맨 Cy Coleman은 좀 더 오랫동안 이러한 상황을 관객에게 속이기 위해 또 다른 음악을 교묘히 겹쳐 놓았다. 자, 이것이 여러분의 대략적인 시나리오라면 어떤 음색을 사용하는 것이 좋을까?

[26] torch song: 짝사랑이나 비련 등을 주 내용으로 한 감상적인 노래 ■옮긴이 주

서로 다른 음색은 상황에 따라 의미하는 것도 다르다는 것을 명심하자. 또한 '행복한' 음색이라 할지라도 조롱의 뜻을 담고 있다면 변경할 수 있다. 다시 한 번 말하지만 필자가 제안하는 것은 지극히 주관적인 것이다. 행복한 상태를 표현할 수 있는 음색은 다음과 같다.

(1) 기식성 스피치(긴장이 풀린, 관능적인, 여유로운)

(2) 크라이를 혼합한 스피치(따뜻하고 깊은)

(3) 크라이(매우 달콤하고 부드러운 음색)

노래의 템포가 느리기 때문에 너무 경쾌한 느낌이 드는 트웽은 적절하지 않다. 그리고 첫 단락의 'with ev'ry breath I take'는 음색의 표현에 있어 더 신경써야 한다. 그 이유는 가사 'with ev'ry breath I take'가 처음과 마지막 단락에서 똑같이 사용되었지만 마지막 단락은 처음과 완전히 다른 감정으로 쓰였기 때문이다. 첫 번째 단락에서는 좀 더 이 부분을 부드럽게 부르거나 음색의 변경을 고려해볼 수 있다. 그러기 위해선 여러분이 선택한 음색이 첫 번째 단락의 전반적인 음색과 맞는지, 그리고 앞부분의 가사 'though it's never a surprise'와 연결되는 종속절의 기능을 하고 있는지 살펴보아야 한다.

브릿지 부분에서는 음악의 멜로디가 상승되면서 더욱 간절하고 초초하며 진지해지는 감정으로 변하기 때문에 소리의 강도를 쌓을 필요가 있다.

1. 여러분이 기식성 스피치로 이 부분을 시작했다면 강함과 따뜻함이 동시에 느껴지는 크라이를 혼합한 스피치 음색으로 변화를 줄 수 있다.

2. 크라이 또는 스피치와 크라이의 혼합음색으로 시작했다면 트웽을 사용할 수도 있다. 어떤 음색이든 트웽을 혼합하면 소리의 강도가 세진다는 것을 기억하자.

3. 전체적인 음색의 변화 속에서 또 다른 음색을 부분적으로 사용하고 싶을 수 있다. 가사 예: 'and I'm embracing you.'

4. 여러분이 결정한 것이 어떤 것이든 간에 'if'라는 단어에는 반드시 변화가

필요하다. 갑자기 부드럽게 노래하거나 기식성 소리를 내는 것은 갑자기 큰 소리의 음색을 사용하는 것만큼 충격을 줄 수 있다(아주 화가 났을 때 조용해지는 사람을 생각해 보자!).

마지막 부분은 비난, 냉소적임, 비통함으로 해석될 수 있다.

1. 특히 트웽과 혼합된 스피치 음색은 화가 난 감정의 표현에 적합하다.

2. 트웽 자체만으로도 냉소적인 표현이 가능하다.

3. 클라이맥스를 만들기 위해서 벨트 음색으로 'I've been going on, knowing that my heart will break'를 노래하자(남자의 경우, 베이스가 아니라면 벨트음색을 만들기에 이 부분의 음정이 너무 낮음으로 조옮김을 해도 된다).

4. 벨트 다음의 마지막 가사인 'with every breath I take'의 표현 방법을 살펴보자. 관객이나 다른 사람에게 어떤 효과를 주고 싶은가? 여러분은 아마도 다음과 같은 선택을 할 수 있을 것이다.

(1) 스피치 음색: 단념

(2) 팔세토 음색: 후회나 탄식

(3) 스피치와 트웽: 분노

(4) 크라이 음색: 고통스러운 상실의 느낌을 참고 견딤

노래 과제 2 • 'If the heart of a man'(남자), 'When my hero in court appears'(여자)

이 과제는 두 명 혹은 그룹으로도 할 수 있다. 목표는 제시되어 있는 음색을 사용해 노래하는 것이다. 신체적 표현을 통해 감정을 유추하지 못하도록 등을 돌려 노래하거나 노래를 녹음하여 상대방이 들을 수 있도록 하자. 여러분이 사용한 음색을 통해 어떠한 심리적 상태가 전달되고 있나? 여러분이 예상했던 효과를 주고 있나? 그렇지 않다면 여러분이 원하는 반응을 얻기 위해 어떤 부분을 바꾸는 것

이 좋을지 파트너와 토론하고 함께 연구해 보자.

다음은 존 게이John Gay의 <거지 오페라*The Beggar's Opera*>에 나오는 뮤지컬 넘버이다. 악보에 적힌 음색대로 노래를 불러보자.

처음 노래는 맥히스가 부른다. 오페라의 아주 초반부에 나오는 곡으로 폴리의 부모가 맥히스를 속이기 바로 전 장면이다.

두 번째 곡은 폴리 피첨의 노래이다. 그녀의 아버지가 자신이 사랑하는 사람을 감옥에 넣으려 하자 아버지를 말리면서 부르는 노래이다.

여러분은 노래지도에 적힌 대로 노래를 부르면서 '순간'의 느낌을 놓치는 것은 아닐까 생각할 수도 있다. 하지만 그런 걱정은 안 해도 된다. 필자가 배우들과 워크숍을 했을 때 가장 흥미롭고 감동적이었던 순간은 배우들이 대사나 말투 혹은 발음과 같이, 아주 구체적인 것에 집중하라는 지시를 받으며 노래를 했을 때였다. 이런 식의 연습을 통해 배우는 노래와 소통하는 방법을 자연스럽게 깨닫게 될 수도 있고 배우의 본능적인 무언가를 표출할 수도 있다. 내가 할 수 있는 조언은 일단 해보라는 것이다.

| 맺음말 |

『노래하는 배우*Singing and the Actor*』의 초판이 발행된 이후, 나는 지난 3년에 걸쳐 워크숍과 개인레슨을 하며 많은 배우들과 레슨 생에게 가창법에 대해 가르치고 있다. 그리고 영광스럽게도 다른 노래 선생님들에게 노래 테크닉을 전수할 수 있는 기회를 가지기도 했다. 그들은 자신의 학생들과 교육환경에 적합하도록 테크닉을 수정하고 발전시켜 나갔으며, 그 과정에서 필자와의 많은 토론과 피드백이 이루어졌다. 이러한 점에서 실기교육은 서로가 함께 나누는 모험이며, 이러한 상호작용의 결과로써 필자가 얻게 된 통찰력에 대해 대단히 감사하게 생각한다.

교육은 불변의 것일 수 없다. 고정된 틀에 갇히기보다는 공연계의 요구사항을 반영하고 지원할 필요가 있다. 배우로서 여러분은 이러한 변화의 일선에 있으며, 성실함과 통찰력을 가지고 텍스트를 표현하고 탐구하며 전달하는 작업을 해야 한다. 바로 이러한 작업을 할 수 있는 토대를 이 책이 제공했기를 필자는 간절히 바랄 뿐이다.

용어 설명

Compulsory Figures 조 에스틸의 음성 훈련 시스템 'Model for Compulsary Figures, Level One', ⓒ EVTS 1997

가성대False vocal folds 조직과 지방으로 구성된 물질로 후두를 밀폐함으로써, 기도를 보호하는 역할을 한다.

결합조직Connective tissue 몸에 근육들 사이에서 연결하여 부드럽게 움직일 수 있도록 한다.

단순모음Simple vowels 하나의 모음만을 사용한다는 뜻으로 단모음monophthong이라고도 한다. 단순모음은 장모음long vowels과 단모음short vowels으로 나뉜다.

레지트Legit legitimate의 약자로 뮤지컬에서는 보통 성악과 같이 조금 더 클래식한 스타일의 가창법을 일컫는다.

마찰음Fricatives 공기의 흐름이 성도 내의 좁은 통로를 통과할 때 발행하는 소리이다.

목뼈(경추)Cervical spine 척추의 윗부분부터 제7번째 뼈까지 목 부분을 형성하는 뼈 구조물이다.

배음Harmonic 파동의 요인 주파수

벨칸토Bel canto 벨칸토는 이탈리아어 문자 그대로 '아름다운 노래'라는 뜻이고 이탈리아 음악학교로부터 시작되었다. 현재 이 용어는 막연히 소리의 아름다움과 보컬 라인을 무엇보다 중시하는 노래 스타일을 나타내는데 사용된다.

분리 체크리스트Isolation checklist 과제를 수행하는데 있어서 근육을 분리할 수 있도록 도와주는 신체적인 움직임의 순서이다.

비문(비강통로)Nasal port 구강과 비강 사이를 잇는 통로를 말한다.

사이렌Siren 소리인지와 음역대를 개발하는 데 사용하는 릴리 리먼Lilli Lehman의 소리훈련법으로, 이름처럼 경찰차나 구급차의 사이렌 소리를 흉내 내는 것을 말한다.

상승된 성대면의 위치Raised plane position 성대를 잡아 길게 만들고 위로 올리는 뒤반지모뿔근(후윤상피열근)에 의해 만들어지는 성대의 위치를 말한다.

성구 변화Changes of registration 진성대가 길이와 두께가 변화함으로써 음질이 변한다.

성대근Vocalis 성대 근육 혹은 방패목뿔근thyroarytenoid을 뜻한다.

성문Glottis 개념적인 용어로서 성대 사이의 공간을 말한다. 소리를 만들 때, 성문은 닫히고, 호흡을 할 땐 성문이 열린다.

성문상압Supraglottic pressure 성대 위 공기의 압력을 말한다.

성문의Glottal '성문의'라는 의미이다.

성문하압Subglottic pressure 성대 아래 공기의 압력을 말한다.

스펙트로그램Spectrogram 스펙트로그램(소노그램sonogram)은 청각적 신호를 시각적으로 나타내는 프로그램이다.

연축Retraction 물러나다 혹은 후퇴하다는 의미를 가지고 있으며, 에스틸은 소리 없이 웃는 느낌에서 만들어지는 가성대의 모양을 설명할 때 사용한다.

온셋Onset 가창에서 온셋은 성대를 서로 붙이는 소리의 시작을 말하며 형태에 따라 기식, 동시, 성문 온셋으로 나눌 수 있다.

위목뿔Supra-hyoid 목뿔뼈 위의 근육과 구조를 말한다.

음성인식소프트웨어Voice Analysis software 음성소프트웨어에 관심이 있다면 다음 사이트를 방문해보자.

Vocalist http://www.vocalist,org.uk.

VoiceVista http://www.vocevista.com/

Visualization Software LLC http://www.visualizationsoftware.com

인두Pharynx 성도관을 일컫는다.

입천장인두근Palato pharyngeus 연구개 근육으로 삼키는 동작을 할 때 후두를 들어 올리는 역할을 한다.

입천장혀근Palato-glossus 혀의 뒷부분과 연구개를 연결하는 근육으로 'ㅋ'('k')를 발음할 때와 같이 혀의 뒷부분을 위쪽으로 드는 데 사용된다.

주파수Frequency 초당 주기의 수, 진성대의 진동의 주파수이다. 이 요인은 주로 목소리의 음도를 결정한다.

진동 사이클Vibratory cycle 성대에 의해 공기가 방해받는 과정을 말한다.

치조등Alveolar ridge 윗 치아 뒤의 잇몸이 솟은 지붕이다.

파싸지오Passaggio 성구register가 변하는 지점을 말한다.

파열음Plosive 성도에서 공기를 막아 압력을 쌓은 뒤 그 압력이 풀리면서 나오는 완전 폐쇄음의 소리이다.

포먼트Formant 성도의 공명주파수

피열 연골Arytenoid cartilages 윤상연골의 어깨 부분에 앉아 있는 작은 피라이드 모양의 구조이다. 진성대의 뒤쪽이 피열연골에 부착되어 있다.

필라테스 시스템Pilates system 일상적인 생활에서 쉽게 신체관리 및 우리 몸의 인지 능력을 키우는 운동으로써 전문가들이 추천하는 신체 훈련법이다.

하악골Mandible 아래턱뼈

헤르츠Hertz 주파수의 단위(초당 주기 수)

혀Glossus 혀 혹은 '혀의(=glossal)'라는 의미로 사용된다.

후두Larynx 갑상연골, 윤상연골, 후두개, 설골로 구성된 조직이다(때때로 '보이스 박스voice box'로 불린다).

후두골의 홈Occipital groove 두개골 아랫부분의 오목한 곳을 일컫는다.

연습 · 인지 훈련 · 노래 과제 | 찾아보기

1. 음정은 어떻게 맞추는가

2. 오디션에서는 내 목소리가 제대로 나오지 않는다

3. 나는 아무런 느낌이 없어야 한다고 생각했다

4. 지지란 정확하게 무엇인가?

5. 3옥타브 사이렌 개발하기

6. 비문

7. 다이나믹 조절과 전달력

9. 트웽, 가창자의 포먼트

10. 종합하기

11. 가사로 노래하기

12. 음색창조

13. 노래 연기

류미(유미)
Royal Central School of Speech and Drama, MA Voice Studies 졸업
Technical and Further Education New South Wales, Music Theatre 졸업
이화여자대학교 언어병리학과 졸업
Estill Voice International CFP
Member of British Voice Association
한국공연예술발성연구회(www.kavpa.com) 학술이사
≪손님≫, ≪플라토노프≫, ≪맥베스≫, ≪리어왕≫ 외 보이스 코치 및 연출, 소리지도, 배우로 활동
국립극단 〈차세대 연극인 스튜디오〉 출강

명현진
한국예술종합학교 연극원 연기과 졸업
단국대학교 음악대학 성악과 졸업
Royal Central School of Speech and Drama MA Music Theatre 졸업
배우, 보컬 코치, 음악감독으로 활동
현 청강문화산업대학교 뮤지컬스쿨 뮤지컬 연기전공 전임교수

SINGING
and the
ACTOR

노래하는 **배우**

초판 2쇄 발행일 2017년 7월 20일

지은이 줄리안 키이즈
옮긴이 류미(유미) · 명현진
발행인 이성모
발행처 도서출판 동인 • 서울시 종로구 혜화로3길 5 118호
TEL 02-765-7145 / FAX 02-765-7165 / dongin60@chol.com
등 록 제1-1599호
ISBN 978-89-5506-642-5
정 가 15,000원